Alle Ratschläge in diesem Buch wurden vom Autor sorgfältig erwogen und geprüft. Eine Garantie oder ein Heilversprechen wird ausdrücklich nicht gegeben. Dieses Buch ist eine Empfehlung, kein medizinisches Handbuch.

Alle gesundheitlichen Informationen, Ratschläge und Anleitungen in diesem Buch können nicht den Besuch beim Arzt ersetzen. Sie ersetzen keine ärztliche Diagnose, eine medizinische Beratung oder Behandlung. Falls der Verdacht eines gesundheitlichen Problems besteht, wird dringend dazu angeraten, ärztliche Hilfe in Anspruch zu nehmen. Die Benutzung dieses Buches und die Umsetzung der darin enthaltenen Informationen erfolgt ausdrücklich auf eigenes Risiko. Eine Haftung des Verlags bzw. des Autors und seiner Beauftragten sowie der Übersetzer für Personen-, Sach- und Vermögensschäden ist daher ausgeschlossen.

*Anmerkung zum Text:*

*Im Text wird wegen der einfacheren Leseart durchgängig die männliche Form verwendet. Selbstverstä* n *gleichermaßen angesprochen.*

Die Originalausgabe erschien unter dem Titel:

**»DARE – The new way to end anxiety and stop panic attacks«**

1. Auflage
Deutsche Erstausgabe, Januar 2020
BMD Publishing LTD, Dublin
Copyright © 2015 Original BMD Publishing LTD (Reg. No 451616)
Copyright © 2019 der deutschsprachigen Ausgabe
BMD Publishing, Aida Beco

Weitere Informationen zu diesem Buch unter
www.dareresponse.de

" EIN SCHIFF LIEGT SICHER UND BESCHÜTZT IM
HAFEN, DOCH DAZU SIND SCHIFFE NICHT GEBAUT. "
— WILLIAM G.T. SCHEDD

Von Barry McDonagh

Aus dem Englischen von Aida Beco

Reich der Ängste

Wohlfühlhafen

Rückschläge

Rückschläge

N
W        E
S

DARE
DIE REISE

Meer der
Herausforderung

Reich der Heilung

# AMAZON REZENSIONEN

⭐⭐⭐⭐⭐ Eines der besten Bücher, um sich von Panikattacken zu befreien

*"Eines der besten Bücher, die ich über Panikattacken und Angsterkrankungen gelesen habe. Hätte ich es schon früher entdeckt, hätte ich mir viel Recherche ersparen können. Ich kann es uneingeschränkt jedem, der jemals eine Panikattacke hatte und diese auch als solche erkannt hat, empfehlen".*

⭐⭐⭐⭐⭐ Ich hätte nie gedacht, dass es eine Lösung für meine Ängste geben würde

*"Dieses Buch hat mir so viel von meinem Leben zurückgegeben und mir die wichtigste Erkenntnis vermittelt: Ängste können geheilt werden. Es schenkte mir ein ganz neues von Gefühl von Hoffnung und Mut. DARE ist ein wirklich simpler, aber sehr wirkungsvoller Ansatz".*

⭐⭐⭐⭐⭐ Sehr aufschlussreich!

*"Dies ist ein großartiges Buch mit einigen guten Techniken zum Umgang mit Angst- und Panikattacken. Dieses Buch verwendet viele KVT-Techniken und hat am Ende ein Kapitel, in dem die Wissenschaft hinter allem erklärt wird. Dies ist auch eines der wenigen Bücher, in denen über Depersonalisation/Derealisation gesprochen wird, welche sehr reale und sehr beängstigende Symptome für Menschen mit schweren Ängsten sind. Der Autor selbst hat auch unter Angst- und Panikattacken gelitten, sodass er ein echtes Verständnis dafür hat, wie man sich fühlt und die Leute auch wissen lässt, dass sie in diesem Kampf nicht allein sind. Definitiv lesenswert!"*

⭐⭐⭐⭐⭐ Ich habe viele Bücher über Angst- und Panikattacken gelesen, aber das ist das beste Buch, was mir je begegnet ist.

*"Als Therapeut mit über 25 Jahren Berufserfahrung und jemand, der auch persönlich mit Ängsten gekämpft hat, kann ich ehrlich sagen, dass DARE fünf Sterne verdient. Ich habe viele Bücher über Angst- und Panikattacken gelesen, aber das ist das Beste, was mir je begegnet ist. Es ist brillant! Ich erzähle allen in meinem Umfeld davon".*

⭐⭐⭐⭐⭐ Sehr hilfreich!

*"Wenn du an Panikattacken leidest, ist dies das richtige Buch für dich. Der Autor verliert sich nicht in der Geschichte der Angst, sondern kommt direkt zum Punkt. Man lernt schon zu Beginn des Buches, mit seiner Angst neu umzugehen. Das beste Buch, was ich zu diesem Thema gelesen habe".*

# DANK

Vieles in diesem Buch basiert darauf, wie ich meine eigene Angststörung geheilt habe, aber ein großer Teil auch auf der Erfahrung der vielen Menschen, die ich über die Jahre das Glück hatte, coachen zu dürfen. Ich habe so viel von deren Weisheiten und Einsichten in dieses Buch miteinfließen lassen, dass ich es als ein kollektives Werk betrachte und nicht nur als mein Buch.

Ich bedanke mich ganz besonders bei Michelle Cavanaugh, die seit einigen Jahren mein englischsprachiges Coaching Programm leitet. Sie hat die einzigartige Gabe, komplizierte psychologische Sachverhalte so zu erklären, dass jeder sie schnell verstehen kann. Sie war es auch, die die Abkürzung DARE – Defuse (Entschärfen); Allow (Erlauben); Run Toward (Darauf zulaufen/mehr fordern); Engage (Beschäftigen) vorgeschlagen hatte.

Ich möchte auch all jenen danken, die in meinen Foren aktiv waren und an den Telefonkonferenzen teilgenommen haben. Deren Offenheit, Einsichten und ihre persönlichen Erfolge in der Überwindung ihrer Ängste haben mich dazu inspiriert, die Botschaft, dass alle Ängste geheilt werden können, in die Welt zu tragen, ganz egal wie lange bereits jemand darunter gelitten hat.

Ich möchte meinem Entwicklungseditor Stuart Horwitz, meiner Lektorin Sharon Honeycutt sowie Shane Nestor für ihre Ideen, mehr Spaß und persönliche Geschichten in dieses Buch miteinzubringen, danken. Mein Dank gilt auch Amanda MacCabe für die Layoutgestaltung sowie Yevgenia Watts für ihre einzigartigen Illustrationen. Ferner bedanke ich mich bei Dr. Joan Swart für die Erforschung der empirischen Nachweise, welche diesem Buch zugrunde liegen.

Ein großes Dankeschön gilt auch den folgenden Menschen, die mir während des Schreibens erkenntnisreiches Feedback gegeben haben: Michelle Cavanaugh, Patrick Touhey, Shane Nestor, Padraig McCarthy, Ian Fergie, Elise Monte, Sue Booth, William Fernandez, Cameron Fancourt, Sarah Anderson, Alan Brady, Gil Yoh und Alessandro Maltese. Letztlich möchte ich mich bei meiner Ehefrau und meiner Familie für ihre Geduld während meines Schreibens bedanken.

Ihre Unterstützung machte all dies möglich. Ich danke euch allen für alles, was ihr getan habt.

# INHALT

# VORWORT

Es gibt nichts Schlimmeres als das Gefühl, vor seinem eigenen Selbst weglaufen zu wollen. Das Gefühl, wenn man seinem eigenen Körper und Geist entfliehen will, aber nicht weiß, wohin man flüchten soll. Ich weiß wie sich das anfühlt. Ich habe es erlebt.

Ich weiß auch, dass du dich momentan vielleicht wie ein kleines Segelboot fühlst, welches dabei ist, in den nächsten Angst-Sturm zu segeln und dass bereits der Versuch, dich auf dieses Buch zu konzentrieren, eine enorme Herausforderung sein kann.

Das Erste, was ich dir sagen möchte ist, dass alles wieder gut werden wird. Du wirst dies überstehen. Tatsächlich wirst du dies nicht nur überstehen, sondern kannst mit Hilfe dieses Buches deine Reise zur Heilung deiner Ängste beginnen und auf dem Weg dorthin ein stärkerer Mensch werden. An einer Angststörung zu leiden bedeutet nicht, dass dies eine Diagnose auf Lebenszeit ist, du für immer daran leiden und dich damit abfinden musst. Ängste *sind* absolut heilbar.

Für an Angststörungen erkrankte Menschen beginnt eine neue Ära der Heilungsmöglichkeit und dieses Buch ist Teil dieser Bewegung. Ich werde dir in diesem Buch einen transformierenden Ansatz zur Heilung von Ängsten aufzeigen. Diese Methode, genannt "DARE

Response", entwickelte sich aus meiner eigenen Erfahrung in der Heilung meiner Angststörung. Die Wurzeln des "DARE Response" Ansatzes entstammen der Strömung der Positiven Psychologie sowie der Achtsamkeitsbewegung, welche in den letzten fünf- bis zehn Jahren große Aufmerksamkeit erlangt hat. Es ist ein Ansatz, welcher zum Ziel hat, das bisherige Behandlungsmodell des "Angstmanagements" abzulösen und sich darauf fokussiert, die Ängste gänzlich zu heilen.

Egal wie gefangen und verzweifelt du dich momentan fühlen magst, dieser Prozess kann auch bei dir Wunder bewirken, wenn du dich auf ihn einlässt. Dein Durchhaltevermögen wird dich durch diesen Sturm navigieren und es dir möglich machen, deine Ängste zu überwinden.

Ich sage nicht, dass dieser Ansatz für jeden Menschen geeignet ist. Ich sage auch nicht, dass der Weg immer einfach sein wird. Aber was ich sage ist, dass die Erfolge es wert sein werden, wenn du dich diesem Prozess verschreibst.

Lass uns gemeinsam dafür kämpfen, deinen Seelenfrieden, deine Willensstärke und deine Lebensfreude wiederzugewinnen.

# EINLEITUNG

*dare :v. (english)*

Etwas/jemanden
tapfer konfrontieren;
mutig sein.

Angst zu haben ist sehr unangenehm. Es fühlt sich oftmals so an, als ob man durch eine Glasscheibe vom täglichen Leben abgetrennt wäre. Am schwierigsten ist es, mit all den Zweifeln und der Verwirrung fertig zu werden:

*"Warum muss das gerade mir passieren?"*

*"Bin ich vielleicht am Durchdrehen?"*

*"Stimmt vielleicht etwas in meinem Kopf nicht?"*

*"Wird das jetzt für immer so sein?"*

Es ist schwierig, eine Angststörung nachzuempfinden, wenn man sie nicht am eigenen Leib erlebt hat. Eine Angststörung ist nicht die Art von gewöhnlichem Stress, über den sich die meisten Menschen beklagen.

Häufig hört man: *"Ja, ich bin auch gestresst!"* und *"Hey, wir haben doch alle ab und zu Angst – warum nimmst du es so ernst?"* Aber es gibt einen *riesigen* Unterschied zwischen diesem gewöhnlichen Stress, normalen

Ängsten und einer Angststörung. Die meisten Menschen können nicht nachempfinden, wie alles-einnehmend eine Angststörung sein kann. Sie haben keine Ahnung, wie erschreckend Panikattacken sind oder wie unangenehm es sein kann, wenn sich alles um einen herum plötzlich surreal anfühlt.

Dein Arzt mag vielleicht verständnisvoll sein, wenn er aber nie selbst eine Angststörung erlebt hat, wird er nie vollends nachempfinden können, was du durchmachst. Mitmenschen verlieren oft die Geduld. Sie reagieren vielleicht mit Sprüchen, wie: *"Komm, reiß dich zusammen!"* oder *"Es reicht jetzt, lass doch den Kopf nicht so hängen!"*

Vielleicht versuchst du deiner besten Freundin zu erklären, dass du es nicht schaffen wirst, bei ihrer Hochzeit dabei zu sein und bei deiner Freundin kommt an, dass du am wichtigsten Tag ihres Lebens nicht an ihrer Seite sein möchtest. Oder deine Freunde wollen mit dir auf eine Wandertour gehen, du aber weißt, dass dies *viel zu weit* aus deiner sicheren Komfortzone weg ist. Deine Freunde können nicht verstehen, dass es für dich schwer genug ist, das Haus zu verlassen, geschweige denn irgendwo tief in der Natur zu wandern, kilometerweit weg vom nächsten Krankenhaus entfernt. Und auch wenn man sich in solchen Situationen wünscht, dass die Freunde verstehen würden, dass man sie nicht vermeiden möchte, sondern einfach nicht kann, so kommt es leider oft genauso rüber.

Was du brauchst ist jemanden, der genau versteht, wie erschreckend sich diese ganze Sache anfühlt, jemand, der dir versichern kann, dass du nicht dabei bist, deinen Verstand zu verlieren.

Es kann sehr schwierig sein zuzugeben, dass man an Ängsten leidet. Wie in aller Welt soll man jemandem erklären, dass man manchmal das Gefühl hat, völlig die Kontrolle zu verlieren? Dass man all diese bizarren und schockierenden Gedanken hat? Dass, wenn andere wüssten, was sich da im eigenen Kopf abspielt, man unmittelbar in die Psychiatrie eingewiesen und die Kinder in ein Heim gegeben würden. Die Scham und Angst über die eigenen Gedanken und Gefühle sind neben der Angst an sich ein weiterer Grund, sich von der Außenwelt zurückzuziehen, all das, während das Selbstwertgefühl immer weiter schwindet und die Selbstvorwürfe immer stärker werden:

*"Mal im Ernst, was zum Teufel ist nur los mit mir??! Warum kann ich nicht einfach am Morgen aufstehen und meinem Tag nachgehen, ohne mich von der Angst vor dem bevorstehenden Tag so wahnsinnig machen zu lassen? Ich war doch früher so unbekümmert und jetzt habe ich Angst davor zum Friseur zu gehen, einfach ruhig dazusitzen und mir die Haare schneiden zu lassen..".*

Ich will nicht weiter darauf eingehen, du weißt genau, wie sich solche Momente anfühlen. Ich erwähne dies nur deshalb, weil es mir wichtig ist aufzuzeigen, wie normal es ist, sich so zu fühlen. Du bist mit deinen Empfindungen nicht alleine. Du bist nicht dabei, deinen Verstand zu verlieren und du hast auch kein ernsthaftes Gesundheitsproblem. Ängste können dir mentale Streiche spielen. Auch wenn du vielleicht innerlich hoffst, dass dein Arzt eine Art versteckte, subtropische Krankheit finden würde, die deine Symptome erklärt, so stehen die Chancen, dass du "nur" an Ängsten leidest, ziemlich gut.

Natürlich ist es _wichtig_, dass du dich gründlich untersuchen lässt, um andere mögliche Krankheiten für deine Symptome auszuschließen. Wenn dein Arzt dir aber eine Angststörung diagnostiziert hat, dann ist es mit ziemlicher Sicherheit genau das. Vertraue also dieser Diagnose und befürchte nicht, dass es vielleicht doch etwas noch Schlimmeres als das sein könnte.

Du fühlst dich nur deshalb so wie du dich fühlst, weil dein Körper momentan mit übermäßig vielen Stresshormonen überflutet wird. Wir werden in den nachfolgenden Kapiteln noch näher auf dies eingehen, aber letztlich geht es darum, dass die "Kampf-oder-Flucht-Reaktion" deines Körpers momentan überaktiv ist und falsche Alarmsignale aussendet. Diese falschen Alarmsignale sind der Grund für dein mentales und emotionales Chaos.

## DU BIST MIT DEINEN EMPFINDUNGEN NICHT ALLEINE

Vielleicht denkst du, dass deine Ängste ganz besonders schlimm und speziell sind und dass nur du dich so fühlst. Aber ich muss dich leider enttäuschen, tatsächlich sind deine Ängste genauso normal und gewöhnlich, wie die Ängste anderer Betroffener auch.

Es gibt Millionen von psychisch vollkommen gesunden Menschen, die an genau demselben Problem leiden wie du. (Allein in den USA gibt es schätzungsweise 40 Millionen Erwachsene im Alter von 18 Jahren und älter, die an einer Angststörung leiden.) *Wenn du also davon betroffen bist, bist du tatsächlich - völlig normal.*

Ganz egal wie verstörend deine ängstlichen Gedanken auch sein mögen, ich kann dir versichern, dass es jemanden in deiner unmittelbaren Nähe gibt, der genauso wie du, im Stillen leidet. Millionen andere Menschen erleben Panikattacken in genau derselben, erschreckenden Weise, mit den genau gleichen Symptomen, wie du. Millionen von völlig normalen, psychisch gesunden Menschen leiden in Stille an den Symptomen eines übersensibilisierten Nervensystems.

## "ABER ICH HABE DAS GEFÜHL, DASS ICH DEN VERSTAND VERLIERE"

Kennst du das Sprichwort: "Wenn du denkst, du wirst verrückt, dann wirst du es wahrscheinlich nicht". Du wirst deinen Verstand nicht verlieren! Wenn du einen magischen Schalter drücken könntest, der eine sofortige Reduktion der Stresshormone in deinem Blutkreislauf bewirken würde, würdest du dich sofort um einiges normaler fühlen. Das Gefühl der Unwirklichkeit und die Flut an beängstigenden Gedanken, die dir durch den Kopf schießen, würden schnell wieder aufhören.

Ich coache nun seit über 10 Jahren Menschen mit Ängsten und kann gar nicht genug betonen, dass Ängste absolut heilbar sind, auch wenn nur wenige Menschen dir dies sagen werden. Ein essenzielles Ziel dieses Buches ist es, dir zu versichern, dass mit dir alles in Ordnung ist und dass auch du deine Ängste überwinden kannst. Alles, was es dazu braucht, ist die *richtige* Anleitung sowie deinen Willen und Einsatz, dich von deinen Ängsten zu befreien. Dieses Buch zeigt dir Schritt für Schritt, wie du dich wieder frei, unbekümmert und ganz du selbst fühlen kannst.

Lass mich dir kurz erzählen, wie es mir ergangen ist. Der Beginn meiner Angstzustände begann mit einer Panikattacke. Wenn du selbst an Panikattacken leidest, wette ich, dass auch du dich noch an deine erste erinnerst. Meine erste Panikattacke erlebte ich an einem Sonntagnachmittag in einer Kirche in Dublin. Ich war 18 Jahre alt und war am Abend zuvor mit Freunden unterwegs gewesen, um unseren Schulabschluss zu feiern. Ich hatte einen furchtbaren Kater und saß in der hinteren Reihe auf einer Kirchenbank, als mich plötzlich eine ganze Reihe von wirklich starken, körperlichen Empfindungen überrollte. Mein Herz pochte wie wild, ich schnappte nach Luft und hatte das Gefühl, dass Nadelstiche meine Brust und meine Arme durchziehen. Ich hatte nie vorher derart bedrohliche, körperliche Empfindungen erlebt.

Mein erster Gedanke war: *"Was ist, wenn ich gerade einen Herzinfarkt habe?"* Als ich diesen Gedanken fertig gedacht hatte, steigerte sich meine Angst in Panik und ein Gefühl von Elektroschocks durchzog meinen Bauch. Ich musste so schnell wie möglich raus, entschuldigte mich und rannte aus dem Hinterausgang der Kirche. Als ich draußen stand, gingen die Empfindungen leicht zurück und ich dachte, das Schlimmste sei überstanden. Doch plötzlich überrollte mich die nächste Welle, dieses Mal noch stärker als die zuvor.

Ich hätte so gerne jemanden um Hilfe gefragt, wusste aber nicht, was ich sagen sollte. Ich schaute mich nach einem freundlichen Gesicht um, aber keiner nahm Blickkontakt zu mir auf. Aber sollte ich überhaupt jemanden um Hilfe fragen? Würde ich mich dann vielleicht noch hilfloser und ängstlicher fühlen? Würde derjenige überhaupt wissen, was zu tun ist? Ich lief auf und ab, während ich darüber nachdachte, wie weit ich wohl vom nächsten Krankenhaus entfernt bin.

Als die Empfindungen schließlich langsam nachließen, entschied ich mich, nach Hause zu gehen. Aus Angst, ich könnte die Symptome wieder reizen, nahm ich mein Fahrrad und schob es langsam und vorsichtig nach Hause. Als ich zu Hause ankam, erzählte ich keiner Menschenseele davon und verstecke mich tagelang. Das war Woche 1. Was folgten waren ungefähr 500 weitere Tage voller Angst- und Panikattacken.

Ich entwickelte mich von einem Mann, der unbekümmert die ganze Welt bereiste, zu einem Mann, der Angst hatte, sein eigenes Zuhause zu verlassen. Während dieser Zeit habe ich alle erdenklichen Empfindungen erlebt, die Ängste auslösen können. Von wirklich unangenehmen körperlichen Empfindungen bis hin zu sich aufdrängenden Gedanken und Depersonalisations- und Derealisationsgefühlen. Es war wie ein Intensivkurs in Angststörungen.

Der Wendepunkt kam eines Abends, ich erinnere mich noch sehr genau daran. Ich hatte einen absoluten Tiefpunkt erreicht. Ich lag auf dem Fußboden meines Schlafzimmers und wünschte mir nichts sehnlicher, als dass die Ängste endlich aufhören würden. Und in genau diesem Moment hatte ich plötzlich eine Erkenntnis:

Es war, als ob ich meine Gedanken und Reaktionen aus der Ferne beobachten konnte und mir wurde zum ersten Mal klar, dass ich mit meinen Ängsten völlig *falsch* umging. Ich reagierte auf jeden meiner ängstlichen Gedanken mit Angst – was dazu führte, dass meine Ängste nur noch schlimmer wurden.

Diese eine Einsicht führte letztendlich dazu, dass meine Panikattacken und ständigen Angstzustände endeten! Es war wie eine komplette *Umprogrammierung* meiner Gedankengänge. Die bisher ängstlichen Gedanken und Reaktionen entwickelten sich zu neuen, mutigen Gedanken und Handlungen. Die Illusion von Bedrohung, in der mich meine Ängste gefangen hielten, zerbrach und von diesem Moment an begann ich, meine Freiheit zurückzugewinnen.

Ich wollte diese Erkenntnis mit anderen Menschen teilen, schrieb sie schließlich auf und veröffentlichte sie online. Die Resonanz war überwältigend. So viele Betroffene erzählten mir, dass ihnen meine Erkenntnisse enorm im Umgang mit ihren Ängsten geholfen hatten. Das war mein Beweis, dass dieser Ansatz auch anderen helfen würde.

Ich schrieb mein erstes Buch *"Panic Away"*, das später zu einem internationalen Bestseller wurde. Das ist nun 10 Jahre her und seither habe ich das Privileg, Menschen aus allen Berufssparten und Gesellschaftsschichten zu coachen, von Geschäftsführern, über Hausfrauen und Soldaten bis hin zu prominenten Persönlichkeiten. Was meine Methode so einzigartig macht, ist die Schnelligkeit der Heilung. Die vermittelnden Ansätze und Techniken sind leicht zu verstehen und erzielen rasche Erfolge.

Hier ein paar Beispiele:

- Menschen, die zuvor ihr Haus nicht verlassen konnten, reisen nun um die ganze Welt.

- Menschen, die zuvor mit ihrem Auto nicht einmal bis an das Ende ihrer Straße fahren konnten, fahren nun quer durch das ganze Land.

- TV-Moderatoren und Entertainer, die kurz davor waren, ihren Job aufzugeben, produzieren nun ihre besten Shows.

- Mütter und Väter, die früher nicht auf Schulveranstaltungen ihrer Kinder gehen konnten, nehmen nun voll am Leben ihrer Kinder teil.

Was auch immer deine Herausforderungen sind, ich kann dir versichern, dass ich bereits jemanden mit derselben Problematik gecoacht habe, der heute frei davon ist. Es war und ist mir ein Privileg, Teil der Reise tausender Menschen sein zu dürfen, die heute geheilt sind. Zu sehen, wie jemand, der jahrelang unter seinen Ängsten gelitten hat, nun frei ist und seine Lebensfreude zurückgewonnen hat, ist eine sehr bereichernde Arbeit.

All das und mein immer tieferes Verständnis darüber, wie man Ängste heilen kann, hat mich dazu motiviert, dieses Buch, welches du in den Händen hältst, zu schreiben:

In diesem Buch erfährst du, wie du:

- Ängstlichen und sich aufdrängenden Gedanken ein Ende setzt.

- Panikattacken und anhaltende Ängste überwindest.

- Situationen und Orten wieder begegnest, die du vorher vermieden hast – wie bspw. Auto fahren, einkaufen gehen, soziale Kontakte pflegen usw.

- Dein Selbstvertrauen zurückgewinnst und wieder dein früheres, unbekümmertes Selbst wirst, ganz egal, wie lange du schon an deinen Ängsten gelitten hast.

Das, was dieses Buch so sehr von anderen unterscheidet, ist nicht nur, dass du deine Ängste erfolgreich überwinden kannst, sondern die Chance hast zu lernen, *wie du diese in persönliche Stärken umwandeln kannst.* Du kannst lernen, einen Sinn in deinem Leiden zu erkennen und eine neue Stärke in dir zu finden.

Wenn Menschen mich aufsuchen, tun sie dies oftmals nach vielzähligen, erfolglosen Therapie- und Behandlungsversuchen, angefangen bei alternativen Behandlungsmethoden bis hin zum klassischen Ansatz mit Medikamenten. Wahrscheinlich hast auch du schon eine ganze Reihe von Dingen ausprobiert.

Durch unser ohnehin kompliziertes Leben sind wir so konditioniert, dass wir erwarten, dass auch die Lösung unserer Probleme kompliziert und teuer sein muss. Wir trauen komplizierten, teuren Lösungen oft mehr als den einfachen, selbst wenn diese die Lösung unseres Problems erschweren. Mein Ansatz mit DARE ist genau das Gegenteil. DARE vereinfacht den Heilungsprozess.

Der Grund, warum viele der gängigen Behandlungsansätze enttäuschen, ist, dass diese auf dem weit verbreiteten Modell des "Angstmanagements" beruhen, sprich die Anwendung von Atemtechniken, das Einnehmen von Medikamenten und das Lernen "mit den Ängsten zu leben". Ängste "managen" zu lernen, ist jedoch keine langfristige Lösung. Allein der Name gibt schon einen Hinweis darauf: Man lernt mit der Angst zu leben, aber nicht, sie zu überwinden oder zu heilen. Sicher können diese Ansätze eine kurzfristige Verbesserung erzielen, aber die Ängste kehren immer wieder zurück.

In diesem Buch geht es nicht um "Angstmanagement". Es geht darum, deine Ängste zu heilen und wieder *dein altes Leben zurückzugewinnen.*

Wenn man an Ängsten leidet, führt dies dazu, dass man in einem stetigen Stadium von Anspannung lebt. Wenn man jedoch lernt, sich gekonnt *mit* der ängstlichen Anspannung und *mit* den ängstlichen Empfindungen fortzubewegen, anstatt diese zu bekämpfen, löst sich der Zustand der Anspannung und ein Gefühl von "Flow" kehrt wieder zurück. DARE zeigt dir Schritt für Schritt auf, wie du genau dies erreichst.

Das Besondere am DARE-Ansatz ist, dass er nicht dazu gedacht ist, dir deine Angst zu nehmen, sondern dir deine *Angst vor der Angst* zu nehmen. Denn es ist dein Widerstand, dein Gegendruck und dein Kampf gegen die Angst, die dich gefangen halten.

Ein guter Vergleich hierzu ist das Gefangensein in Treibsand. Umso mehr du gegen das Einsinken kämpfst, umso schneller sinkst du ein. Mit DARE lernst du, den Widerstand abzulegen. Dadurch rückt der ängstliche Teil deines Verstandes in den Hintergrund und gibt deinem Nervensystem die Chance, sich wieder zu desensibilisieren und in Balance zu kommen.

Es wäre allerdings unrealistisch zu behaupten, dass du mit dem Einsatz von DARE nie wieder Angst haben wirst. Es wird immer wieder herausfordernde Zeiten im Leben geben, in denen Ängste präsent sind, das geht auch mir so. Der große Unterschied wird jedoch sein, dass du dich nicht mehr in deinen Ängsten gefangen und hilflos fühlen wirst, sondern stattdessen mit Leichtigkeit durch diese Phasen hindurchgehen kannst.

## DIE WISSENSCHAFT HINTER DARE

Die Erkenntnisse, die ich auf meinem Heilungsweg machte, waren mir persönlich völlig neu. Und doch möchte ich nicht für einen Moment behaupten, dass ich der Erfinder dieses Ansatzes bin. Ich nenne es nur deswegen einen "neuen" Ansatz, da bis vor ein paar Jahren beinahe jede Behandlungsmethode auf dem alten Modell des "Angstmanagements" beruhte. Glücklicherweise gab es in den letzten Jahren eine Revolution in der Psychologie und es entwickeln sich neue Therapieansätze, die nun den Kern von Angststörungen ansprechen und behandeln. Einige Beispiele dieser Therapien sind die Achtsamkeitsbasierte Kognitive Therapie (ABKT) und die Akzeptanz- und Commitment Therapie (ACT).

Diese "neuen" Behandlungsansätze sind tatsächlich gar nicht neu. Bereits in den 1950er und 1960er Jahren gab es viele großartige Ärzte und Psychiater, wie beispielsweise Dr. Viktor Frankl und Dr. Claire Weekes, die davon überzeugt waren, dass diese Ansätze die einzig effektiven Behandlungsmethoden bei Angststörungen sind und die sich unermüdlich für diese Ansätze eingesetzt haben. Die weit verbreitete Meinung zur damaligen Zeit war jedoch, dass Angststörungen eine Diagnose auf Lebenszeit sind, mit welcher man lernen musste zu leben und/oder sie mit Medikamenten zu behandeln.

Ich bin fest davon überzeugt, dass innerhalb der nächsten zehn Jahre, Therapieverfahren, welche die Heilung von Ängsten im Fokus haben, die Therapieverfahren erster Wahl sein werden, da diese direkt den Kern der Angststörungen ansprechen und die schnellsten Erfolge erzielen. Mit diesem Buch möchte ich meinen Beitrag dazu leisten und dabei helfen, diesen Ansatz so einfach und leicht verständlich wie nur möglich zu vermitteln. (Im Anhang des Buches erfährt du alles über die wissenschaftlichen Hintergründe zu DARE.)

Es ist wichtig, dass Betroffene einfache und leicht umzusetzende Techniken zur Hand haben, wenn sie gerade durch eine ängstliche Phase gehen oder eine Panikattacke erleben. Der DARE Ansatz ist leicht zu verstehen, leicht umzusetzen und bei allen Formen von Ängsten anwendbar, seien es Panikattacken, eine generalisierte Angststörung, Phobien oder Zwangsstörungen.

*"Man kann Menschen nur dorthin führen, wo man selbst schon einmal war"*. **Alt-englisches Sprichwort**

Die besten Erkenntnisse und wissenschaftlichen Durchbrüche entspringen oft abseits der akademischen Welt. Ich habe Psychologie studiert, bin allerdings kein klinischer Psychologe, Psychotherapeut oder Arzt. Meine Kenntnisse und meine Kompetenzen auf diesem Gebiet basieren auf meiner persönlichen Erfahrung in der Heilung meiner Ängste. Was mich meiner Meinung nach jedoch mehr als qualifiziert auch dir zu helfen, ist meine zehnjährige Erfolgsgeschichte, in der ich unzähligen Menschen helfen konnte, ihre Ängste zu überwinden.

Bevor wir uns nun den Details von DARE widmen, möchte ich dich gerne dazu einladen, dieses Buch als eine Art Reise zu betrachten, auf die wir gemeinsam aufbrechen. Ich werde dich bitten, den sicheren Heimathafen deiner Komfortzone zu verlassen und mit mir in Richtung Freiheit zu segeln. Diese Reise wird nicht immer einfach sein. Es wird Zeiten geben, in denen ein Sturm aufkommt und du aufgeben möchtest. Aber ich möchte dich bereits jetzt darum bitten, weiterzumachen und durch den Sturm hindurch zu segeln. Du hast alles in dir, was du brauchst, um diese Reise zu meistern.

## DU BIST HIER, WEIL DU BEREIT BIST

Du bist bisher so tapfer wie möglich mit deiner Situation umgegangen und was du jetzt brauchst ist jemanden, der dir hilft, den Kurs in Richtung Freiheit zu setzen.

Du würdest dieses Buch nicht lesen, wenn du nicht alles, was du brauchst, bereits in dir hättest. Du hast sicher schon mehr als ein Mal den Mut verloren und warst kurz davor aufzugeben. Aber du hast es nicht getan. Du hast weitergesucht. Du bist drangeblieben. Ich begrüße deinen Mut und danke dir schon jetzt für dein Vertrauen, dass du mir entgegenbringst. Ich möchte, dass du weißt, dass dies nicht nur leere Worte sind und dass ich hier bin, um dich zu bestärken und zu motivieren.

All das Leiden in Stille, dass du ertragen hast, all der emotionale Schmerz - nichts davon war umsonst. Es hat alles einem höheren Zweck in deinem Leben gedient. Du liest dieses Buch, weil du jetzt bereit bist, deine Reise in die Freiheit zu beginnen.

Eines möchte ich dir gerne vorab noch sagen: DARE ist der effektivste und schnellste, mir bekannte Ansatz zur Heilung von Ängsten. Doch deine Ängste werden nicht über Nacht verschwinden. Es ist mehr wie das Herunterdrehen der Lautstärke eines störenden Radiogeräusches, welches im Hintergrund läuft. Am Anfang nimmst du das Geräusch noch sehr bewusst wahr. Mit der Zeit bemerkst du es immer weniger häufig. Später musst du noch sehr genau hinhören, um es zu bemerken und dann irgendwann kommt... Stille!

## "WORAN ERKENNE ICH, DASS ICH WIRKLICH GEHEILT BIN?"

Du bist einer vollständigen Heilung dann sehr nahe, wenn du dich nicht mehr darum kümmerst, ob deine ängstlichen Empfindungen präsent sind oder nicht. Beachte bitte, dass ich nicht sage, *"wenn du keine ängstlichen Empfindungen mehr hast"*, das kommt später. Der erste, wichtige Punkt ist zunächst, dass du lernst, *dich in deiner ängstlichen Anspannung wohl zu fühlen.*

Alles was dann folgt wird viel einfacher. Du wirst bemerken, dass die Zeitabstände, in denen du nicht an deine Angst denkst, immer länger werden. Du hörst auf, ständig in dich "hineinzuhorchen", um zu überprüfen, wie du dich fühlst. Letztlich wirst du dich allgemein viel weniger ängstlich fühlen. Ängste werden zwar von Zeit zu Zeit auftauchen, um dir einen Besuch abzustatten, aber statt mit Angst auf sie zu reagieren, wirst du dich mit deinen neu gewonnen Fähigkeiten sicher und schnell durch herausfordernde Zeiten manövrieren können.

Bevor wir nun beginnen, möchte ich, dass du dir für einen Moment Zeit nimmst und dir vorstellst, wie dein Leben aussehen könnte, wenn du frei von deinen Ängsten wärst.

Was würde das für dich bedeuten? Mehr schöne Momente mit deinen Freunden und deiner Familie? Vielleicht in ein unbekanntes Land reisen? Oder Freunde besuchen, die weit weg wohnen? Oder vielleicht einfach nur in der Lage sein, alltägliche Dinge zu unternehmen, wie Auto zu fahren oder einkaufen zu gehen, frei von dem Gefühl der lähmenden Angst, die dich bisher begleitet hat. Was es auch sein mag, ich möchte dich bitten, an das zu denken, was für dich wertvoll ist. Wir werden am Ende dieses Buches wieder darauf zurückkommen.

Beginnen wir nun also unsere Reise in das Reich der Heilung. Es gibt wirklich ein Licht am Ende des Tunnels. (Und nein, es fährt kein Schnellzug auf dich zu!)

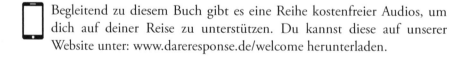 Begleitend zu diesem Buch gibt es eine Reihe kostenfreier Audios, um dich auf deiner Reise zu unterstützen. Du kannst diese auf unserer Website unter: www.dareresponse.de/welcome herunterladen.

# DU BIST DIE HEILUNG

Lass uns bei unserer Abreise mit dem wichtigsten Punkt starten: Es ist okay, *sich nicht okay zu fühlen*. Das ist unser Startpunkt. Eine monate- oder vielleicht sogar jahrelang andauernde Angststörung kann ihren Tribut fordern. Vielleicht ist es schon lange her, dass du dich wirklich wie du selbst gefühlt hast.

Jemand, der regelmäßig Panikattacken oder anhaltende Ängste erlebt, wird ständig von einem Cocktail an Stresshormonen bombardiert. Dieses Bombardement macht nicht nur dein Nervensystem extrem anfällig gegenüber Stress, sondern erzeugt manchmal auch das merkwürdige Gefühl des sich "Abgekapselt"-Fühlens vom Rest der Welt. Die Umwelt mag dir momentan vielleicht etwas merkwürdig oder surreal vorkommen und das ist vollkommen okay. Jetzt wo du weißt, dass deine Angst nur von der Stressreaktion deines Körpers herrührt und dass du dich nur aufgrund der hohen Anzahl an Stresshormonen so fühlst, kannst du langsam aber sicher beginnen, deine Situation gelassener zu sehen.

Wichtig ist auch, dass du weißt, *dass du weder schwach noch feige bist, weil du an Ängsten leidest*. Ich habe mit den mutigsten und tapfersten Menschen gearbeitet, die man sich vorstellen kann – Polizisten,

Feuerwehrleute und Soldaten. Diese Leute beweisen täglich große Tapferkeit bei ihrer Arbeit. Im Privatleben werden aber auch sie von ihren Ängsten geplagt und fühlen sich schwach und hilflos. Ein früherer Klient von mir war ein hochrangiger Polizeioffizier, der über 300 Polizisten unter seiner Führung hatte – und doch war es ihm aufgrund seiner Ängste nicht möglich, zum Friseur zu gehen und sich die Haare schneiden zu lassen, ohne dabei in Panik zu geraten. Bei seiner Arbeit meisterte er täglich hochstressige Situationen und fühlte sich vollkommen in Kontrolle. Aber beim Friseur zu sitzen war ihm aus Angst, er könnte dort wieder eine Panikattacke erleben, absolut unmöglich. Denke also nicht, dass du weniger stark oder weniger tapfer als andere bist. Ganz im Gegenteil.

Ich versichere dir, dass all die Angst, die du erlebst, nicht anders ist als die Angst derer, die mit Hilfe von DARE heute frei von ihr sind. Über die Jahre hinweg habe ich so viele Formen von Angststörungen kennengelernt, dass mich nichts mehr überrascht... Angefangen bei der Panikstörung, generalisierten Angststörung, Soziale Phobien, Zwangsstörungen usw.: Der Kern all dieser verschiedenen Erscheinungsformen ist immer der Gleiche: Angst!

Ich unterteile Angststörungen nur ungerne in spezifische Subformen und nenne sie auch nur ungerne eine "Störung" oder "Erkrankung". Ich nutze diese Bezeichnungen nur, damit du dich besser an ihnen orientieren und diese zuordnen kannst. Diagnosen und spezifische Bezeichnungen dienen dazu, Symptome und das gefühlte Erleben von Betroffenen zu definieren und ihnen einen Rahmen zu geben. Eine Diagnose ist aber nicht das, was einen Menschen ausmacht und es bedeutet auch nicht, dass man diese Diagnose nun auf Lebenszeit hat. Betroffene neigen jedoch dazu, sich mit der ihnen mitgeteilten Diagnose übermäßig zu identifizieren. Eine Angststörung ist aber nichts weiter als eine Lebensphase, durch die jemand hindurch geht, genauso wie jemand im Laufe des Lebens auch beispielsweise durch Phasen von Trauer geht. Würden wir jemandem mit einem gebrochenen Herzen ein Label aufdrücken und sagen, dass diese Phase nun für immer anhält? Nein, natürlich nicht. Wir wissen, dass es nur Phasen sind, die vergehen. Aber Menschen, die an einer Angststörung leiden, sind oft davon überzeugt, dass ihre Ängste nun ein fester Teil von ihnen sind, welche sie für immer haben werden. Dem ist aber nicht so. Auch diese Phase ist vergänglich.

## "WIE SCHNELL WERDE ICH MEINE ANGSTSTÖRUNG HEILEN KÖNNEN?"

Die Geschwindigkeit sowie die Art und Weise der Heilung eines jeden Einzelnen ist sehr individuell. Im Allgemeinen durchläuft sie jedoch für die meisten Menschen in vorhersehbare Phasen. Bevor ich nachfolgend im Einzelnen auf diese Phasen eingehe, möchte ich bereits jetzt erwähnen, dass *die Geschwindigkeit deiner Heilung vor allem von deiner Bereitschaft abhängt, deine Ängste in der richtigen Weise zu erleben.* Bis jetzt hast du deine Angst auf die falsche Weise erlebt. Ich werde dir in den nachfolgenden Kapiteln zeigen, wie du deine Angst auf die richtige Weise erleben und sie paradoxerweise genau dadurch heilen kannst.

Wenn du diesen Ansatz anwendest, wirst du durch folgende, vorhersehbare Phasen gehen:

**Phase 1.** Wenn du an Panikattacken leidest, werden diese innerhalb kurzer Zeit immer seltener auftreten. Dies deshalb, weil du gelernt hast, keine Angst mehr vor den körperlichen und mentalen Empfindungen einer Panikattacke zu haben. Das Vertrauen in deinen Körper, mit Stress umgehen zu können, kehrt allmählich zurück und du fühlst dich in der Lage, bestimmten Situationen wieder zu begegnen, die du zuvor vielleicht gemieden hast.

**Phase 2.** Als Nächstes wird dein Gefühl stetiger Besorgtheit und Anspannung sinken. War es zuvor auf der Skala vielleicht eine 8 von 10, sinkt es nun auf eine 4 oder 5 von 10. Diese Phase dauert etwas länger und ist ein langsamer Prozess, da dein Nervensystem

Zeit braucht, um zu desensibilisieren. Der Heilungsprozess verläuft nicht linear, wie z. B. bei einem Knochenbruch. Du wirst Fortschritte machen und dann auch Rückschläge erleben, um dann wieder einen großen Sprung nach vorne zu machen.

**Phase 3.** Während deine generelle Anspannung weiter sinkt, treten auch ängstliche Gedanken und Sorgen weniger häufig auf. Du bist immer besser darin, ängstliche Gedanken und Sorgen nicht zu ernst zu nehmen und mit Angst auf diese zu reagieren. Während sich deine ängstlichen Gedanken früher noch als bedrohlich und schockierend angefühlt haben, empfindest du sie jetzt vielleicht nur noch als nervig und unangenehm. In dieser Phase beginnen i. d. R. auch Gefühle wie Derealisation (das Gefühl von Unwirklichkeit) langsam zu verschwinden.

**Phase 4.** Dies ist eine Übergangsphase, in der du nach langer Zeit stetiger Anspannung und Angst nun Zeiten erlebst, in denen du völlig frei davon bist. Wenn du bereits längere Zeit an Ängsten gelitten hast, kann sich diese neu gewonnene Freiheit etwas merkwürdig anfühlen, vielleicht wie die Ruhe oder Stille nach einem Sturm, der lange gewütet hat.

*"Ist es wirklich vorbei?"*, fragst du dich. *"Was, wenn es schlimmer denn je zurückkommt?"* Diese Phase kann sich ein wenig wie die Zeit nach der Befreiung aus einem Gefängnis anfühlen, während man befürchtet, jeden Moment wieder eingesperrt zu werden.

**Phase 5.** Als Nächstes kommt ein Rückschlag! Ja, sorry, aber den wird es geben. Rückschläge können deinem neu gefundenen Selbstvertrauen einen enormen Schlag versetzen. Du dachtest, du bist nun endlich frei von der Angst und nun scheint es so, als wärst du wieder ganz am Anfang und das auch noch so schlimm wie eh und je. Vielleicht denkst du: *"Ich wusste, dass es wiederkommt. Ich werde nie frei davon sein! Mit mir stimmt einfach etwas nicht"*. Viele Menschen tun sich in dieser Phase mit ihrem Frust über ihre Situation sehr schwer. Dies ist eine ganz normale Reaktion, aber an diesem Punkt ist es wichtig zu verstehen, dass Rückschläge Teil des Heilungsprozesses sind. Gib nicht auf! Du bist deinem Ziel so nahe! Dies ist eine sehr wichtige Phase, die du durchleben musst. Sie ist wie eine Abschlussprüfung, in der du beweisen musst, dass du wirklich bereit bist, deine Ängste loszulassen. Denke daran: "Die dunkelsten Stunden sind die vor der Morgendämmerung".

**Phase 6.** Schließlich, mit immer mehr Übung wirst du bemerken, dass es schon ein paar Wochen her ist, seit du dich mit deinen Ängsten beschäftigt hast. Dies ist das Zeichen dafür, dass die Übersensibilisierung deines Nervensystems sich zum größten Teil erholt hat. Denke aber immer daran, dass du immer wieder einen Rückschlag erleben kannst – manchmal sogar Jahre später und ganz ohne Vorwarnung – aber zum Großteil ist es jetzt nur eine Frage des weiteren Dranbleibens und Übens – all das während du deine neu gewonnene Freiheit genießt.

Wie bereits zuvor erwähnt, sind die Ausprägungen einer Angststörung sowie die Art und Weise, wie sie jeder Betroffene erlebt, individuell. Manche kämpfen eher mit ängstlichen Gedanken und Sorgen, für andere sind es eher die körperlichen Auswirkungen. Manche leiden nicht nur an stetiger Anspannung, sondern erleben auch wiederkehrende Panikattacken. Das Kapitel "DARE bei Panikattacken" geht im Besonderen darauf ein.

Die oben genannten Phasen zeigen einen typischen Verlauf des Heilungsprozesses für einen Großteil der Menschen. Aber so individuell die Ausprägung von Ängsten ist, so individuell ist auch der Heilungsprozess. Erlaube dir, deinen Heilungsprozess in deinem eigenen Tempo zu gehen und vergleiche dich nicht mit anderen. Es wird immer Menschen geben, die schneller oder langsamer als du an ihr Ziel kommen.

Ein guter Vergleich des Heilungsprozesses ist der mit der Sonne, die hinter einer großen, grauen Wolke hervorscheint und deren Strahlen auf eine dichte Nebeldecke leuchten. Die Nebeldecke repräsentiert deine Ängste und die dunklen Wolken die schweren Zeiten, die du erlebst. Mit dem Üben von DARE beginnt die Sonne zwischen den dunklen Wolken wieder hervorzuscheinen und durch ihre Wärme löst sich der Nebel mit der Zeit langsam auf. Manchmal gibt es einen Wetterumschwung und der Nebel wird wieder dichter. Die Temperatur sinkt und die Angst ist wieder da - das sind die Rückschläge. Wenn du aber dranbleibst und weiter übst, wird sich auch dieser Nebel wieder lichten und die Sonne wird wieder scheinen.

## "WARUM HABE ICH EIGENTLICH EINE ANGSTSTÖRUNG?"

Du hast dich sicher schon öfter gefragt, warum gerade du eine Angststörung entwickelt hast und andere nicht. Wissenschaftliche Forschungen haben gezeigt, dass ein gewisser Prozentsatz der Bevölkerung eine genetische Disposition für Angststörungen hat. Ich denke, dass die meisten Menschen, denen ich bei meiner Arbeit begegne, in diese Kategorie fallen. Doch auch wenn du eine genetische Veranlagung für Angststörungen besitzt, bedeutet das noch nicht, dass du auch eine entwickeln wirst. Es bedeutet zunächst nur, dass du ein höheres Risiko trägst, eine Angststörung zu entwickeln und im Allgemeinen sensibler auf Ängste reagierst.

Für genetisch prädisponierte Menschen können der Auslöser einer Angststörung mentale, emotionale oder physische Überforderung, ebenso Krankheit und traumatisierende Lebensereignisse, wie der Tod einer nahestehenden Person oder das Ende einer Beziehung sein. Manchmal ist es auch nicht ein spezifisches Lebensereignis, sondern eher mangelnde Selbstfürsorge (z. B. falsche Ernährung, Schlafmangel, zu hoher Alkohol- oder Koffeinkonsum), was den Ausbruch einer Angststörung triggert. Auch eine einseitige Ernährungsweise, welche Nährstoffmängel begünstigt, kann ein Auslöser sein. Weitere nachgewiesene Umweltfaktoren können z. B. der frühe Tod einer Bezugsperson im Kindesalter oder ein dominanter oder aggressiver Erziehungsstil sein.

*Bitte beachte, dass eine Psychotherapie unabdingbar ist, wenn es einen klar identifizierbaren Grund für deine Ängste gibt, wie beispielsweise körperliche oder emotionale Misshandlung, eine Suchterkrankung oder eine Depression. Diese müssen unbedingt behandelt werden. Du kannst*

DARE begleitend zu einer Therapie anwenden. Dies wird dich unterstützen, in emotional schwierigen Zeiten einen klaren Kopf zu bewahren und mit deinen Ängsten im Hier und Jetzt umzugehen.

## ÄNGSTLICHE ANSPANNUNG

Leben bedeutet Bewegung. Es ist dynamisch und pulsierend, wie ein schnell fließender Fluss. Zufrieden und glücklich zu sein bedeutet, in einem Zustand von "Flow" zu sein, in welchem Gedanken und Gefühle einem natürlichen Lauf folgen und es keine innerlichen Reibungen oder Konflikte gibt. Wenn man diesen "Flow" spürt, fühlt sich der Körper leicht an und der Geist ist spontan und glücklich.

Sorgen und Ängste sind das genaue Gegenteil. Sie sind die Anspannungen des Lebens. Wenn wir Angst haben, ziehen wir uns innerlich zusammen und machen uns klein. Unser Körper wird steif und unser Geist ängstlich und starr. Wenn wir in diesem starren Zustand verharren, trennen wir uns irgendwann vom Leben ab. Wir verlieren unsere Flexibilität. Wir verlieren unseren "Flow".

Man kann dies gut mit einer Muskelkontraktion vergleichen. Wenn ein Muskel überlastet und müde ist, verlieren die Muskelzellen Energie und Flüssigkeit. Dies kann zu einer plötzlichen und intensiven Kontraktion führen, was wir als Muskelkrampf kennen. Muskelkrämpfe tauchen oft ohne Vorwarnung auf und können ziemlich schmerzhaft und beängstigend sein.

So ist es manchmal auch in unserem Leben. Wir überfordern uns, sind erschöpft und gestresst. Wenn wir dies nicht bemerken und früh genug gegensteuern, kann es passieren, dass auch unser Geist und Körper "verkrampft", was sich in Folge dann beispielsweise als Angstzustände oder Panikattacken zeigen kann. Ich nenne diese Zustände "ängstliche Anspannungen" und sie können ziemlich schmerzhaft sein. Zu lernen, wie man auf ängstliche Anspannungen richtig reagiert, ist entscheidend dafür, wie schnell man diese wieder lösen kann.

Jeder Mensch erlebt Phasen ängstlicher Anspannung an irgendeinem Punkt seines Lebens. Es gibt Momente, in denen wir von Ängsten überwältigt werden und alle möglichen körperlichen Empfindungen wie ein pochendes Herz, Schwindel- oder Beklemmungsgefühle erleben. Unser Angstniveau liegt dann auf einer Skala bei etwa einer 8 oder 9 von 10. Manche beschreiben dies als ein Gefühl von Panik, während andere es als ein Gefühl von übermäßiger Gereiztheit oder Überforderung empfinden.

## DER ANGSTKREISLAUF

An diesem Punkt entscheidet sich, ob jemand eine Angststörung entwickelt oder nicht. Der absolut entscheidende Faktor dabei ist, ob sich jemand im Teufelskreis der Angst verfängt. Der Angstkreislauf ist eine mentale Falle, ein Teufelskreis, in welchem sich die Angst vor der Angst entwickelt. In diesem Teufelskreis nehmen Betroffene aufkommende, ängstliche Gedanken und körperliche Empfindungen intensiv wahr und interpretieren diese als bedrohlich, anstatt sie zu ignorieren.

*"Was ist, wenn ich die Kontrolle verliere und etwas Verrücktes mache?"*

*"Was ist, wenn diese Empfindungen wiederkommen, während ich in einer Besprechung bin?"*

*"Was ist, wenn dies die ersten Anzeichen einer schweren Erkrankung sind?"*

Diese Situationen sind wie bereits beschrieben mit dem Einsinken in Treibsand vergleichbar. Unsere intuitive Reaktion ist uns zu befreien, indem wir dagegen ankämpfen. Aber je mehr wir dagegen ankämpfen, desto tiefer sinken wir ein.

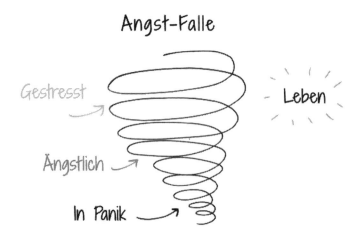

Angst-Falle

Gestresst

Leben

Ängstlich

In Panik

Angst ist eine so simple und doch so gemeine Falle, in die man geraten kann. Zu den Empfindungen selbst kommt noch die Sorge darüber hinzu, was gerade mit einem passiert. Diese Ungewissheit macht die Sache noch schlimmer und erzeugt noch mehr Ängste. Man verfängt sich in der Angstschleife: *Je mehr man die körperlichen Empfindungen fürchtet, umso intensiver nimmt man sie wahr. Je mehr man sie wahrnimmt und Angst vor ihnen bekommt, desto stärker treten sie auf.*

Ich habe schon so viele Menschen kennengelernt, die an einem Tag völlig unbesorgt waren und nach nur einer einmalig erlebten Panikattacke derart verstört waren, dass sie diese Erfahrung nicht abschütteln konnten und der Angst in die Falle gegangen sind.

Doch es gibt Hoffnung. So seltsam es auch klingen mag, aber die größte Hürde bei der Überwindung deiner Ängste bist du. Du bist aber auch die Heilung. Dein Körper und Geist möchten deine Ängste genauso sehr heilen, wie du. Das Einzige, was du dazu lernen musst, ist eine neue Reaktion auf deine ängstlichen Gedanken und körperlichen Empfindungen zu entwickeln. Eine Reaktion, welche den ängstlichen Teil deines Verstandes aus dem Weg räumt, sodass dein Nervensystem sich wieder entspannen und desensibilisieren kann. Mit DARE lernst du, wie du aus dem Angstkreislauf ausbrechen und wieder mit dem Leben in Verbindung treten kannst.

Bevor wir nun weiter machen, möchte ich dir dazu gratulieren, dass du es bis zu diesem Punkt des Buches geschafft hast. Mach weiter so, denn jetzt wird es erst richtig interessant. Im folgenden Kapitel werde ich dir die Einzelheiten von DARE vorstellen. Dieser Ansatz kann dir wirklich helfen, deine Ängste für immer zu überwinden, aber ab hier brauche ich dein volles Engagement. Deine Bereitschaft und dein Einsatz werden bestimmen, wie schnell und effektiv du an dein Ziel kommst.

# DARE

Qui audet adipiscitur

Wer wagt, gewinnt

Deine Angst ist kein Ungeheuer, das es auf dich abgesehen hat, auch wenn es dir vielleicht so vorkommen mag. Ich weiß, dass du befürchtest, dass sie dich vielleicht umbringen oder in den Wahnsinn treiben wird, aber das wird nicht passieren. Du bist sicher, darauf kannst du vertrauen.

Deine Ängste sind ein innerlicher Kampf, den du mit dir selbst führst. Es ist der Versuch deines Körpers, dich zu beschützen und er tut das, was er denkt, was das Beste für dich ist.

Mit DARE wirst du eine ganz neue Beziehung zu deinen Ängsten entwickeln. DARE zeigt dir, wie du deine Ängste nicht mehr als einschränkende und lähmende, sondern als eine neutrale Energie wahrnehmen und sie zu deinen Gunsten nutzen kannst. Lege also nun deine bisherigen Bewältigungsstrategien ab und lass uns gemeinsam diesen neuen Ansatz üben.

DARE basiert auf 4 einfachen Schritten:

**D**efuse - Entschärfen
**A**llow - Erlauben
**R**un Toward - Darauf zulaufen/
mehr verlangen
**E**ngage - Beschäftigen

## SCHRITT 1. *ENTSCHÄRFEN*

Angst ist nichts anderes, als nervöse Energie in deinem Körper. Diese Energie ist vergleichbar mit den Wellen des Ozeans – sie steigt auf und flacht wieder ab. Denke einmal an einen Moment zurück, als du dich im Meer hast treiben lassen und wie sich dort von Zeit zu Zeit Wellen vor dir aufgebaut haben. So sind auch die Wellen nervöser Energie. Wenn du diesen Wellen widerstehst, überschwemmen sie dich und machen dir Angst, wenn du dich jedoch mit ihnen mitbewegst, schwimmst du mit und über sie hinüber, bis du schließlich deine Angst vor den Wellen verlierst. Die Wellen der Angst bauen sich auf, erreichen ihren Höhepunkt und flachen dann wieder ab. Es ist immer dasselbe, sie bauen sich auf und flachen wieder ab. Sie werden nur dann zu einem Problem (einer "Störung"), wenn man falsch auf sie reagiert.

Der erste Schritt von DARE zeigt dir, wie du auf ein aufkommendes Angstgefühl unmittelbar richtig reagierst. Dies ist dein erster Kontakt mit der Angst und es ist ein Schritt, den du schnell und leicht umsetzen kannst.

Ein Angstgefühl wird oft ganz plötzlich von irgendetwas getriggert. Wie bereits im vorigen Kapitel angesprochen, kann der Auslöser verschiedene Gründe haben (beispielsweise Überforderung, Stress oder schlechte Ernährung). Wenn man sich nun gegen dieses Angstgefühl wehrt und versucht, es wegzudrücken, verschlimmert es sich und wird noch intensiver. Abwehren und Wegdrücken ist die *falsche Reaktion* auf ein Angstgefühl.

Der größte Fehler jedoch ist, sich in *"Was ist, wenn … "* *Fragen* zu verlieren:

*"Was ist, wenn mein Herz nicht mehr aufhört, so heftig zu schlagen?"*

*"Was ist, wenn ich eine Panikattacke hier im Auto bekomme?"*

*"Was ist, wenn diese ständige Angst nie mehr weggeht?"*

*"Was ist, wenn ich bewusstlos werde? Wer wird mir helfen?"*

*"Was ist, wenn mein Verstand nicht mehr aufhört, sich wie besessen mit diesen Gedanken zu beschäftigen?"*

Seit der Steinzeit ist unser Verstand darauf ausgelegt, potenzielle Gefahren zu erkennen und zu vermeiden. In der damaligen Welt ging es oft um Leben oder Tod und *"Was ist, wenn.."*. *Fragen* waren ein nützlicher, kognitiver Prozess, um potenzielle Gefahren zu erkennen und sich zu schützen. Zum Beispiel: *"Was ist, wenn der Schatten hinter diesem Busch ein Raubtier ist? Lieber weg von hier".* Heutzutage befinden wir uns (glücklicherweise) jedoch selten in echter Lebensgefahr.

Bei Angstzuständen ist es so, dass das Gehirn zunächst im Außen die Gefahr sucht. Wenn es keine Gefahr in der Außenwelt erkennen kann, wendet sich der Verstand nach innen und sucht dort den Grund für die wahrgenommene Gefahr. Die hier gefundenen, potenziellen Gefahren sind zumeist erfunden oder aber stark übertrieben.

*"Was ist, wenn dieses Herzrasen der Vorbote eines Herzinfarktes ist?"*

*"Was ist, wenn ich meinen Job verliere und meine Familie nicht mehr ernähren kann?"*

Vielleicht ist dir bereits aufgefallen, dass *"Was ist, wenn … "* *Fragen* sich so gut wie nie um positive Dinge drehen, wie etwa:

*"Was ist, wenn mich heute jemand mit einer guten Nachricht überrascht?"*

*Oder*

*"Was ist, wenn mir der Arzt sagt, dass ich völlig gesund bin?"*

Unsere Gedanken haben sich anders entwickelt, da es in der Steinzeit weitaus hilfreicher war, vorsichtig und zurückhaltend, statt optimistisch und unbesorgt zu sein. Das ist der Grund, warum sich *"Was ist, wenn .."*. *Fragen* immer um potenzielle Gefahren drehen.

Ängstliche *"Was ist, wenn.."*. *Fragen* haben die Tendenz, schnell außer Kontrolle zu geraten, wenn sie nicht umgehend entschärft werden. Sie neigen dazu, von einfachen *"Was ist, wenn.."*. *Fragen* zu einer Art *"Katastrophen-Denken"* überzugehen und noch bevor man sich dieser Gedanken voll bewusst ist, haben sie bereits eine Flut an Adrenalin und Angst ausgelöst.

*"Was ist, wenn? ... Was ist, wenn? ... Und was ist dann, wenn..?"*

Wir können die initial auftretenden Wellen der Angst und die *"Was ist, wenn.."*. *Fragen* nicht stoppen, diese manifestieren sich außerhalb unserer Kontrolle. Was wir hingegen immer kontrollieren können, ist unsere Reaktion auf sie.

Um die beängstigenden *"Was ist, wenn .."*. *Fragen* zu entschärfen und sie nicht außer Kontrolle geraten zu lassen, musst du sie umgehend beantworten.

Eine gute Antwort auf diese Fragen ist: **"Na und?!"**

*"Was ist, wenn mein Herz nicht aufhört, so zu rasen?"*

**Na und?!** Mein Herz ist ein unheimlich starker Muskel. Dieses Rasen ist nicht mehr als eine kleine Trainingseinheit für mein Herz.

*"Was ist, wenn ich hier im Auto eine Panikattacke bekomme?"*

**Na und?!** Ich fahre einfach rechts ran und warte, bis sie vorbeigeht. Ich werde sie überstehen, genauso wie ich sie in der Vergangenheit immer überstanden habe.

*"Was ist, wenn ich in der Öffentlichkeit bewusstlos werde? Wer hilft mir dann?"*

**Na und?!** Wenn ich bewusstlos werde, dann werde ich eben bewusstlos. Irgendjemand wird mir schon helfen und in zwei Minuten bin ich wieder bei mir.

*"Was ist, wenn mein Verstand nicht mehr aufhört, sich wie besessen mit diesen Gedanken zu beschäftigen?"*

**Na und?!** Gedanken sind nur Gedanken und können mir nichts anhaben. Irgendwann wird sich der ängstliche Teil meines Verstandes beruhigen und die Gedanken werden wieder verschwinden.

Es macht überhaupt nichts, wenn du zu Beginn noch nicht an deine Antworten auf diese Fragen glaubst. Der Kernpunkt ist, das Aufsteigen der Angst zu entschärfen, in dem man die *"Was ist, wenn.."*. *Fragen* mit einer nüchternen und gleichgültigen **"Na und?!"**-Einstellung beantwortet. Mit **"Na und?!"** zu antworten ist deshalb so effektiv, weil es die Angst neutralisiert und dich zurück in eine Position von Kontrolle bringt.

Wenn dir die Antwort **"Na und?!"** nicht als passend erscheint, dann denke dir gerne eine eigene Antwort aus, wie etwa: "Was soll's", oder "Dann ist es eben so", oder "Ach, was auch immer..". Einige Teilnehmer meines Coaching Programmes sind weniger passiv und antworten eher mit: "Mir doch sch\*\*egal!" Das Wichtigste ist, eine ablehnende Einstellung gegenüber deinen Ängsten einzunehmen. Solange deine persönliche Antwort einen ablehnenden oder gleichgültigen Charakter hat, wird sie den gewünschten Effekt erzielen.

*Oftmals gibt es aber auch keinen klar identifizierbaren "Was ist, wenn..". Gedanken, sondern es kommt eher ein generelles Gefühl von Bedrohung oder ängstlichem Unbehagen auf.*

Man kann auch dieses ängstliche Unbehagen schnell und auf die gleiche Art entschärfen, indem man sagt: "**Egal, was soll`s!** Es ist nur Anspannung, keine große Sache".

Jegliche Angst mit einer starken Haltung und einem ablehnenden *"Na und?!"* oder *"Was soll`s!"* zu entschärfen, ist der erste wichtige Schritt von DARE. Er entschärft schnell den Aufbau weiterer Anspannung und erlaubt dir, *mit* dem Gefühl der Erregung zu gehen, anstatt dagegen anzukämpfen.

Dies ist ein toller Anfang, aber um die Spannung noch weiter abzubauen, musst du jetzt noch den nächsten Schritt gehen.

Entschärfen

# SCHRITT 2. *ERLAUBEN*

Jetzt, wo du begonnen hast, auf deine Angst richtig zu reagieren, ist es sehr wichtig, dass du einen Schritt weiter gehst. Du musst nun jeglichen Widerstand fallen lassen, den du noch gegenüber deiner Angst fühlst, sodass sich die vorhandene Anspannung noch weiter abbauen kann. Du tust dies, indem du die Angst *akzeptierst und ihr erlaubst, sich auf welche Weise auch immer sie möchte, manifestieren zu dürfen.*

Angstgefühle können ganz plötzlich auftreten und unsere intuitive Reaktion ist immer dieselbe: Wir wehren uns gegen sie. Dies ist eine völlig normale Reaktion, denn es liegt in der menschlichen Natur, ein unangenehmes Gefühl wie Angst verdrängen zu wollen. Nur hat man uns nicht beigebracht, dass genau das die falsche Reaktion ist. Denn wenn wir versuchen die Angst zu verdrängen, hält uns genau dieses Bemühen mit der gleichen Kraft gefangen, die wir in die Abwehr stecken. Wenn wir vor der Angst weglaufen, verfolgt sie uns mit der gleichen Geschwindigkeit. Je mehr wir versuchen, uns von ihr zu distanzieren, desto ängstlicher werden wir.

## DU KANNST DER ANGST NICHT ENTLAUFEN; DU MUSST MIT IHR GEHEN.

Eine Angststörung ist anstrengend, weil es dein eigener Widerstand ist, der dich immer wieder ausbremst. Wenn du dich stark fühlst, kannst du mit deinen ängstlichen Gefühlen vielleicht für eine Weile gut umgehen, aber sobald deine Kraft etwas nachlässt, kommt die Angst zurück und ist so stark wie eh und je.

Also, wie hört man nun auf, gegen die Angst anzukämpfen und sich stattdessen mit ihr fortzubewegen? Du kannst damit beginnen, dir immer wieder zu sagen:

*"Ich akzeptiere und erlaube dieses ängstliche Gefühl".*

*"Ich akzeptiere und erlaube dieses ängstliche Gefühl".*

Das Erlauben deiner ängstlichen Empfindungen stoppt die innerliche Reibung und gibt deinem Nervensystem die Möglichkeit, sich beruhigen zu können. Wenn wir dies wieder mit den Meereswellen vergleichen, dann ermöglicht dir das *Erlauben* und *Zulassen* der Angst das Schwimmen *mit* und *über* die Welle.

Ganz egal welche körperlichen Empfindungen oder welche Gedanken es sind, die dir Angst machen, du musst lernen, sie auf die richtige Weise zu erleben und sie als genau das zu sehen, was sie sind: Ausdruck nervöser Energie – nichts weiter. Diese Erregung und Anspannung ist nun einfach da. Du wirst möglicherweise nie herausfinden warum, aber momentan ist es nicht wichtig, das zu wissen. Was hingegen wichtig ist, ist, wie du auf sie reagierst.

Das, wogegen wir uns wehren, bleibt bestehen und *das, was wir akzeptieren, können wir verwandeln.* Wenn wir unsere Angst vollends akzeptieren und zulassen, dass sie präsent sein darf, ohne sie zu verachten, dann erleben wir eine subtile Veränderung in unserer Wahrnehmung. Um es mit den Worten Lama Govindas auszudrücken: *"Wir werden durch das verwandelt, was wir akzeptieren".*

*Kurz gesagt: Du musst lernen, dich in deiner ängstlichen Anspannung wohl zu fühlen.*

Die meisten Dinge im Leben, die wir lernen müssen anzunehmen, sind nicht unbedingt angenehm; sie sind einfach das, was sie sind. So ist es auch mit der ängstlichen Anspannung. Sie ist nicht unbedingt angenehm. Wenn man jedoch den Punkt erreicht, an dem man die ängstliche Anspannung wirklich akzeptiert und ihr erlaubt präsent zu sein, dann beginnt sie, sich zu lösen und wegzufallen. Das ist das Paradoxon, das so wesentlich für die Heilung von Ängsten ist.

Ich möchte dich dazu einladen, dich von nun an nicht mehr zu fragen:

*"Werde ich mich heute gut fühlen?"*

Frage dich stattdessen:

*"Welches Maß an ängstlicher Anspannung bin ich heute bereit zu fühlen und zuzulassen, um meine Angst zu heilen?"*

Genau wie ein Athlet, der die Unannehmlichkeiten des Trainings in Kauf nimmt, um sein Ziel zu erreichen, musst auch du die ängstliche Anspannung annehmen, um an dein Ziel zu kommen.

Bevor ich dir einige Beispiele gebe, wie du deine Angst zulassen kannst, möchte ich betonen, dass es beim Erlauben und Zulassen *nicht darum geht, deinen Ängsten nachzugeben.* Es geht darum, eine neue, losgelöste Beziehung zu ihnen zu entwickeln und zum Beobachter des Geschehens zu werden, der aufmerksam dem Auf- und Ab der Wellen ängstlicher Anspannung zusieht. Das Beobachten erlaubt dir, mit deiner ängstlichen Anspannung zu schwimmen, anstatt gegen sie anzukämpfen.

Wenn du deine Angst hingegen ablehnst, bewegst du dich gegen sie. Dies erzeugt weitere Spannung und macht es dir unmöglich, die bereits aufgestaute Spannung abzubauen. Wende dich also nicht von der Angst ab; das funktioniert nicht. Wende dich ihr zu und bewege dich mit ihr mit. Dies zu tun hat einen heilenden Effekt auf dein Nervensystem, welches dann die Chance hat, zu desensibilisieren und sich aus dem festgefahrenen, ängstlichen Zustand zu lösen.

## DEN UNGELADENEN GAST WILLKOMMEN HEISSEN

Auf den ersten Blick betrachtet erscheint dieser Ansatz zur Heilung von Ängsten völlig unlogisch und wenig instinktiv. Anstatt gegen die Angst anzukämpfen, soll man sie zulassen und sich mit ihr bewegen. *"Das ist verrückt"* denken hier viele. *"Wenn ich sie zulasse, wird sie nur noch schlimmer werden".* Doch so unlogisch dies auch erscheinen mag, Tatsache ist, dass du deine Angst akzeptieren und annehmen musst, um dich von ihr zu befreien.

Nachfolgend ein Beispiel, wie du beginnen kannst, deine Angst zuzulassen. Sag zu deiner Angst:

> *"Ich werde nicht mehr länger mit dir kämpfen. Ich rufe einen Waffenstillstand aus. Komm näher zu mir und setz dich neben mich. Es ist okay. Ich erlaube dir hier zu sein. Ich akzeptiere diese ängstliche Anspannung und lasse sie vollkommen zu. Ich akzeptiere diese ängstlichen Gedanken und erlaube ihnen, da zu sein".*

Diese offene, warme Einladung, die ängstliche Anspannung, die du fühlst, anzunehmen und zuzulassen, ist sehr befreiend. Lass den Widerstand los und lass deinen Körper mit all dieser nervösen Energie frei schwingen. Wenn du dies aufrichtig tust, wirst du bemerken, wie du mit dieser Energie mitschwimmen kannst. Du schließt Frieden mit der Sache, gegen die du schon so lange kämpfst. Dies ist ein wirklich wichtiger Moment und ein Wendepunkt auf deinem Heilungsweg.

*"Nimm dich deiner Angst an und befreunde dich mit ihr"* wie die Psychologin Tara Brach das so schön sagen würde. Bis jetzt hast du jeder ängstlichen Empfindung widerstanden, weil dein ängstlicher Verstand dachte, dass dies der richtige Schritt war. Aber jetzt lernst du, mit deinen ängstlichen Empfindungen in freundschaftlicher Neugierde zu sitzen und sie so zu akzeptieren, wie sie sind, ohne jeglichen Wunsch, sie verändern oder kontrollieren zu wollen.

Jedes Mal, wenn du eine Welle nervöser Energie aufkommen spürst, kannst du mit ihr auf- und ab schwimmen. Behandle deine Angst wie einen Freund, der zu Besuch kommt. Tu so, als wärst du tatsächlich

Erlauben

glücklich, sie wieder zu sehen. Lade sie dazu ein, Zeit mit dir zu verbringen. *"Oh, sieh mal, wer zu Besuch kommt! Setz dich. Ich freue mich, dass du da bist!"*

Deine Angst wird nicht eskalieren, wenn du sie in dieser Art willkommen heißt, da du dich ohne Widerstand oder Verdrängung mit ihr bewegst. Sie wird nun von ganz alleine beginnen, sich zu entspannen.

Erlaube der Angst, sich auf jede beliebige Weise zu manifestieren, körperlich oder mental. Vielleicht ist es ein beklemmendes Gefühl in deinem Hals, oder dein Herz, welches zu rasen beginnt. Vielleicht sind es auch wilde Gedanken, die dir durch den Kopf rasen. Lass jede Empfindung einfach zu. Erlaube deinem Körper, ungehindert mit dieser nervösen Energie zu schwingen.

Während du dies tust, kann es passieren, dass sich auch neue, dir bisher nicht bekannte Empfindungen zeigen. Sollte dies der Fall sein, sag dir einfach: *"Oh, wie interessant, diese Empfindung kenne ich ja noch gar nicht, ... Na gut, ... Ist okay, ich lasse auch das zu. Ich akzeptiere dieses Gefühl und lasse es vollkommen zu... Ich akzeptiere dieses Gefühl und lasse es vollkommen zu..".*

Spüre den Rhythmus dieser Worte, während sie dich sanft aus einem festgefahrenen Zustand wieder in ein Gefühl von "Flow" bringen. Ich sage nicht, dass dies unbedingt angenehm ist; das ist es nicht. Angst zu fühlen ist immer unangenehm. Doch leider hat man keine andere Wahl, als dies durchzustehen, wenn man möchte, dass sich die Angst auf natürliche Weise abbaut. Heiße also den ungebetenen Gast willkommen und tue dein Bestes, nicht frustriert zu werden, wenn die Angst bei dir anklopft. Öffne die Türe, lächle und sei der perfekte Gastgeber: Lade sie dazu ein, mit dir ein Glas Tee zu trinken.

Wenn du ein visueller Typ bist, kannst du dir deine Angst auch als eine lustige Comic-Figur vorstellen und ihr einen Spitznamen geben. Gib dieser Comic-Figur eine lustige, quietschige Stimme, als ob sie gerade eine Dose Helium inhaliert hätte. Visualisiere dir dein Bild so, dass es für dich stimmig ist. Wichtig ist nur, deinen Sinn für Humor ins Spiel zu bringen und deine Comic-Figur möglichst absurd zu gestalten. *Gehe hierbei ganz offen und auf spielerische Weise mit deiner Angst um.* Stelle dir vor, wie diese lustige, kleine Comic-Figur an deine Tür klopft und dir mit quietschender Stimme von allen schrecklichen Dingen erzählt, die passieren könnten. Du fühlst dich nicht wirklich bedroht von dieser Comic-Figur, während sie laut *"Alarm!"* schreit und dir dramatische, völlig übertriebene Szenarien vorplaudert. Du beobachtest sie einfach nur, lächelst und nimmst sie nicht weiter ernst.

Wenn du dich erst einmal an die dramatischen Auftritte deiner Comic-Figur gewöhnt hast, wirst du immer weniger Angst verspüren, wenn sie auftaucht. Und ja, sie liebt es zu den unpassendsten Zeiten aufzutauchen. Aber mit ein wenig Übung wird sie dir irgendwann tatsächlich lächerlich vorkommen und du wirst über jede ihrer schlimmen Drohungen nur noch lächeln können. Je mehr du auf diese spielerische Weise mit deiner Angst umgehst und umso weniger ernst du sie nimmst, desto schneller wirst du frei von ihr sein. Unterschätze also diesen offenen und spielerischen Umgang nicht, er wird dir auf deinem Weg zu deinem Ziel sehr helfen.

Vielleicht bist du noch etwas skeptisch gegenüber dieser Herangehensweise. Das ist völlig normal. Vielleicht befürchtest du auch, dass deine Angst tatsächlich schlimmer wird, wenn du sie in dein Leben lässt.

*"Was ist, wenn ich die Angst erlaube und sie dann noch schlimmer wird? Was ist, wenn mir das alles zu viel wird und ich nicht damit umgehen kann?"*

Jeder hat zu Beginn die gleichen Bedenken, aber vertraue mir: Die Angst zuzulassen, funktioniert unglaublich gut. Du wirst dadurch nicht noch ängstlicher werden. Ganz im Gegenteil, je mehr du deine Angst willkommen heißt, desto schneller wird sie verschwinden. Mit ein wenig Übung wirst du das bald selbst erleben.

Die Angst davor, was die Angst dir antun könnte, ist das, was dich gefangen hält. *Es ist deine Angst vor der Angst, die der Kern des Problems ist*. Vielleicht denkst du, dass dieser Ansatz zu leicht ist, um wirklich funktionieren zu können, insbesondere bei etwas so Kompliziertem, wie einer Angststörung. Ich möchte, dass du mir vertraust und diese simple Methode ausprobierst. Vertraue mir zumindest für nur eine Woche. Wenn du in dieser einen Woche Erfolge erlebst, hast du den Beweis, dass diese Methode auch für dich funktioniert. Viele große Lehrer haben schon früher sehr ähnliche Ansätze zur Heilung von Ängsten propagiert, nur leider wurden diese mit der Zeit von dem Konzept des "Angstmanagements" überschattet.

DARE ist ein langfristiger und nachhaltiger Lösungsansatz, weil er den Kern des Problems angeht, nämlich den *Widerstand gegen die Angst*. Er heilt, indem er den ängstlichen Verstand aus dem Weg räumt. DARE zeigt dir, dass du nicht deine Angst bist, sondern dass Angst nur ein Gefühl ist, dass Gedanken nur Gedanken sind und dass du wirklich sicher bist.

Erinnere dich immer wieder daran, dass es nicht darum geht, die Angst zu vermeiden oder sie zu vertreiben. Wenn du der Angst die Tür verschließt, kommt sie durch das Fenster. Also lasse sie rein und lasse sie Platz nehmen. Werde mit ihr vertraut. Ich möchte, dass du sie sogar einlädst, dich zu begleiten, wenn du überhaupt nicht ängstlich bist! Sag ihr, dass sie dich auch an guten Tagen besuchen kann. Wenn deine Türe immer offen für sie ist, wird ihr plötzlicher Besuch dich nicht überraschen. Wenn du dies aufrichtig tust, wirst du eine Veränderung deiner ängstlichen Empfindungen innerhalb von nur zehn bis fünfzehn Minuten spüren. Die nervöse Unruhe wird sich zu entspannen beginnen und sich in eine Art neutrale, aufgeregte Energie, verwandeln. Die Art von hibbeligem Gefühl, das du bekommst, wenn du zu viel Kaffee getrunken hast. Es ist die Art produktiver, erregter Energie, mit der du arbeiten und welche du positiv nutzen kannst, um Dinge anzugehen.

Das englische Akronym für FEAR (=Angst) bedeutet: "**F**eeling **E**xcited **A**nd **R**eady" (= sich begeistert und bereit fühlen). Man kann das Gefühl also entweder als: *"Ich habe Angst"* oder als *"Ich bin begeistert/aufgeregt"* bewerten. Indem wir unsere Angst zu 100 % akzeptieren, können wir diese Veränderung in unserer Bewertung erreichen.

## AKZEPTIERE UND ERLAUBE ZU 100%

Akzeptanz gefolgt von Erlaubnis ist ein sehr einfaches Konzept und doch kann es schwer zu meistern sein. Die meisten Leute verstehen es falsch, weil sie denken, dass sie einfach die Worte *"Ok, ich akzeptiere"* sagen können und ihre Angst dann auf magische Weise verschwindet. Sie tun es mit der ausdrücklichen Absicht, die Angst loszuwerden.

Leider funktioniert es so nicht. Denke daran, bei DARE geht es nicht darum, die Angst loszuwerden; es geht darum, *deine Angst vor der Angst loszuwerden*. Auch auf die Gefahr hin, langweilig zu klingen, werde ich diesen Punkt noch einmal wiederholen, weil so viele Leute ihn falsch verstehen.

*Bei DARE geht es nicht darum, dir zu helfen, dich ruhig und entspannt zu fühlen. Es geht nicht darum, die unangenehmen Empfindungen verschwinden zu lassen. Es geht darum, deine Angst vor der Angst zu überwinden, damit du frei von ihr sein kannst.*

Sei wirklich okay mit dem Umstand, dass dein Geist und Körper vielleicht den ganzen Tag über sehr aufgewühlt und unruhig sind. Versuche nicht, die Wellen der Angst wegzudrängen. Erlaube ihnen, sich in ihrem eigenen Tempo zu bewegen. Ich weiß, dass es nicht einfach ist, eine völlig neue Denkweise zu entwickeln, aber sie wird dich dort hinbringen, wo du hinwillst.

Der Versuch, einen Zustand der Ruhe zu erzwingen, ist eine Art Widerstand. Er impliziert folgenden Gedanken:

*"Ich will dieses Gefühl nicht fühlen, also werde ich versuchen, es mit dieser Übung loszuwerden".*

Das funktioniert leider nicht. Ich möchte wirklich, dass du die Idee aufgibst, zu versuchen, ruhig und entspannt zu sein. Was du erreichen möchtest, ist die Empfindungen zu spüren, ohne darüber verärgert oder verängstigt zu sein - Angst zu empfinden, ohne Angst davor zu haben.

Erlaube den Wellen, vorbeizuziehen und erlaube deinem Nervensystem, sich in seiner eigenen Zeit zu erholen, ohne die Veränderung erzwingen zu wollen. Erlaube der ängstlichen Energie, sich auszuspielen und sich auf jede erdenkliche Weise zu manifestieren.

## ZUM BEOBACHTER WERDEN

Deine ängstlichen Gedanken und Gefühle zu erlauben, hilft dir, dich von ihnen zu distanzieren. Du entwickelst dich vom Opfer zum neugierigen Beobachter. Du hörst auf, dich von jedem ängstlichen Gedanken oder Gefühl mitreißen zu lassen und lernst, die Empfindungen zu beobachten und zuzulassen.

Es braucht Übung, um an diesen Punkt zu gelangen, aber schon bald wirst du in der Lage sein, alle möglichen, unangenehmen, ängstlichen Gedanken oder Gefühle zu erleben, ohne dich darin gefangen zu fühlen. Du betrittst einen neuen Bereich des Wahrnehmens und Erlaubens, in dem beängstigende Gedanken einfach nur zu Gedanken werden, ängstliche Empfindungen einfach nur zu Empfindungen werden.

Ich möchte nicht verharmlosen, wie unangenehm diese Erfahrung sein kann, aber denke daran, es ist nur eine Reihe von Gedanken, Gefühlen und Empfindungen – nichts weiter. Du bist absolut sicher und es wird dir nichts passieren. Ist es nicht eine Erleichterung zu wissen, dass du nicht mehr versuchen musst, die Angst zu kontrollieren? Du kannst einfach alles durch deine mitfühlende Annahme und Erlaubnis so akzeptieren, wie es ist.

## "WIE WERDE ICH WISSEN, DASS ICH ES RICHTIG MACHE?"

Du wirst wissen, dass du es richtig machst, wenn die Angst sich manifestiert und dies dich nicht mehr ärgert oder frustriert. Du hast vielleicht noch etwas Angst davor, aber du wirst dich nicht mehr gegen die Erfahrung wehren.

Du erlaubst, dass jede ängstliche Empfindung kommt und geht und sagst dir immer wieder *"Ich akzeptiere und erlaube dieses ängstliche Gefühl. Ich akzeptiere und erlaube diese ängstlichen Gedanken"*.

Begrüße alles und lasse alles zu.

# SCHRITT 3. *DARAUF ZULAUFEN / MEHR VERLANGEN*

Das Entschärfen und das Erlauben sind die beiden wichtigsten Schritte von DARE. Oft reichen diese beiden Schritte aus, um dich dorthin zu bringen, wo du sein willst. Es gibt aber Momente, in denen die Angst sich trotz dieser Schritte weiterhin wie eine Bedrohung anfühlt. In diesen Fällen ist es wichtig, dass du die Illusion der Bedrohung durchbrichst. Du erreichst dies, indem du auf die Angst zuläufst und mehr von ihr forderst. Du läufst auf deine Angst zu, indem du dir selbst sagst, *dass du dich von deinen ängstlichen Gedanken und Gefühlen begeistert fühlst.*

Denke daran, Angst ist nichts anderes als eine Welle von Energie, welche durch deinen Körper strömt. Diese Energie kann dir nicht schaden. *Es ist deine Interpretation dieser Energie, die dir Angst macht und dich in den Teufelskreis der Angst vor der Angst* einfängt.

Angst und Aufregung oder Begeisterung sind zwei Seiten derselben Medaille. Wenn du aufgeregt und begeistert bist, erlebst du genau die gleichen Empfindungen, wie wenn du ängstlich bist. Der Schlüssel liegt darin, diese aufkommende Energie als etwas Positives wahrzunehmen, anstatt sie als etwas Bedrohliches zu interpretieren. *Wenn du deine Interpretation änderst, zerbricht die Illusion der Bedrohung und du erkennst, dass diese Energie dir nichts anhaben kann.*

Lass also die Energie deines Nervensystems sich voll entfalten. Lass dich von ihr begeistern, anstatt Angst vor ihr zu bekommen. In der klinischen Psychologie wird eine solche Umkehr in der Wahrnehmung als "Neu- oder Umbewertung" bezeichnet. Es ist der bewusste Akt der Entscheidung, ängstliche Körperempfindungen neu zu interpretieren und zu bewerten.

Eine sehr berühmte, klinische Psychologie-Studie aus den 1960er Jahren veranschaulicht diesen Ansatz der Neubewertung sehr gut.

Den Teilnehmern wurde gesagt, dass ihnen ein neues Medikament injiziert wurde, um ihr Sehvermögen zu testen. Tatsächlich wurde den Teilnehmern aber das Hormon Adrenalin injiziert (was einen Anstieg des Blutdrucks und der Herzfrequenz verursacht). Eine Gruppe wurde in einen Raum mit einem Schauspieler gebracht, der vorgab, mit Freude und Begeisterung auf das Medikament zu reagieren; die andere Gruppe wurde in einen Raum mit einem Schauspieler gebracht, der vorgab, mit Frustration und Angst zu reagieren.

Wie du vielleicht schon richtig vermutet hast, war das Ergebnis, dass jede Gruppe auf die gleiche Weise reagierte, wie der Schauspieler in ihrer Gruppe. Obwohl alle Teilnehmer dieselbe, gesteigerte Erregung verspürten, war ihre Wahrnehmung dessen, was mit ihnen geschah, direkt von dem Schauspieler beeinflusst.

Diese Studie verdeutlicht, dass es nicht die körperlichen Empfindungen sind, die unsere emotionalen Reaktionen auslösen, sondern unsere *Wahrnehmung und Bewertung dieser Empfindungen* unsere Gefühle bestimmen.

Wenn du also deine Interpretation der ängstlichen Empfindungen neu bewertest und dich gekonnt auf sie zubewegst, wirst du dich weniger von ihnen bedroht und eingeschüchtert fühlen. Du erreichst dies, indem du sagst:

*"Ich bin begeistert von diesem Gefühl"* oder *"Ich liebe dieses Gefühl"*.

Wiederhole diesen Satz mehrmals, bis du eine Veränderung in deiner Wahrnehmung dieser nervösen Energie spürst.

*"Ich bin begeistert von diesem Gefühl, ich liebe dieses Gefühl"*.

Sag diesen Satz laut, wenn du alleine bist oder in Gedanken, wenn du dich in Gesellschaft befindest. Du kannst auch aufstehen und leicht von Fuß zu Fuß hüpfen, wie ein Athlet vor Beginn eines Rennens. Entscheide dich bewusst dazu, dich von dieser Energie begeistern zu lassen! Die Idee hierbei ist, deinen Verstand daran zu hindern, die Empfindungen fälschlicherweise als Bedrohung zu interpretieren und ihn stattdessen in einen Zustand von Begeisterung zu bringen. Die gleiche Art von Begeisterung, die du beispielsweise fühlen würdest, wenn du Achterbahn fährst.

Du signalisierst deinem ängstlichen Verstand damit Folgendes: *"Diese Empfindung ist keine Bedrohung. Ich muss mir keine Sorgen machen. Es ist nur nervöse Erregung und ich begrüße sie"*. Erinnere dich an das englische Akronym **FEAR**, *"Feeling Excited And Ready"* (**Sich begeistert und bereit fühlen**).

Am Anfang musst du vielleicht noch vorspielen und so tun, als ob du wirklich begeistert bist, auch wenn du das in Wahrheit nicht bist. Aber mit regelmäßiger Übung werden die Empfindungen, die dir Angst machen (z.B. ein pochendes Herz, schwitzende Handflächen, Schwindel, Kurzatmigkeit oder ein mulmiges Gefühl im Bauch), nur noch zu bloßen Empfindungen - und nicht mehr.

Spiele mit diesem Schritt, mache dich mit ihm vertraut und kreiere deine eigene Art, auf deine Angst zuzulaufen. Dich begeistert und aufgeregt, statt ängstlich zu fühlen, bringt dich in direkten Kontakt mit den Empfindungen oder Gedanken, vor denen du Angst hast. Du läufst nun nicht mehr weg, du läufst stattdessen auf das zu, was du am meisten fürchtest. Damit kommt die Erkenntnis, dass du wirklich sicher bist und dass, -so unangenehm die Empfindungen auch sein mögen-, du mit ihnen umgehen kannst.

# SCHRITT 4. *BESCHÄFTIGE DICH*

Der vierte Schritt von DARE wirkt auf den ersten Blick banal, er ist aber entscheidend, da er die gesamte Übung von Anfang bis zum Ende abschließt.

Nachdem du die vorherigen drei Schritte von DARE angewendet hast, wird dein ängstlicher Verstand nach Wegen suchen, dich wieder in einen Zustand von Angst und Sorgen zu bringen.

Um dies zu vermeiden, musst du dich mit etwas beschäftigen, das deine volle Aufmerksamkeit in Anspruch nimmt. Das bedeutet, dass du, sobald du die anfängliche Angst entschärft und die Empfindungen zugelassen hast, dich nun einer Aktivität widmest, die deinen Geist wirklich einnimmt.

Beschäftigen

Etwas, das deine volle Aufmerksamkeit erfordert, wie das Lesen einer Zeitschrift, die Konzentration auf eine bestimmte Aufgabe bei der Arbeit oder ein Gespräch mit jemandem, persönlich oder am Telefon. Dies zu tun ermöglicht dir, in einem Zustand von "Flow" zu bleiben und verhindert, dass du wieder in die Angstschleife zurückgezogen wirst.

***Der wichtigste Punkt ist, nicht im Nichts-Tun zu verharren.***
Untätigkeit ist einer deiner größten Feinde auf deinem Heilungsweg. Wenn du untätig bleibst, wirst du ins Grübeln versinken und ständig in dich "hineinhorchen", um zu überprüfen, wie es dir geht. Dieses in sich "Hineinhorchen" ist eine Gewohnheit, die alle ängstlichen Menschen teilen. Sie scannen ihren Geist und Körper, um zu sehen, wie sie sich momentan fühlen. Es ist der ängstliche Verstand, der nach Gefahr sucht. Du reduzierst die Anzahl dieses in dich "Hineinhorchens", wenn du dich mit etwas beschäftigst, was deinen Verstand einnimmt.

Ärgere dich auch nicht, wenn die Angst sich immer wieder aufdrängt. Das wird sie, versprochen - das ist leider unvermeidlich. Wenn das passiert, richte deine Aufmerksamkeit einfach wieder sanft auf das, womit du beschäftigt warst und vertraue darauf, dass du alles richtig machst und auf einem guten Weg bist, während du dich mit anderen Aufgaben befasst.

Nachfolgend möchte ich dir ein Anwendungsbeispiel geben:

Stell dir vor, du sitzt bei der Arbeit und fühlst plötzlich eine Welle von Angst aufsteigen. Vielleicht überschlägt sich dein Herz oder dein Verstand verliert sich in ängstlichen Gedanken.

1.  Du reagierst sofort, indem du die Angst mit einer gleichgültigen oder ablehnenden "Na, und?!/ Was soll`s"-Haltung ***entschärfst.***

2.  Dann gehst du dazu über, jegliche verbleibende Angst, die du fühlst, vollständig zu akzeptieren und zu ***erlauben***. Du beginnst, dich wohl in deiner ängstlichen Anspannung zu fühlen. Du sagst dir: *"Ich akzeptiere und erlaube dieses ängstliche Gefühl"*.

3.  Dann ***läufst du auf die ängstlichen Gefühle zu***, indem du dir sagst, dass du dich von ihnen tatsächlich begeistert fühlst. Du wiederholst den Satz: *"Ich bin begeistert von diesem Gefühl, ich liebe dieses Gefühl"*.

4.  Schließlich lenkst du deine Aufmerksamkeit wieder zurück auf das, was du gerade getan hast. In diesem Fall ***beschäftigst*** du dich wieder mit der Arbeit die vor dir liegt, ohne das Bedürfnis zu haben, die ganze Zeit in dich "hineinzuhorchen", um zu sehen, wie es dir geht.

*Bitte beachte, dass es einen sehr subtilen, aber entscheidenden Unterschied zwischen Beschäftigung und Ablenkung gibt.* Du versuchst nicht, dich von der Angst abzulenken; du beschäftigst dich wieder mit dem Leben. Du lässt zu, dass die Angst präsent ist, während du dein Leben aber gleichzeitig weiterlebst.

## ZUSAMMENFASSUNG VON DARE BEI GENERALISIERTEN ÄNGSTEN

Damit sind die vier Schritte von DARE vollendet. Als Schlussbemerkung möchte ich noch hinzufügen, dass es am besten ist, nicht jeden Schritt zu sehr zu überdenken. Entspanne dich und versuche, dir keine Sorgen um die perfekte Ausführung zu machen. *(z. B. "Mache ich es richtig? Soll ich es stärker versuchen? Wirkt es schon?" usw.)*

Wichtig ist, dass du diese Schritte wirklich jedes Mal anwendest, wenn du dich ängstlich fühlst. Wenn die anfängliche Angst abklingt und du nach wenigen Momenten spürst, dass eine weitere Welle aufsteigt, beginne die Übung von vorne und gehe die Schritte erneut durch.

Wenn du die Schritte erst einmal verinnerlicht hast, dauert der gesamte Prozess vom Anfang (Schritt 1) bis zum Ende (Schritt 4), nur ein oder zwei Augenblicke. Irgendwann werden sie zu deiner zweiten Natur werden.

Betrachte DARE als deinen speziellen, mentalen Werkzeugkoffer, den du immer bei dir hast und anwenden kannst, wenn die Angst aufkommt. Selbst wenn du die Schritte nicht perfekt ausführst, wirst du dich in die richtige Richtung bewegen und deine Angst heilen.

## NOCHMALS KURZ ZUSAMMENGEFASST:

1. *Wenn die Angst aufkommt,* **entschärfe** *sie sofort mit einer "Na, und?! oder Was soll`s"- Antwort.*

2. *Lass jeglichen Widerstand fallen und* **erlaube** *der Angst, die du fühlst, einfach da zu sein. Beginne, dich so wohl wie möglich in deiner ängstlichen Anspannung zu fühlen.*

3.  Durchbrich die Illusion von Bedrohung, indem du auf die ängstlichen Gefühle **zuläufst**. Sag dir: "Ich bin begeistert von diesem Gefühl, ich liebe dieses Gefühl".

4.  Richte schließlich deine **Aufmerksamkeit** auf eine Aktivität im gegenwärtigen Moment, die dich voll **einnimmt**.

# DARE BEI ÄNGSTEN

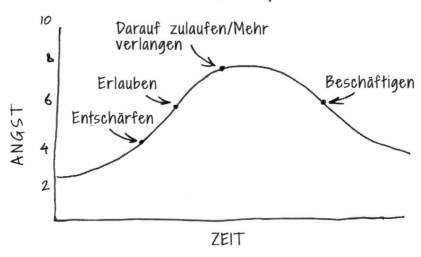

**Tipp:** Präge dir diesen hilfreichen Satz ein, um die DARE Schritte zu starten: **"Egal, was soll's! Ich akzeptiere dieses Gefühl und lasse es zu. Es begeistert mich und gibt mir Energie für das, was heute vor mir liegt".**

## Die Wissenschaft hinter DARE:

Alle, die an den wissenschaftlichen Hintergründen von DARE interessiert sind, können im Anhang dieses Buches den Artikel von Dr. Joan Swart, PsyD lesen, in welchem die wissenschaftlichen Hintergründe zu DARE erklärt werden. Hier eine kurze Zusammenfassung:

| SCHRITT | TÄTIGKEIT | TOOL | ZIEL |
|---------|-----------|------|------|
| 1 | ENTSCHÄRFEN | ACHTSAME WAHRNEHMUNG | WAHRNEHMUNG AUTOMATISIERTER GEDANKEN |
| 2 | ERLAUBEN | AKZEPTANZ, KOGNITIVE ENTSCHÄRFUNG | ERLAUBEN UND ZULASSEN UNANGENEHMER ERFAHRUNGEN DURCH KOGNITIVE ENTSCHÄRFUNG |
| 3 | DARAUF ZULAUFEN/ MEHR VERLANGEN | KOGNITIVE NEUBEWERTUNG; *PARADOXE INTERVENTION* | NEUINTERPRETATION DER BEDEUTUNG DES STIMULUS |
| 4 | BESCHÄFTIGEN | BEWUSSTE AUFMERKSAMKEITSSTEUERUNG; KOGNITIVE UMLENKUNG | REDUZIERUNG DER DMN AKTIVITÄT (RUHEZUSTANDSNETZWERK) UND FOKUSSIERUNG DER AUFMERKSAMKEIT UND GEDANKEN AUF ZIELORIENTIERTE TÄTIGKEITEN |

DARE kann bei allen Formen von Ängsten angewendet werden. Wenn jedoch speziell Panikattacken dein Problem sind, musst du eine kleine Ergänzung zu Schritt drei machen, die ich im nächsten Kapitel erläutern werde.

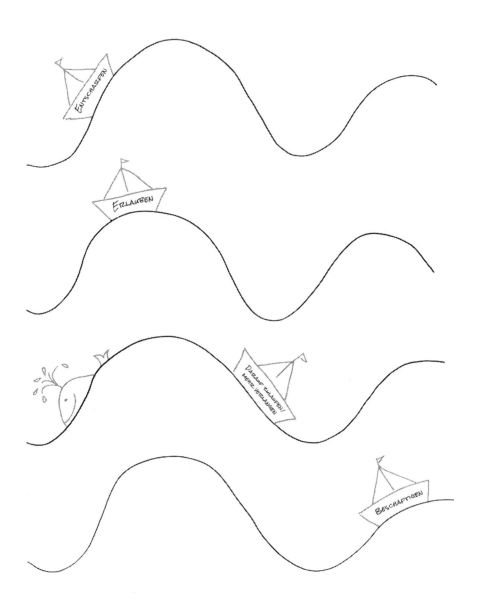

# DARE BEI PANIKATTACKEN

Auf einer Skala von 1 bis 10 (wobei 10 die höchste ist), kann jemand mit generalisierter Angst, je nach aktueller Lebenssituation, zwischen einer 5 und einer 7 liegen. Wenn diese Person auf dieser Skala eine 8 oder 9 erreicht, erlebt sie eine sogenannte Panikattacke. Diese ist eine sehr intensive Angsterfahrung. Du weißt sicher, ob du jemals eine Panikattacke erlebt hast. Sie sind schwer zu vergessen!

Panikattacken sind eine fehlerhafte Aktivierung der "Kampf-oder-Flucht-Reaktion". Der Kern von Panikattacken ist eine Art Katastrophen-Denken, das besagt: *"Das hier könnte mich umbringen"*. Panikattacken treten plötzlich auf und umfassen in der Regel einige der folgenden Empfindungen:

- Ein pochendes Herz

- Kurzatmigkeit oder Atemnot

- Parästhesien (Taubheits- oder Kribbelgefühle)

- Schwitzen

- Zittern

- Erstickungsgefühle

- Brustschmerzen
- Übelkeit / Bauchkrämpfe
- Schwindel- und/oder Schwächegefühle
- Ein außerkörperliches oder unwirkliches Gefühl (Depersonalisations- und Derealisationsgefühle)
- Schüttelfrost und/oder Hitzewallungen

Wenn wir erst einmal unsere erste Panikattacke erlebt haben, befürchten wir sofort, dass sie wieder auftreten könnte und vermeiden daraufhin Situationen, die weitere Panikattacken auslösen könnten. Es entwickelt sich eine Angst vor der Angst und man verfängt sich in der Angstschleife.

Wenn du unter Panikattacken leidest, sollst du zunächst wissen, dass du *-egal wie erschreckend sich diese anfühlen-* vollkommen sicher bist. Es wird dir nichts passieren. Du wirst nicht daran ersticken oder an ihnen sterben. Panikattacken sind zwar sehr unangenehm, aber nicht gefährlich.

In China gibt es einen historischen Ausdruck, der als *"Zhilaohu"* bekannt ist und übersetzt *"Papiertiger"* bedeutet. Es bezieht sich auf etwas, das bedrohlich erscheint, tatsächlich aber harmlos ist. Genau das ist eine Panikattacke, ein Papiertiger – sie wirkt beängstigend, ist aber harmlos. (Für eine ausführlichere Erklärung darüber, warum die Symptome von Panikattacken harmlos sind, lies bitte das Kapitel "Keine Angst vor diesen Empfindungen)".

Dr. Harry Barry, ein irischer Arzt und Experte auf dem Gebiet psychischer Gesundheit, sagt folgendes über Panikattacken:

*"Die Aufgabe deines Stresssystems ist es, dich zu beschützen und am Leben zu erhalten, nicht, dich umzubringen. Die durch Angstzustände ausgelösten Symptome sind zwar unangenehm, aber sie sind nicht gefährlich. Du hast mein Wort als Arzt - diese Adrenalin-Flut wird dich nicht umbringen".*

Es ist wichtig, dich daran zu erinnern, dass Panikattacken nicht dein Feind sind. Sie sind das Ergebnis deiner Bemühungen, dich selbst zu schützen. Es ist dein angeborener, biologischer Schutzmechanismus, der dich mit Stresshormonen überflutet, sodass du eine wahrgenommene Bedrohung entweder bekämpfen oder vor ihr fliehen kannst. Es ist ein Mechanismus, der sich hervorragend bewährt hat, als wir vor Tausenden von Jahren noch Säbelzahntigern entkommen mussten. Aber er ist wesentlich weniger hilfreich, wenn er ausgelöst wird, während wir im Straßenverkehr oder in der U-Bahn sitzen.

Denke an all die Panikattacken, die du bis jetzt durchgemacht hast und die dich wirklich verängstigt haben. Gerade in dem Moment als du dachtest, du erträgst es nicht mehr, beruhigte sich dein Körper wieder. **Vergiss nicht, deine bisherige Erfolgsbilanz bei der Bewältigung von Panikattacken liegt bei 100 %.** Das ist ziemlich gut.

Wie bereits beschrieben, tritt die Angst wellenförmig auf. Ab und zu kommt eine wirklich große Welle - eine Panikattacke - auf dich zu. Hier ist es entscheidend, dass du auf diese vom ersten Moment an richtig reagierst. Wenn du dies verpasst, kann die Welle dich überwältigen und dich erschreckt und verängstigt vor der nächsten Welle zurücklassen.

*Um Panikattacken zu überwinden, musst du die Angst vor den Empfindungen, die sie erzeugen, ablegen.*

Du erreichst dies, indem du mit noch stärkerer Entschlossenheit und mit noch mehr Energie auf die Angst zu rennst. Lass dich dazu zunächst von dieser Energie begeistern und fordere dann von deinem Stresssystem, die Empfindungen *noch weiter zu verstärken*.

## DU MUSST *MEHR VERLANGEN!*

Fordere, dass deine Panikattacke noch intensiver wird und schwimm mit der Adrenalinflut mit. Mehr von den Empfindungen zu verlangen, ist die entscheidende Ergänzung zu Schritt drei von DARE, denn sie ermöglicht dir, auf deine Angst zuzulaufen und die Illusion der Bedrohung schneller zu durchbrechen.

Diese Forderung an dein Stresssystem, die Empfindungen weiter zu verstärken, ist ein paradoxer und sehr bestärkender Schritt, den du unternehmen kannst, wenn du dich einer Panikattacke stellst. Es ist eine Forderung, die die Angst nicht erfüllen kann. Deine Angst lässt dann deshalb schnell nach, weil das, was sie antreibt (die Angst vor der Angst), nun nicht mehr zur Verfügung steht.

Wie Dr. Barry sagte, diese Adrenalin-Flut wird dich nicht umbringen. Tatsächlich möchte ich, dass du beginnst, Panikattacken als nichts anderes, als eine Adrenalin-Flut zu betrachten. Die Empfindungen, die dich erschrecken, solltest du als das sehen, was sie wirklich sind: Ausdruck nervöser Energie und nichts weiter. Alles was du erlebst, sind: Ein pochendes Herz, schwitzende Handflächen, Schwindel oder Kurzatmigkeit. Das ist alles. Sonst nichts.

Die Angst, die du während einer Panikattacke empfindest, wird nicht durch die Empfindungen selbst, sondern durch deine Reaktion auf diese Empfindungen ausgelöst. Das "Mehr fordern" funktioniert deshalb so gut, weil es die Interpretation von Gefahr augenblicklich korrigiert und ein für alle Mal beweist, dass es keine echte Bedrohung gibt. Es sendet ein deutliches Signal vom rationalen Teil deines Gehirns (dem präfrontalen Cortex), an den ängstlichen Teil deines Gehirns (auch bekannt als "limbisches System" oder "emotionales Gehirn"), dass keine Gefahr besteht. Es wirkt wie eine Abschaltvorrichtung gegen falschen Alarm. Dein emotionales Gehirn bekommt die Nachricht und *"Klick"* - der Panikalarm schaltet sich ab und die aufgestaute Energie beginnt sich zu entladen.

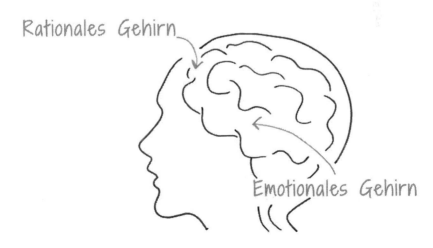

Dein Gehirn lernt auf diese Weise, dass, sollte es wirklich eine Bedrohung geben (z. B. wenn dich jemand tatsächlich angreift) du viel zu sehr damit beschäftigt wärst, mit dieser Bedrohung fertig zu werden - und nicht wie jetzt, mehr von den Stress-Symptomen zu verlangen! Es lernt, zwischen "echter" und nur "vorgestellter" Gefahr zu unterscheiden.

Leider wird den meisten Menschen heute beigebracht, dass der beste Weg, eine Panikattacke zu bewältigen, darin besteht, einige tiefe Atemzüge zu nehmen und sich selbst beruhigende Dinge zuzusprechen, wie:

*"Keine Sorge, es ist okay, alles ist in Ordnung".*

Doch diese Art der logischen Selbstberuhigung funktioniert in Momenten von Panik nicht; denn Logik und Vernunft werden durch den Alarm, den dein Körper auslöst, völlig übertönt. Dies ist der falsche Ansatz.

Du musst die Aufmerksamkeit deines emotionalen Gehirns auf dich ziehen, indem du mehr von den Stress-Symptomen verlangst. Diese Art paradoxer Intervention lenkt die Aufmerksamkeit deines emotionalen Gehirns weg von *"Gefahr!"*, zu *"Es ist okay, ich kann mich beruhigen"*.

Sobald du dies tust, wird sich deine Panikattacke in ein warmes Gefühl entladen. Dabei sinkt dein Angstniveau auf vielleicht eine 7 von 10. Jetzt kannst du mit dem nächsten Schritt von DARE fortfahren: Dich mit einer Tätigkeit beschäftigen, die deinen ängstlichen Verstand aus dem Weg räumt, während die Welle der Angst nach und nach abflacht.

Anbei ein Beispiel, wie das alles ineinander übergeht:

Nehmen wir an, du bist irgendwo außerhalb deiner sicheren Komfortzone und dein Herz beginnt plötzlich zu pochen. *"Oh Gott, was ist das?"* wunderst du dich. Und dann wird dir vielleicht etwas schwindelig oder du verspürst ein Engegefühl in deiner Brust. Ängstliche *"Was ist, wenn…"* Gedanken überfluten deinen Verstand:

*"Was ist, wenn ich wieder eine wirklich schlimme Panikattacke bekomme?"*

*"Was ist, wenn ich zwischen all diesen Fremden hier zusammenbreche?"*

*"Was, wenn es nie aufhört?"*

Mit jedem *"Was ist, wenn…"* Gedanken steigert sich deine Angst immer weiter, bis du eine voll ausgeprägte Panikattacke hast.

Bisher bist du in solchen Momenten vielleicht aus der Situation heraus in einen sicheren Bereich geflohen oder hast jemanden um Hilfe gerufen. Du hast dich der Angst und dieser Erfahrung widersetzt. Jetzt bist du aber mit einem neuen Werkzeug ausgestattet. Du beginnst, die DARE Schritte anzuwenden, indem du folgendermaßen reagierst: Du sagst oder denkst dir:

*"Na, und?!" oder "Was soll`s!" Es ist nur nervöse Erregung. Ich halte das aus.*

Mit dieser unmittelbaren Antwort nimmst du den *"Was ist, wenn .."*. *Fragen* sofort das Feuer.

Dann gehst du den zweiten Schritt, indem du die nervöse Erregung, die du fühlst, annimmst und ihr erlaubst, präsent zu sein, ohne das Bedürfnis zu haben, dich ihr zu widersetzen oder sie wegzustoßen. Du begrüßt sie und beginnst, dich so wohl wie möglich in deiner ängstlichen Anspannung zu fühlen, während du dich bewusst mit dieser Energie mitbewegst.

***Jetzt kommt der neue, entscheidende Schritt:*** *Wenn du das Gefühl hast, dass die Angst sich nicht beruhigt, sondern sich in Panik steigert (8 oder 9 von 10), dann spielst du deine Trumpfkarte aus, die du für diese Momente der Panik in Schach gehalten hast. Du beginnst, der Angst nachzujagen!*

Du sagst dir, dass du von diesem Gefühl begeistert bist und **verlangst noch mehr** von den ängstlichen Empfindungen.

*"Ich bin begeistert von diesem Gefühl, ich liebe dieses Gefühl! Gib mir mehr. Auf geht's!"*

DARAUF ZULAUFEN/MEHR VERLANGEN

Sprich mit deiner Angst und verlange, dass sie die Intensität der körperlichen Empfindungen, die dich beängstigen, noch weiter verstärkt. Zum Beispiel: Wenn dein Herz rast, sagst du:

*"Okay, liebe Angst, das ist schon ganz gut, aber kannst du mein Herz noch schneller schlagen lassen?!"*

Wenn du Schwierigkeiten beim Atmen hast, sagst du:

*"Na komm schon, zeig mir, wie es ist, wenn sich mein Hals und meine Brust noch enger anfühlen".*

Weitere Beispiele:

*"Ich kann einen richtigen Knoten in meinem Bauch spüren, aber ich frage mich, wie es wäre, wenn er noch viel enger wird. Kannst du ihn nicht noch enger machen? Oder ist das alles, was du drauf hast?"*

*"In meinem Kopf kreisen all diese ängstlichen Gedanken. Aber gibt es keine schlimmeren als diese? Diese kenne ich alle schon. Hast du noch beängstigendere, oder ist das alles?"*

## DER EINZIGE WEG RAUS, IST MITTEN DURCH

Fordere von deiner Angst, dir eine voll ausgeprägte Panikattacke zu liefern! Fordere deine Angst entschlossen dazu auf, dir das Schlimmste anzutun, was sie kann. *Sei der Jäger, nicht der Gejagte.*

Die Angst versucht dich davon zu überzeugen, dass du in Gefahr bist, aber das ist einfach nicht wahr – lasse es darauf ankommen, verlange mehr! Dies ist der paradoxe Schritt, der den Ballon der Angst zum Platzen bringt.

An diesem Punkt ist es auch vollkommen okay, Wut gegenüber deiner Angst zu empfinden. Sag zu ihr:

*"Weißt du was? Ich habe deine Drohungen wirklich satt. Es ist mir wirklich egal geworden! Dann mach eben, gib mir die schlimmste Panikattacke aller Zeiten oder hör auf, mich mit deinen falschen Alarmen zu belästigen. <u>Tu es jetzt</u> oder VERSCHWINDE. Ich werde nicht mehr in Angst davor leben. Mein Leben und die*

*Menschen darin sind mir wichtiger, als all diese Empfindungen, also tu dein Schlimmstes oder hau ab!"*

Jetzt jagst du die Angst und verlangst, dass sie dir mehr liefert! Jetzt bist du der Jäger. Diese neue Denkweise wird dich von einem Zustand der Panik in einen Zustand von Kontrolle bringen.

Falls du den Film *"Forrest Gump"* gesehen hast, erinnerst du dich vielleicht daran, wie Lieutenant Dan den Sturm auf dem Mast seines Schiffes bekämpft. *"Ist das alles, was du kannst?",* schreit er, als die Wellen über ihm hereinbrechen. Der Sturm konnte ihm nicht heftig genug werden! Als er schließlich vorbei war, war er ein verwandelter Mensch.

Mehr von den Empfindungen zu verlangen mag widersprüchlich erscheinen, aber im Leben sehen wir oft Beispiele dafür, wie wichtig ein kontra-intuitives Vorgehen ist, um ein gewünschtes Ergebnis zu erzielen. Wenn zum Beispiel ein Flugzeug einen Strömungsabriss erfährt, liegt das häufig daran, dass nicht ausreichend Wind um die Flügel vorhanden ist, um genügend Auftrieb zu erzeugen und das Flugzeug in der Luft zu halten. Ein unerfahrener Pilot würde vielleicht mit Panik reagieren und die Nase des Flugzeugs nach oben ziehen, um aus dem Sturz herauszukommen, aber das würde die Sache nur verschlimmern. Ein erfahrener Pilot hingegen, würde die Nase des Flugzeugs in den Sturz drücken, anstatt sich von ihm zu entfernen. Auf den ersten Blick betrachtet wirkt es verrückt, derart in einen Sturz zu fliegen, aber es ist genau das, was nötig ist, um Geschwindigkeit und Auftrieb zu gewinnen und die Flügel zu heben. Die Vorgehensweise hier ist die gleiche. Du musst einen entschlossenen Schritt in Richtung der Panik machen, um sie zu überwinden. Du musst direkt auf sie zu und durch sie hindurch gehen, um auf der anderen Seite wieder herauszukommen.

Michelle Cavanaugh, die eines meiner Coaching-Programme leitet, vergleicht dieses Vorgehen gerne mit einem Spielzeug ihrer Kinder, einer "chinesischen Fingerfalle". Viel Glück bei dem Versuch, deine Finger wieder herauszubekommen, wenn sie einmal drinnen stecken! Je härter man zieht, desto mehr stecken sie fest. Um sich zu befreien, muss man die Finger noch tiefer in die Falle schieben, damit sie sich löst - genau wie mit der Angst. Man muss entschlossen und tapfer auf sie zugehen, um sich von ihr zu befreien.

Ich weiß, dass einige an diesem Punkt denken:

*"Whoa, auf keinen Fall! Ich verlange ganz sicher nicht noch mehr von meiner Angst. Was ist, wenn ich mehr verlange und dann tatsächlich auch genau das bekomme – nämlich mehr Angst?"*

Die Wahrheit ist doch, dass du die *schlimmste Panikattacke, die du haben kannst, bereits erlebt hast.* Schlimmer kann es nicht werden. In der Vergangenheit haben deine Panikattacken immer einen Höhepunkt erreicht und sind dann wieder abgeflacht. Wenn sie dann vorbei war, hast du vielleicht Tage damit verbracht, dir Sorgen darum zu machen, wann die nächste kommen könnte oder hast kreative Wege gefunden, Situationen zu vermeiden, in denen sie auftreten könnten. Aber selbst während der schlimmsten Panikattacke, die du je erlebt hattest und in der du gedacht hast, dass du sterben würdest, ist dir nichts passiert.

Du kannst darauf vertrauen, dass dir nichts passieren wird. Du kannst dir selbst vertrauen. Du kannst dich auf die Fähigkeit deines Körpers verlassen, mit den Empfindungen umgehen zu können. Du kannst darauf vertrauen, dass du in Sicherheit bist. Dich von deinen Empfindungen begeistern zu lassen und auf deine Angst zuzulaufen, wird deine Angst nicht verschlimmern. Was hingegen passieren wird, ist, dass deine Beziehung zu deiner Angst sich verändern wird. Deine Angst wird wieder ihre ursprüngliche Rolle als dein Beschützer - und nicht als dein Peiniger – einnehmen.

Wenn du dies richtig machst, wirst du die Ergebnisse sofort spüren. Deshalb bezeichne ich diesen Schritt auch als "Notschalter", denn du wirst sofort einen Wendepunkt spüren, wenn das Adrenalin und Cortisol aufhören, deinen Körper zu überfluten. Dies ist der Moment, an dem du über den Höhepunkt der Welle geschwommen bist. Einige beschreiben diesen Wendepunkt als eine Art Hitzewallung, die ihren Körper durchströmt. Wenn du dies fühlst, ist das ein gutes Zeichen. Es ist dein Blut, das zu seinem natürlichen Kreislauf zurückkehrt.

Wenn die Angst nachlässt -was sie wird-, wünsche ihr alles Gute und halte die Einladung für einen erneuten Besuch offen. Ja, lade sie dazu ein, wiederzukommen und dich zu besuchen.

Du könntest sagen:

*"Warte, komm zurück. Hast du nichts anderes mehr, womit du mir Angst machen könntest?"*

Du musst deine Türe für die Angst geöffnet halten, sodass du dich nicht ständig in Gedanken vor ihrem Besuch fürchtest.

Ich weiß sehr genau, wie unangenehm Panikattacken sind und ich möchte nicht vorgeben, dass es irgendetwas Erfreuliches oder Vergnügliches an dieser Erfahrung gibt. *Panikattacken sind keine schöne Erfahrung.* Aber du kannst nun auf eine gekonnte Weise mit ihnen umgehen, anstatt sie nur über dich ergehen zu lassen. Du kannst der Adrenalin-Flut jetzt erlauben, sich frei zu bewegen, während du mit den Wellen mitschwimmst, ohne dass dein ängstlicher Verstand mehr und mehr Stress erzeugt. Auf diese Weise kannst du mit dem Einsatz von DARE jede Panikattacke begrüßen, wenn sie kommt. Du kannst mit und über die Welle schwimmen, sie wieder abklingen lassen und deinem Tag weiter nachgehen.

## DIE AUFGESTAUTE ENERGIE AUSSCHÜTTELN

Da nach einer Panikattacke eine große Menge an Stresshormonen in deinem Körper zirkuliert, solltest du nicht erwarten, dass du dich in naher Zeit ruhig und entspannt fühlst. Es wird gut zwanzig bis dreißig Minuten dauern, bis du beginnst, dich wieder "normal" zu fühlen, da dein Körper Zeit braucht, um die mobilisierten Stresshormone wieder abzubauen. Dies ist ein guter Zeitpunkt, deinem Körper zu erlauben, die aufgestaute Energie in Form von Schütteln oder Zittern abzubauen.

Viele von uns haben eine falsche Vorstellung davon, was Zittern bedeutet. Die meisten Menschen denken, dass Zittern ein Ausdruck von Angst ist. Tatsächlich ist das Zittern aber ein Zeichen dafür, dass der Körper die Angst abbaut. Das Zittern setzt ein, wenn die Stressreaktion abklingt, nicht wenn sich diese aufbaut! Zittern ist also etwas Positives. Es ist Mutter Naturs Weg, Stress abzubauen.

Wir können das gut in der Natur beobachten. Wenn ein Tier, bspw. eine Gazelle, gerade einen Angriff überlebt hat, wird sie mehrere

Minuten lang intensiv zittern und dann wieder zum Gras fressen übergehen, wie wenn nichts passiert wäre. Das Zittern ermöglicht der Gazelle, die während des Angriffs mobilisierten Stresshormone wieder abzubauen. Tiere brauchen keine wochenlangen Therapien. Alles was sie brauchen, um ihrem gewohnten Leben wieder nachzugehen, sind ein paar Minuten intensiven Zitterns. Nun sind wir aber keine wilden Tiere und in unserer Kultur ist es ziemlich befremdlich, einfach so zu zittern. Es wird als Zeichen von Schwäche angesehen, also unterdrücken wir es. Stattdessen verkrampfen wir uns und verharren in einem steifen Zustand. Wir sollten das Zittern wirklich zulassen. Tatsächlich sollten wir es nicht nur zulassen, sondern es sogar fördern, da das Zittern uns hilft, die ängstliche Anspannung schneller zu lösen.

Wie kannst du also den Abbau deiner Stresshormone unterstützen?

Wenn du gerade sitzt, kannst du deine Füße und Knie auf- und ab wippen oder deine Beine abwechselnd anheben. Wenn du alleine bist, stehe auf und schüttle deinen Körper kräftig durch. Schüttle deine Hände und Arme aus. Schüttle auch deine Beine aus und wippe wie ein Sprinter vor einem Rennen auf den Zehen auf und ab. Dies wird dir helfen, die aufgestaute Energie zu entladen und deinen Körper weiter zu entspannen.

## ZUSAMMENFASSUNG VON DARE BEI PANIKATTACKEN

1. Wenn du den Beginn einer Panikattacke spürst, reagiere auf die ersten Wellen der Angst mit: **"Na, und?!/Was soll`s"**. Du bist in Sicherheit. Dein Körper kann damit umgehen!

2. Wenn die Wellen aufsteigen, *akzeptiere* und *erlaube* all die unangenehmen, ängstlichen Gedanken und Empfindungen, die mit ihnen kommen. Widersetze dich ihnen nicht. Schwimm mit der Welle auf und ab. Sag dir: *"Ich akzeptiere und erlaube dieses ängstliche Gefühl"*.

3. Wenn sich deine Angst in Panik steigert, laufe auf sie zu! Sag dir, dass dieses Gefühl dich **begeistert**, dass du dich aufgeregt fühlst und **fordere noch mehr davon!** Schwimm mit der Adrenalinflut mit!

4. Wenn die anfängliche Adrenalinflut vorbei ist, kann es sein, dass noch ein paar kleinere Wellen in Form von *Nachbeben* aufkommen. Erwarte nicht, dass du dich in nächster Zeit ruhig und entspannt fühlen wirst. Du wirst dich weiterhin aufgewühlt und unruhig fühlen, da die Stresshormone erst nach und nach von deinem Körper abgebaut werden. Erlaube deinem Körper, zittern zu dürfen, wenn er das Bedürfnis danach hat. Vollende dann den letzten Schritt und **beschäftige** dich mit einer Aktivität, die deine volle Aufmerksamkeit auf sich zieht.

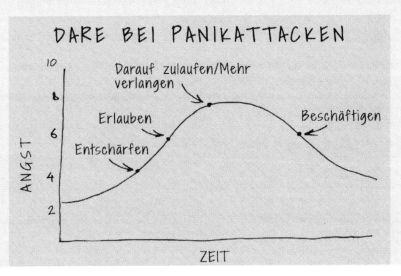

Ich weiß, dass sich das nach sehr viel anfühlen kann, an das man sich erinnern soll und einige sagen, dass sie in Momenten der Panik einfach nicht klar denken können. Wenn das bei dir der Fall ist, dann versuche, dich an diesen Satz zu erinnern: ***"Was auch immer! Ich bin begeistert von diesem Gefühl und ich will mehr davon!"***

Fordere mehr von dem, was dir Angst macht und die Illusion der Bedrohung wird schnell zerbrechen. Du wirst einen Punkt erreichen, an dem eine Panikattacke beginnt und deine unmittelbare Reaktion *"Ok, los geht`s!"* sein wird. Übung macht den Meister! Bleib dran, auch wenn du nicht auf Anhieb ein Erfolgserlebnis hast. Je öfter du übst, mehr zu verlangen, desto besser wirst du darin werden.

Setze dir kleine Ziele und tue dein Bestes, diese zu erreichen. Gehe in den Supermarkt, wenn es das ist, was dir Angst macht. Fahre mit dem Bus außerhalb deiner Komfortzone. Gehe mit einem Freund essen. Setze dir jeden Tag kleine Ziele, sodass du dich der Angst immer wieder konfrontieren, sie überwinden und damit deine Freiheit zurückgewinnen kannst. Stelle dich bewusst den Situationen, die dir Angst machen. Auf diese Weise stärkst du dein Selbstbewusstsein und den Glauben an dich selbst, dass du alles schaffen kannst, was vor dir liegt. Dein Körper kann damit umgehen. Dein Verstand kann damit umgehen.

Mach dies zu deinem Mantra:

*"Ich kann damit umgehen. Ich schaffe das".*

---

**Tipp:** Präge dir diesen hilfreichen Satz ein, um diesen Schritt zu starten: **"Ich bin begeistert von diesem Gefühl. Auf geht`s".**

---

## "WAS KOMMT ALS NÄCHSTES?"

Vielleicht verspürst du immer noch einen starken Widerstand gegen deine Angst. Es gibt eine Reihe von Mythen über Ängste, die ausgeräumt werden müssen, da sie einen Widerstand verursachen, der die Heilung verzögern kann.

In den nachfolgenden Kapiteln werde ich dir zeigen, welche Ideen und Überzeugungen du *aufgeben und loslassen musst*, um schneller voranzukommen. Die Philosophie von DARE ist in diesen Kapiteln verwoben und es wird eine gewisse Wiederholung bestimmter Themen geben. Diese sind bewusst gewählt, da man ein Konzept aus verschiedenen Blickwinkeln betrachten muss, um es in der Tiefe zu verstehen.

Wenn du am Ende des Buches angekommen bist, wirst du dich mit deiner ängstlichen Anspannung bereits schon viel wohler fühlen. Du wirst ein Gefühl von "Flow" verspüren und damit einhergehend neue Hoffnung und Optimismus, dass du deine Ängste wirklich für immer heilen kannst.

Ich wünsche dir das.

Du bist kurz davor, dich so viel besser zu fühlen. Bleib dran.

# DARE

# HÖR AUF ZU GLAUBEN, DU BIST NICHT NORMAL

Angst ist keine psychische Erkrankung. In deinem Kopf ist alles in Ordnung und du wirst auch nicht verrückt werden. Ich sage das nicht nur, damit du dich besser fühlst, sondern weil es die Wahrheit ist.

Das Schlimmste an Angstzuständen ist nicht, wie sie sich körperlich anfühlen, sondern vielmehr die Art und Weise, wie sie einen glauben lassen, man sei irgendwie nicht ganz "normal". Das Gefühl nicht "normal" zu sein, teilen sehr viele Betroffene. Nach einigen Monaten kraftraubender, intensiver Angstzustände und überflutet mit Stresshormonen beginnt fast jeder, um seinen gesunden Menschenverstand zu fürchten. Ich wette, dass auch du schon mehr als einmal gedacht hast, dass du die einzige Person auf der Welt bist, die sich so fühlt.

*"Ich kenne niemanden, der derart bizarre Gedanken und Gefühle hat, also muss ich doch verrückt sein, oder?"*

## DU BIST NICHT DEINE ANGST

Du weißt inzwischen, dass ein Schlüsselelement von DARE darin besteht, die Erfahrung der Angst zu normalisieren. Ein Teil dieser Normalisierung besteht darin, zu erkennen, dass *du NICHT deine Angst bist.* Die ängstlichen Gedanken, die du hast, sind nur Gedanken und nicht mehr. Sie repräsentieren nicht dein wahres Selbst. Sie sind einfach nur die Folge der konstant in deinem Körper zirkulierenden Stresshormone, die mit deinem aufmerksamen und kreativen Geist interagieren.

Du bist auch nicht die einzige Person, die diese Erfahrung macht. Denke daran, dass nach Angaben des Nationalen Instituts für Seelische Gesundheit, etwa 40 Millionen amerikanische Erwachsene (etwa jeder sechste der Bevölkerung) im Laufe ihres Lebens an einer Art von Angststörung leiden.

Wenn du diese Zahlen betrachtest, erkennst du - so isoliert du dich mit deinen Ängsten auch fühlen magst - dass du nicht alleine bist und diese Erfahrung in der Tat, sehr normal ist. Denke über diese "Einer-von-Sechs" Statistik nach, wenn du unterwegs bist. Die Frau, die dir das Frühstück serviert, könnte gerade mit einer Panikattacke kämpfen. Der gereizte Mann vor dir in der Bank könnte das klaustrophobische Gefühl, in der Schlange zu warten, nicht ertragen. Die Mutter, die den Geländewagen fährt, könnte Angst haben, dass sie mit ihrem Auto voller Kinder, einen Panikanfall auf der Autobahn erlebt. Ängste sind ein sehr weit verbreitetes Thema, doch es wird nicht gerne offen darüber gesprochen. Psychische Gesundheit ist immer noch ein Tabuthema in unserer Gesellschaft. Unsere Prominenten sprechen im Fernsehen gerne über ihre Darmreinigung oder ihr Sexleben, ihre psychische Gesundheit erwähnen sie aber selten. Das scheint zu persönlich zu sein, das Thema zu verletzlich.

Jährlich werden über 50 Millionen Verschreibungen des Angstmedikaments Alprazolam (der generische Name für Xanax) ausgestellt. Ist es da nicht an der Zeit, dass wir beginnen, offener über Ängste zu sprechen und darüber, wie verbreitet und normal diese sind? Wenn wir diese Erfahrung mithilfe der Massenmedien verbreiten und normalisieren könnten, würden meiner Meinung nach weitaus weniger Menschen in den Teufelskreis der Angst geraten.

# DAS DOPPELLEBEN

Haben deine Ängste auch dich dazu gebracht, ein Doppelleben zu führen?

Ich wage zu vermuten, dass du der Außenwelt vorgibst, dass alles in Ordnung ist, während du tief im Inneren die Angst hast, dass du deinen Verstand verlieren könntest. Wie ein Geheimagent bewachst du dieses Geheimnis vor der Welt. Ich wette auch, dass nur sehr wenige Leute wissen, dass du ein Problem mit Ängsten hast. Ist es nicht erstaunlich, wie wir der Welt kontinuierlich ein bestimmtes Bild vorspielen können, während wir uns im Inneren so gequält fühlen?

Frauen sind sehr gut darin, ihre Ängste zu verbergen, aber Männer sind die absoluten Meister. Ich weiß das deshalb, da auch ich früher einer dieser Geheimagenten war. Als ich gerade eine besonders harte Zeit mit meinen Ängsten durchmachte, sagte mir einmal jemand, dass ich so entspannt wirke, wie eine Ente, die gemütlich einen Bach hinunterschwimmt. Was niemand bemerkte, war, dass diese Ente wie verrückt paddelte, nur um über Wasser zu bleiben.

Vor einigen Jahren coachte ich einen sehr bekannten TV-Moderator, der Angst hatte, live im Fernsehen eine Panikattacke zu bekommen. Er hatte Angst, dass seine Kollegen etwas vermuten könnten und betrat das Studio jeden Tag mit einem aufgesetzten Lächeln und tat so, als ob ihn nichts aufhalten könnte. Er behielt alle seine Sorgen und Ängste jahrelang für sich. Er erzählte nicht einmal seiner eigenen Frau von der täglichen Qual, die er jedes Mal durchmachte, wenn er live auf Sendung ging.

Ich wette, auch du bist ein fantastischer Schauspieler. Du gibst der Welt vor, dass alles in Ordnung ist und verbringst dann heimlich den Tag damit, jeder Situation auszuweichen, die dich ängstlich machen könnte. Dieses Doppelleben ist anstrengend. Vielleicht hast du einen oder zwei enge Freunde, die etwas vermuten, weil du häufig bestimmte Situationen meidest, aber im Großen und Ganzen, vermutet der restliche Teil deiner Mitmenschen wahrscheinlich nichts.

Fliegen ist ein gutes Beispiel dafür, wie gut Menschen ihre Ängste verbergen können. Statistiken zeigen, dass etwa 30 % aller Passagiere nervös sind und etwa 10 % extrem ängstlich sind. Doch es ist schwer, diese 10 % während eines Fluges zu erkennen. Sie sitzen still da und klammern sich heimlich an ihre Armlehnen, bis ihre Knöchel weiß werden – alles, ohne einen Piep zu machen. Sie gehen durch schieren Terror, verstecken ihre Ängste jedoch, weil es eine noch größere Angst gibt, – nämlich die Angst, sich bloßzustellen.

Angst und Scham können sich auf eine fast komische Weise gegenseitig ausspielen. Nehmen wir zum Beispiel an, du bist mit ein paar Arbeitskollegen beim Essen. Plötzlich überspringt dein Herz einen Schlag und du fühlst ein Engegefühl in deiner Brust. Innerhalb von Sekundenbruchteilen bist du davon überzeugt, dass du einen Herzinfarkt hast. ABER, anstatt deine Kollegen darum zu bitten, einen Krankenwagen zu rufen, entschuldigst du dich höflich und gehst auf die Toilette. *Du würdest eher alleine in einer Toilettenkabine an einem Herzstillstand sterben, als eine Szene zu veranstalten.* Du kannst dir sicher sein, dass immer dann, wenn deine Angst dich bloßzustellen größer ist, als die Angst vor einem bevorstehenden Tod, die Scham im Spiel ist!

## SCHAM IST GIFT

Angstzustände sind für die meisten Menschen eine tiefsitzende Quelle von Scham. Scham ist jedoch ein toxisches Gefühl, dass uns in der gegenwärtigen Erfahrung von Angst gefangen hält und unsere Heilung verzögert. Um unsere Ängste zu heilen, müssen wir zunächst unsere Scham über sie aufgeben. Wenn wir die Scham ans Licht bringen, erkennen wir sie als die Lüge, die sie ist.

Scham manifestiert sich für ängstliche Menschen auf verschiedene Weise: Scham darüber, schwach zu sein. Scham darüber, als Mutter oder Vater, als Chef oder Freund zu versagen. Darüber, nicht in der Lage zu sein, für die Familie zu sorgen, arbeiten zu gehen und Geld zu verdienen. Scham, nicht in der Lage zu sein, die eigene Sicherheitszone zu verlassen oder alleine, ohne eine Sicherheitsperson, einkaufen zu gehen.

Der Großteil dieser Schamgefühle wird durch negative Selbstgespräche verursacht. Ein Vater, der mit Ängsten zu kämpfen hat, könnte zum

Beispiel denken: *"Wie kann ich, der Mann der Familie, meine Kinder nicht zu einem Ballspiel begleiten?"* Ein Student denkt vielleicht: *"Alle anderen sind so aufgeschlossen, aber ich habe Angst, auch nur ein paar Minuten in einem Hörsaal zu sitzen"*. Eine junge Mutter könnte denken: *"Ich habe dieses wunderbare Kind, das ich so sehr schätze, aber diese ängstlichen Gedanken rauben mir all die Freude die ich fühlen sollte. Wie kann ich nur solche Dinge denken? Bin ich eine schlechte Mutter?"*

Es gibt auch Menschen, die ihre Ängste nicht verbergen und gerne und offen darüber reden, aber selbst dann neigt das Gespräch dazu, oberflächlich zu bleiben. Wenn man jedoch ein wenig tiefer gräbt, wird man unweigerlich auch hier die gleiche Scham finden. Scham, die sie mit niemandem teilen wollen. Dinge, die sie aus Angst, verurteilt zu werden, nicht zugeben können.

Ich bekam einmal einen Anruf von einer Frau, die über ihre Panikattacken und anhaltende Angst sprechen wollte. Sie lebte mit ihrem Mann und ihren Kindern in einer kleinen Stadt. Sie erzählte mir, wie ihre Angst- und Panikattacken ihre Lebensqualität zerstörten und dass jeder Tag ein großer Kampf war. Als Vertriebsleiterin eines großen Unternehmens, reiste sie früher um die ganze Welt, aber jetzt fiel es ihr schwer, ihr eigenes Haus zu verlassen, aus Angst davor, eine Panikattacke zu bekommen.

Ich fragte sie, ob sie jemand anderem außer ihrem Mann und ihrem Arzt von ihren Angstzuständen erzählt hatte. Sie sagte, dass sie sich ein paar Freunden anvertraut habe, aber im Allgemeinen behielt sie es für sich, aus Angst, dass andere sie verurteilen würden. Dann fragte ich sie, was es war, dass sie am meisten an ihrer Situation bedrückte. Sie war etwas irritiert und fragte mich: *"Hast du mir nicht zugehört? Ich kann deswegen mein Zuhause nicht verlassen und ich habe Kinder, um die ich mich kümmern muss. Was könnte schlimmer sein als das?"* *"Nein, das verstehe ich"*, sagte ich. *"Aber was bedrückt dich AM MEISTEN?"* Es herrschte eine lange Stille. Und dann sagte sie: *"Das Haus nicht verlassen zu können, ist nur die Hälfte davon. Das andere konnte ich niemandem gegenüber zugeben ... Ich schäme mich zu sehr"*.

*"Nun, versuche es einfach"*, sagte ich. *"Ich bin nur ein Fremder, nur jemand am anderen Ende des Hörers. Ich glaube nicht, dass wir uns jemals persönlich treffen werden. Du hast nichts zu verlieren"*.

*"Okay.."*. sagte sie. *"Tief in mir drin befürchte ich, dass ich meinen Verstand verliere. Es ist, als würde ich den Bezug zur Realität verliere. Ich bin nie präsent, wenn ich mit meinen Kindern zusammen bin, weil ich die ganze Zeit über meine ängstlichen Gedanken nachdenke".* Ich sagte ihr, dass Betroffene oft ihrem Arzt oder engen Freunden von ihren Panikattacken und Ängsten erzählen können, sie aber nur selten die Dinge zugeben können, die sie am meisten bedrücken. Sie verstecken ihre größten Ängste ganz tief und leiden furchtbar in Stille.

Es ist zum Beispiel durchaus normal, dass Betroffene Angst haben, ein Küchenmesser in die Hand zu nehmen, aus Angst, sie könnten die Kontrolle verlieren und jemanden damit verletzen. Oder sie haben Angst, sich hinter das Steuer eines Autos zu setzen, aus Angst, sie könnten einen Unfall verursachen. Manche vermeiden es, auf den Balkon zu gehen, aus Angst, sie könnten sich herunterstürzen.

Andere schamvolle, ängstliche Gedanken drehen sich oft um verbotene, aggressive oder perverse, sexuelle Inhalte oder Zweifel an der eigenen sexuellen Identität. So viele Menschen leiden schweigend unter sich aufdrängenden, ängstlichen Gedanken und ich wünschte, sie alle hätten die Chance zu verstehen, wie verbreitet diese sind. Solche Gedanken sind sehr gewöhnlich und sind kein Anzeichen einer psychischen Erkrankung, sondern die Folge anhaltender Angstzustände, übermäßig vielen Stresshormonen, Erschöpfung und einer überaktiven Fantasie. Das ist alles. (Ich beschreibe Näheres zu ängstlichen und sich aufdrängenden Gedanken im Kapitel "Keine Angst vor ängstlichen Gedanken".)

Nachfolgend möchte ich gerne eine Geschichte mit dir teilen, welche eindrucksvoll verdeutlicht, wie sehr Menschen mit Ängsten unter ihren Schamgefühlen leiden:

Tom, der unter wiederkehrenden Panikattacken litt, war der Vater eines zehnjährigen Sohnes. Jedes Wochenende machte er sich selbst nieder, weil er nicht den Mut aufbrachte, mit seinem Sohn Angeln oder Zelten zu gehen, wie er es als Kind mit seinem eigenen Vater immer getan hatte. Er erzählte mir von einem Vorfall, welcher kurz vor unserem Gespräch stattfand.

Tom, sein Sohn, dessen Freunde und Eltern wollten ein Konzert einer bekannten Band besuchen. Die Tickets waren nicht gerade günstig und sein Sohn hatte sich schon lange auf "diesen coolen Gig" gefreut. Sie saßen bereits an ihren Plätzen, als Tom plötzlich ein Engegefühl in seiner Brust spürte, welches normalerweise der Auslöser für den Beginn einer Panikattacke war. Er versuchte, es so gut wie möglich zu ignorieren, aber als die Band die Bühne betrat und die Menge zu brüllen begann, steigerte sich seine Angst derart, dass er es nicht mehr aushielt und raus musste. Er konnte das Konzert aber nicht einfach so verlassen, da er nicht alleine dort war. Dieses Gefühl, mit all diesen Leuten an diesem Konzert gefangen zu sein, machte seine Angst noch schlimmer. Er hielt noch ein paar Minuten durch, stand dann aber plötzlich auf und sagte seinem Sohn, er solle ihm nach draußen folgen. Als sie gingen, erklärte er den anderen Eltern, dass es seinem Sohn nicht gut gehe und dass sie nach Hause gehen müssten. Toms Aussage überraschte die anderen, da sein Sohn den ganzen Abend über in bester Stimmung war. Als sie draußen standen, fragte ihn sein Sohn mit Tränen in den Augen, was denn nur los sei? Warum hatte er gelogen? Warum mussten sie nach Hause gehen?

Tom wusste nicht, wie er reagieren sollte und murmelte einfach etwas über eine dringende Sache, die er zu erledigen hatte, während sie zum Auto gingen und nach Hause fuhren. Dieser Vorfall erfüllte Tom mit einem tiefen Gefühl von Scham, welches den Kern seines Selbstwertgefühls traf.

## DIE SCHAM LOSLASSEN

Um die Scham zu überwinden, musst du sie aufdecken. Du musst sie zunächst dir selbst gegenüber klar einräumen. Du musst dir bewusst darüber werden, was es ist, wofür du dich schämst und was du nie jemand anderem gegenüber zugeben könntest. Dann kann die Heilung beginnen. Die Scham ist eine Lüge, die dir in keiner Weise dient. Wenn du die Scham ans Licht bringst, verliert sie ihren Einfluss auf dich, weil sie als das entlarvt wird, was sie ist: Eine Illusion.

Es gibt nämlich keinen Grund, sich dafür zu schämen, dass man an Ängsten leidet. Du bist in guter Gesellschaft. Es heißt, dass einige der größten Denker der Welt an Ängsten gelitten haben sollen, darunter die Wissenschaftler Charles Darwin und Sir Isaac Newton. Auch berühmte Künstler und Schriftsteller wie Alfred Lord Tennyson, T.S. Eliot, Marcel Proust, Emily Dickinson (die Liste ist endlos), sollen betroffen gewesen sein.

Die Verknüpfung zwischen Kreativität und Angst ist gut erforscht. Forschungen zeigen, dass Menschen, die an Ängsten leiden, dazu tendieren, in den Bereichen Intelligenz, Kreativität und Sensibilität, überdurchschnittlich gut zu punkten. Leider können sich alle diese positiven Eigenschaften beim Auftreten von Stress und Ängsten gegen sich selbst wenden. Ein scharfsinniger, intelligenter Verstand eilt dann los, um ungewöhnliche, körperliche Empfindungen zu identifizieren. Wenn er die Empfindungen nicht einordnen kann, übernimmt die Angst die Führung und man kommt zu irrationalen Schlussfolgerungen. Deepak Chopra schrieb: *"Der beste Einsatz von Fantasie ist Kreativität. Der schlechteste Einsatz von Fantasie ist Angst"*. So kann sich zum Beispiel eine sensible Person mit einer kreativen Ader, alle möglichen, beängstigenden Szenarien, die einem Horrorfilm gleichen, ausmalen. Sicher erinnerst auch du dich an Momente, wo du eine Empfindung wahrgenommen hast und woraufhin dein Verstand dann unmittelbar zu beängstigenden und katastrophalen Schlussfolgerungen darüber gekommen ist, was diese nun bedeuten könnten.

## DIE MECHANIK DER ANGST

Damit du deine Angst besser verstehen und diese Erfahrung normalisieren kannst, möchte ich nachfolgend erklären, was Angst eigentlich ist und was die mit ihr verbundenen, ängstlichen Empfindungen verursacht.

Du hast sicherlich schon einmal von der "Kampf-oder-Flucht Reaktion" gehört, die von Walter Cannon geprägt wurde. Diese ist der Kern deiner Stressreaktion. Wie ich bereits erwähnt habe, ist dies ein automatisierter Überlebensmechanismus, der es der Menschheit ermöglicht hat, in einer sehr gefährlichen Umwelt zu überleben. Wenn vor tausenden von Jahren ein Säbelzahntiger auf der Suche nach seinem Mittagessen deinen Weg gekreuzt hätte, hätte dieser

Überlebensmechanismus deinen Körper so schnell mit Adrenalin überflutet, dass du -wenn du Glück hattest- dem Säbelzahntiger entkommen wärst.

Das Interessante an der "Kampf-oder-Flucht Reaktion" ist, wie sie in Momenten der Gefahr die volle Kontrolle übernimmt. Das rationelle Denken wird in Entscheidungen nicht miteinbezogen. Alles muss schnell gehen. Man kennt Geschichten, in denen Menschen während einer aktiven "Kampf-oder-Flucht Reaktion" rasendem Verkehr ausgewichen sind oder erstaunliche körperliche Leistungen erbracht haben - wie das Anheben eines Autos, um jemanden zu retten, der unter ihm gefangen war.

Gesteuert wird die "Kampf-oder-Flucht Reaktion" vom limbischen System, einem komplexen Satz von Gehirnstrukturen, welcher in der Mitte des Gehirns liegt und auch als "emotionales Gehirn" bezeichnet wird. Die Amygdala ist ein zentraler Teil des limbischen Systems und setzt eine ganze Reihe von Ereignissen in Bewegung, indem sie eine Warnmeldung an den Hypothalamus sendet, welcher dann das Nervensystem aktiviert und den Körper auf bevorstehende Gefahr vorbereitet. Die Nebennieren werden angewiesen, Adrenalin und Cortisol in den Blutkreislauf zu befördern.

Du weißt sehr genau, wie sich das anfühlt. Es ist ein unverwechselbares Gefühl, wenn sich das Adrenalin im Körper ausbreitet. BOOM! In Sekundenbruchteilen fühlt man sich aufgepumpt und entweder sehr aufgeregt oder sehr ängstlich. Vergiss aber nicht, Adrenalin alleine führt nicht dazu, dass du dich ängstlich fühlst, es gibt dir nur das Gefühl, wirklich erregt und wach zu sein.

*Was das Problem verursacht, ist deine Interpretation der Stressreaktion. Wenn du lernst, deine Interpretation mithilfe von DARE zu ändern, veränderst du auch die Art und Weise, wie du Stress und Angst erlebst.*

Die Wirkung der Stresshormone ist unmittelbar spürbar. Deine Herz- und Atemfrequenz erhöhen sich und das Blut wird von den Routinevorgängen, wie der Nahrungsverdauung, weggezogen und in die Muskeln befördert, sodass du entweder schnell fliehen oder aber dich der Bedrohung stellen kannst. Deine Muskeln kontrahieren und dein Darm und deine Blase entspannen sich. Es ist alles eine unglaublich intelligente und hochentwickelte, biologische Reaktion. Sie dient dazu, dich vor einer Bedrohung zu schützen und "Bedrohung" ist hier wirklich das Schlüsselwort. In deinem Fall geht es so gut wie nie um eine echte Bedrohung. Du setzt dich beispielsweise auf den Friseurstuhl, um dir die Haare schneiden zu lassen und ...BOOM! ... Schon geht es los. Oder du steigst in dein Auto und sobald du auf der Autobahn auf Verkehr stößt... BOOM! ...Schon hat dein emotionales Gehirn eine weitere Flut an Adrenalin ausgelöst. Und obwohl es keine echte Bedrohung gibt, reagiert dein Körper so, da du durch deine ängstliche Reaktion deinem Gehirn "Gefahr" signalisierst.

Nehmen wir zum Beispiel an, du müsstest eine Präsentation oder eine öffentliche Rede halten. Dein rationales Gehirn weiß, dass eine Rede dich nicht umbringen wird. Niemand wird dich auf dem Podium körperlich bedrohen, aber dein emotionales Gehirn reagiert auf deine Angst, verurteilt und ausgegrenzt zu werden. Es kann nicht zwischen echter oder nur vorgestellter Gefahr unterscheiden. Du kannst dein Gehirn auf ganz einfache Weise davon überzeugen, dass eine nur vorgestellte Situation, tatsächlich real ist. Stelle dir zum Beispiel für einen Moment vor, du saugst an einem Stück Zitrone. Denke nur für einen Moment daran und dein Mund wird beginnen, Speichel zu produzieren. Obwohl die Zitrone nur vorgestellt ist, reagiert dein Körper so, als ob du tatsächlich an einer Zitrone saugen würdest. Dasselbe geschieht bei Angst. Dein emotionales Gehirn stellt sich eine Bedrohung vor, übergeht dein rationales Gehirn und übernimmt die Show. Dein Körper antwortet auf eine sehr reale und physische Weise mit der Aktivierung der "Kampf-oder-Flucht-Reaktion".

Lass uns nun einige der typischen, körperlichen Empfindungen, die während der "Kampf-oder-Flucht-Reaktion" auftreten, betrachten. Wenn du diese im Einzelnen verstehst, kannst du jede Einzelne von ihnen normalisieren. Mit diesem Verständnis wird es dir noch leichter fallen, die DARE Schritte umzusetzen.

## 1. Herzrasen

Wenn du wirklich in Gefahr wärst, würdest du nicht einmal bemerken, dass dein Herz schneller als sonst schlägt. Du wärst viel zu sehr damit beschäftigt, dich in Sicherheit zu bringen und selbst wenn du es bemerken würdest, würde dir das keine Angst machen, denn du würdest erwarten, dass es schneller schlägt. Wenn du dir einen unheimlichen Film ansiehst oder gerade in einem Vorstellungsgespräch sitzt, weißt du, dass ein pochendes Herz ganz normal ist. Aber was ist, wenn du keinen Grund für deinen erhöhten Herzschlag finden kannst? In diesem Fall kommt dein Verstand dann zu dem Schluss, dass ein pochendes Herz bedeuten muss, dass etwas nicht stimmt.

Ein erhöhter Herzschlag ist einer der größten Sorgenpunkte für Betroffene. Sobald die "Kampf-oder-Flucht-Reaktion" aktiviert ist und keine Bedrohung im Außen erkannt wird, befürchten die meisten Betroffenen, dass sie dabei sind, einen Herzinfarkt zu haben. Und warum sollten sie das auch nicht befürchten? Ihr Herz schlägt grundlos wie verrückt und sie haben all die körperlichen Empfindungen, die wir mit einem Herzinfarkt in Verbindung bringen (z.B. Kribbelgefühle, Brustschmerzen oder Schwindel). Das ist der Grund, warum so viele Menschen in der Notaufnahme des Krankenhauses landen und behaupten, dass sie gerade einen Herzinfarkt haben, nur um später gesagt zu bekommen, dass es nur eine Panikattacke war *(Bitte beachte: Du solltest dein Herz natürlich immer untersuchen lassen, wenn du dir Sorgen um dessen Gesundheit machst, auch wenn es nur darum geht, Gewissheit zu bekommen).*

## 2. Erhöhte Atemfrequenz

Wenn du ängstlich bist, steigt deine Atemfrequenz. Dein ängstlicher Verstand eilt dann sofort zu dem Schluss, dass etwas mit deiner Atmung nicht stimmt, woraufhin du dann versuchst, die Kontrolle über deine Atmung zu übernehmen. Was für eine Verantwortung man damit auf sich nimmt, zu versuchen seine Atmung zu kontrollieren! Je mehr du versuchst, kontrolliert zu atmen, desto schlimmer wird es. Dadurch bekommst du noch mehr Angst und dein Verstand stellt sich alle möglichen Szenarien vor, wie zum Beispiel, dass du ins Krankenhaus gehen musst, um dich beatmen zu lassen.

Ein weiterer, negativer Effekt ist, dass die Menge an Sauerstoff und Blut, die an das Gehirn abgegeben wird, normalerweise leicht abnimmt, was zu Schwindel und Verwirrtheit führen kann. In extremen Fällen von Hyperventilation können sehr starke Kribbelgefühle und ein Gefühl wie Nadelstiche in den Armen und Händen auftreten, bis hin zu Krämpfen in den Händen, bei denen Daumen und Finger sich verschließen (Karpopedalspasmen). Dies ist nicht gefährlich, aber natürlich sehr beunruhigend.

### 3. Übermäßige, nervöse Energie

Wenn du vor einer echten Bedrohung fliehen oder sie bekämpfen würdest, würde die ganze aufgestaute nervöse Energie, die durch das Adrenalin erzeugt wird, sich schnell wieder verflüchtigen. Bei einer nicht identifizierten Bedrohung bewegst du dich jedoch nicht und diese nervöse Energie verbleibt länger in deinem Körper, als es normalerweise der Fall wäre. Dies kann dazu führen, dass du dich für einen längeren Zeitraum unwohl fühlst und auch, dass du zu zittern beginnst oder dich sehr nervös und angespannt fühlst. In solchen Momenten ist es hilfreich, aufzustehen und herumzulaufen, vielleicht nach draußen zu gehen oder aber auch, dich zurückzuziehen. Doch manchmal sind diese Optionen nicht möglich, da man sich in einer gesellschaftlichen Situation befindet, aus der man sich nicht einfach so entschuldigen kann. Hier kann es passieren, dass man beginnt, sich klaustrophobisch zu fühlen, wodurch noch mehr Adrenalin ausgelöst wird und man sich noch ängstlicher fühlt.

### 4. Muskelverspannungen/Zittern

Während du dich auf "Kampf oder Flucht" vorbereitest, spannt sich deine Muskulatur an, insbesondere die Muskulatur im Nacken und im Oberkörper. Wenn du dich nicht körperlich bewegst, verbleibt diese Anspannung länger als nötig, wodurch du dich verspannt und steif fühlen kannst. Es kann auch sein, dass deine Muskulatur als Reaktion auf das Adrenalin zu zittern beginnt. Dieses Zittern kann sich nur in bestimmten Körperregionen zeigen, es ist aber auch möglich, dass dein ganzer Körper wie Espenlaub zittert.

## 5. Schwitzen

Während einer aktiven "Kampf-oder-Flucht-Reaktion" nimmt das Schwitzen zu, um dich beim Weglaufen oder im Falle eines Kampfes zu kühlen. Dies kann in sozialen Situationen, wie z. B. während einer öffentlichen Rede oder während eines Vorstellungsgesprächs sehr unangenehm sein, da man sich durch das übermäßige Schwitzen noch unsicherer fühlt, was die Anspannung noch weiter verstärkt.

## 6. Schwindel

Der bei einer Panikattacke oder während einem Angstzustand auftretende Schwindel wird oft durch eine erhöhte Atemfrequenz verursacht. Betroffene neigen dazu, zu schnell zu atmen (zu hyperventilieren), was zu Schwindel oder Benommenheit führen kann. Bewusstlos werden ist hingegen sehr selten, da Bewusstlosigkeit die Folge von niedrigem Blutdruck ist. Wenn du ängstlich bist, steigt dein Blutdruck an, er sinkt nicht ab. Daher ist es unwahrscheinlich, dass du bewusstlos wirst, da dein Gehirn in solchen Momenten über eine ausreichende Blutversorgung verfügt.

## 7. Darm und Blase entspannen sich

Wenn du ängstlich bist, wirst du wahrscheinlich das Bedürfnis verspüren, auf die Toilette zu gehen. Diese ist eine der bizarrsten Funktionen des Überlebensmechanismus und es wird angenommen, dass diese auftritt, um das Weglaufen zu erleichtern, da man weniger Gewicht tragen muss. Einige Betroffene entwickeln hier eine panische Angst davor, sich in der Öffentlichkeit zu erleichtern. Dies passiert extrem selten. Einige Menschen entwickeln jedoch diese Phobie, die sich in der Angst zeigt, in solchen Momenten nicht in der Nähe einer Toilette zu sein. Diese Angst tritt bei Frauen häufiger auf als bei Männern.

## 8. Verdauung und Speichelfluss verlangsamen sich

Der Grund, warum du bei einer aktivierten "Kampf-oder-Flucht-Reaktion" Schmetterlinge in deinem Bauch fühlst, ist, dass die Funktionen deines Verdauungssystem verlangsamt werden. Das Blut wird aus deiner Bauchregion in deine Muskeln und andere lebenswichtige Organe geleitet. Dies kann zu Übelkeit, einem Unruhegefühl im Magen und zu Angst vor Erbrechen führen. Auch hier gilt: Wenn du in der Öffentlichkeit bist, können diese Empfindungen soziale Ängste begünstigen.

Eine weitere Körperfunktion, die sich verlangsamt, ist die Speichelproduktion, was zu der unangenehmen Empfindung eines trockenen Mundes führen kann.

### 9. Erwartung-Angst / Sorgen / Derealisation

Die "Kampf-oder-Flucht-Reaktion" versetzt deinen Verstand in Alarmbereitschaft, um alle möglichen Bedrohungen zu erkennen, auch solche, die sich noch nicht manifestiert haben. Wenn er keine externe Bedrohung findet, wendet er sich nach innen. Wie ein Jagdhund, ist er allen möglichen Bedrohungen auf der Spur und versucht herauszufinden, woher die nächste Bedrohung kommen könnte. Wenn du anhaltend ängstlich bist, kann dies zu chronischen Sorgen oder ständigen "Was ist, wenn…" Fragen führen. Schließlich werden *"Sorgen um Dinge"* zu *"Sorgen um Gedanken",* bei denen du dich um den Inhalt deiner Gedanken sorgst und Angst davor hast, verrückt zu werden.

Derealisation ist eine Empfindung, die in anderer Literatur nicht oft erwähnt wird. Sie tritt üblicherweise dann auf, wenn eine Person längere Zeit an anhaltenden Ängsten leidet. Es ist ein Gefühl der Unwirklichkeit, als ob die ganze Welt eine Illusion wäre. Dieses Gefühl bewirkt, dass sich die Betroffenen als sehr "unnormal" empfinden und sie ist tatsächlich eine der unangenehmsten Empfindungen, die mit Ängsten verbunden ist. Ich gehe in einem späteren Kapitel ausführlicher darauf ein, aber du sollst wissen, dass diese Empfindung nicht gefährlich ist und dass sie wieder verschwindet, sobald dein allgemeines Angstniveau wieder sinkt.

## VERLIERE DICH NICHT IN DIAGNOSEN

Wie bereits erwähnt, versuche ich das Wort "Störung" zu vermeiden, wenn ich über Ängste spreche, denn ich denke, dass es Betroffene dazu ermutigt, sich in bestimmten Diagnosen zu verlieren, wo doch eine

Reihe von Symptomen verschiedenste Ursachen haben können und auch unterschiedlich behandelt werden. Wenn das Ziel darin besteht, Ängste zu normalisieren, müssen wir sie entmystifizieren und dürfen uns nicht im klinischen Fachjargon verlieren, der für Fachleute so gebräuchlich ist. Denke daran, Ängste sind nur temporär. Definiere nicht dein Leben durch sie. Du bist kein Label.

*"Aber meine Ängste sind sehr komplex! Mein Arzt hat mir gesagt, dass ich eine Zwangsstörung und eine generalisierte Angststörung plus einen Hauch Panikstörung habe".*

Ja, es kann gut sein, dass du alle Symptome und Verhaltensweisen hast, die genau in die klinische Definition einer Angststörung nach dem DSM *(American Psychiatric Associations`s **D**iagnostic and **S**tatistical **M**anual- Diagnostischer und statistischer Leitfaden psychischer Störungen)* passen. Aber wenn du ein paar Schritte zurück gehst und deinen Fokus wieder vergrösserst, wirst du sehen, dass das Kernproblem ein- und dasselbe ist: Angst, die sich auf verschiedenste Weisen manifestiert. Alles fällt unter denselben Schirm.

Ich kann natürlich verstehen, warum die medizinische Fachwelt Diagnosen verwendet. Es liegt in der Natur der Wissenschaft, Symptome und Verhaltensweisen in unterschiedliche Kategorien zu unterteilen, um sie zu unterscheiden und besser verstehen zu können. Das Problem ist, dass eine solch nüchterne Diagnostik einen Einfluss darauf hat, wie Menschen sich selbst wahrnehmen. Sensible Menschen können die Arztpraxis verlassen und denken, dass die ihnen mitgeteilte Diagnose nun ein fester Teil ihres Lebens ist. Schlimmer noch ist, dass es eine große Menge an Subjektivität gibt, wenn Menschen anhand dem DSM diagnostiziert werden. Obwohl sich die Kohärenzraten verbessert haben, bleibt die Diagnose von psychischen Störungen, wie beispielsweise Angststörungen, weiterhin sehr viel mehr eine Kunst, als eine Wissenschaft.

Mein Mitgefühl gilt all den Menschen, die eine Lösung für das, was sie erleben suchen und alles, was sie finden, eine Diagnosebezeichnung und ein Langzeitrezept für Medikamente ist. Nach dem Verlassen der Arztpraxis fühlen sich diese Menschen anschließend noch abnormaler, als sie es vorher bereits getan haben! Das Ziel dieses Buches ist, dir genau das Gegenteil zu vermitteln. Es soll dir zeigen, dass du trotz dieser sehr unangenehmen und fremden Erfahrungen, völlig normal bist. Wenn du lernst, deine Erfahrung mit der Angst zu normalisieren, wirst du sie viel schneller heilen können.

Abschließend möchte ich gerne noch einmal auf meinen Punkt zu Beginn des Kapitels zurückkommen: **Du bist nicht deine Angst**. So "abnormal" du dich durch diese Erfahrung auch fühlen magst, diese Angst ist nicht dein wahres Ich. Sie ist nicht, wer du bist oder wer du geworden bist. Sobald dein Angstniveau mit dem Üben von DARE wieder zu sinken beginnt und die Stresshormone langsam aus deinem Körper verschwinden, wirst du dich schon bald wieder wie dein früheres, selbstbewusstes Ich fühlen. Vertraue mir.

# HÖR AUF, NEIN ZU DEINER ANGST ZU SAGEN

"Der Bambus, der sich biegt, ist stärker als die Eiche, die standhält".

-Japanisches Sprichwort

Einer der schwierigsten Schritte von DARE ist für die meisten Menschen der zweite Schritt: Die Idee, den Widerstand fallen zu lassen und die Angst wirklich zu erlauben und zu akzeptieren. Das Ziel dieses Kapitels ist es, dir zu helfen, dies zu erreichen, indem es dir Schritt für Schritt aufzeigt, wie du dich mit jeder einzelnen Adrenalin-Welle mitbewegen kannst.

Meine Familie hatte früher einen tollen Hund namens Shadow. Er war eine Mischung aus einem Collie und einem schwarzen Labrador. Er saß den ganzen Tag über im Flur unseres Hauses und wartete darauf, dass jemand zur Haustüre hereinkam. Wenn schließlich jemand kam, drehte er völlig durch!

Bis.... wir die Person hereinbaten.

Wenn wir die Person an der Türe warten ließen (z. B. den Postboten), sprang Shadow von Wand zu Wand und bellte laut mit aufgestelltem Fell. Egal wie sehr wir versuchten, ihm zu sagen, er solle sich hinlegen und aufhören zu bellen, er hörte nicht auf.

Seine Logik war: *"Ich bin der Wächter dieses Hauses und wenn mein Besitzer eine Person nicht hereinbittet, dann ist diese Person unerwünscht und somit eine Bedrohung".* Manchmal habe ich Freunde bewusst ein paar Minuten an der Türe stehen lassen bevor ich sie hereingebeten habe (wenn sie mutig genug waren, rein zu kommen), nur um die Veränderung in Shadows Reaktion zu sehen. Es war jedes Mal dasselbe. Sobald meine Freunde die Haustüre passiert hatten, hörte er sofort auf zu bellen und setzte sich wieder auf seinen Platz.

*Deine Angst ist wie ein Wachhund. Sie ist dein Beschützer.* Sie ist deine "Kampf-oder-Flucht-Reaktion" die durch den emotionalen Teil deines Gehirns aktiviert wird, um dich vor Gefahren zu bewahren. Sie braucht dich, den Besitzer (dein rationales Gehirn), um ihr zu versichern, dass die ungewöhnlichen körperlichen Empfindungen, die du spürst, keine echte Bedrohung sind und dass alles in Ordnung ist.

Aber wie du schon bemerkt hast, nur: *"Alles ist in Ordnung, entspann dich"* zu sagen, funktioniert nicht. Genau wie Shadow, reagiert die Angst viel mehr auf deine Taten. Du musst die Angst mental zulassen. Wenn du die Tür zur Angst geschlossen hältst, denkt dein emotionales Gehirn, dass die Bedrohung real ist und dass es etwas gibt, wovor du Angst haben musst. Wenn du deine ängstlichen Empfindungen mit voller Akzeptanz einlädst, zieht sich dein emotionales Gehirn (dein Wachhund) zurück und beruhigt sich. Die Zen-Lehrerin Charlotte Joko Beck sagte: *"Wir müssen uns dem Schmerz stellen, vor dem wir weglaufen, tatsächlich müssen wir lernen, in ihm zu ruhen und uns von seiner Kraft verwandeln zu lassen".*

Ich finde es toll, wie Beck ausdrückt, was den Kern wirklicher Akzeptanz ausmacht:

*"...In ihm zu ruhen und sich von seiner Kraft verwandeln zu lassen".*

Zu lernen, in der Angst zu ruhen, bedeutet, die Angst zu heilen. In den unangenehmen Empfindungen zu ruhen, gibt deinem Geist und Körper die Möglichkeit, herunterzufahren und sich von der Stressreaktion zu erholen. Sag dir selbst: *"Es ist okay"*, wenn du die Angst spürst und schiebe sie nicht beiseite. Gib dem Moment und dem, was du fühlst, ein sanftes *"Ja"*. Die Akzeptanz der Angst bringt ein Gefühl des Friedens und der Sicherheit, dass alles in Ordnung ist.

Niemand möchte sich ängstlich fühlen. Warum auch? Es ist eine wirklich unangenehme, beunruhigende Erfahrung. Aber die Angst nicht annehmen zu wollen, macht es leider nicht besser oder lässt sie verschwinden. Frustration und Stress sind alles, was von dem Wunsch herrührt, dass die Dinge anders sein sollen als sie sind. Die Art und Weise, wie du dich gerade fühlst, ist die Art und Weise, wie es nun mal gerade ist. *Du musst deine Angst nicht lieben. Du musst sie nur erlauben.*

Dr. Carl Rogers schrieb: *"Akzeptanz ist die Voraussetzung für Veränderung"*. Die Akzeptanz deines gegenwärtigen Zustandes ist dein Weg in die Freiheit und schenkt dir die Möglichkeit einer positiven Veränderung. Das *"Ja"* sagen zur Angst öffnet dich für die Energie und Vitalität, die hinter der Angst steht und die du von etwas Negativem in etwas Positives verwandeln kannst. Sag dir:

*"Ich akzeptiere und erlaube dieses ängstliche Gefühl"*.

Wenn du auf diese Weise *"Ja"* sagst, erhöhst du deine Toleranz gegenüber ängstlichen Empfindungen. Mit dieser erhöhten Toleranz nimmt die Anspannung ab, bis sie letztendlich ganz verschwindet. Als Nebeneffekt bekommst du am Ende, was du willst. Du fühlst dich entspannt. Die Angst ging nicht weg, weil du sie verdrängt hast, sondern weil sie nicht mehr durch deinen Widerstand gegen sie angeheizt wurde. *"Ja"* zu sagen ist die Essenz und der wichtigste Schritt von DARE. Bitte denke nicht, dass das *"Ja"* sagen zur Angst bedeutet, ihr nachzugeben oder sich ihr zu unterwerfen. *"Ja"* zu sagen, ist ein Ausdruck von Stärke und Ermächtigung - nicht von Unterwerfung. Es bedeutet, einen Waffenstillstand im Krieg, den du gegen dich selbst führst, auszurufen. *"Ja"* sagen kommt von deinem starken und geerdeten Ich.

Ich weiß, dass *"Ja"* sagen in der Theorie einfach, die Umsetzung aber viel schwieriger ist. Wenn du diesen Prozess übst, musst du auf deinen Gedankenprozess achtgeben. Viele Leute denken, dass sie *"Ja"* sagen, obwohl sie in Wirklichkeit immer noch klar *"Nein"* meinen. Sie sind bereit, ein paar zaghafte Schritte in Richtung der Angst zu unternehmen, aber befürchten, dass die Angst sie überwältigen könnte, halten sich daher zurück und machen es nie wirklich zu 100%.

Nachfolgend möchte ich dir passend dazu ein Beispiel von Christine nennen:

Christines ängstliche Empfindungen waren ein Kloß im Hals und Schwindelgefühle. Sie befürchtete, bewusstlos zu werden, wenn sie sich außerhalb ihres Hauses befand, obwohl sie noch nie zuvor bewusstlos geworden war. Sie sagte zu mir: *"Ich versuche deinen Ansatz, um meine Angst loszuwerden, aber es funktioniert nicht wirklich. Sie geht nicht weg. Was mache ich falsch?"* Ich machte sie auf ihre Wortwahl aufmerksam: *"Versuche deinen Ansatz, um die Angst loszuwerden ... Sie geht nicht weg"*.

Ich erklärte ihr, dass sie aufhören muss, insgeheim weiter *"Nein"* zu ihrer Angst zu sagen und damit beginnen muss, sich in ihrer ängstlichen Anspannung wohl zu fühlen. Sie kann sich nicht davor verstecken oder versuchen, sie zu vermeiden. Für Christine bedeutete das, dass sie an die Orte gehen musste, an denen sich ihre Empfindungen manifestierten (in ihrem Fall im Einkaufszentrum) und diesen dort erlauben musste, mit ihr präsent zu sein - sie nicht wegzustoßen, sondern zum Beobachter ihrer Empfindungen zu werden und sich in ihrer ängstlichen Anspannung wohl zu fühlen.

Ich erklärte Christine, dass das Wegdrücken ihrer Empfindungen oder das Üben dieses Ansatzes, verbunden mit der Bedingung, dass die Angst weggeht, keine wirkliche Akzeptanz ist. Sie musste ihnen erlauben, anwesend zu sein und den ganzen Tag über *"Ja"* zu ihrer Angst sagen.

*"Komm schon, Kloß im Hals! Lass uns einkaufen gehen. Hey, Schwindelanfälle, ihr kommt auch mit!"*

Wenn du die Empfindungen erlaubst und dich mit ihnen anfreundest, bewegst du dich aus dem *"Kampf-oder-Flucht-Modus"* heraus. Das ist es, worum es beim *"Ja"* sagen wirklich geht. Es stoppt die innere Reibung und lässt deine Gedanken und Emotionen mit den Wellen der Angst fließen. Es geht auch nicht darum, so zu tun, als ob man die Empfindungen mag. Es geht darum, eine offene und annehmende

Haltung ihnen gegenüber zu entwickeln. Diese Haltung erlaubt es dir, Situationen und Orten zu begegnen, die dir Angst machen und - unabhängig davon, ob die Empfindungen präsent sind oder nicht – dort eine gute Zeit zu haben.

Christine fiel es zunächst schwer, die Empfindungen zu akzeptieren, da sie befürchtete, dass das Zulassen die Empfindungen weiter verschlimmern würde. Vielleicht hast auch du dieselbe Befürchtung -dass das Einladen und Anfreunden mit dem, was dir solche Angst macht, dazu führt, dass du dich noch ängstlicher fühlst? Dies ist der Punkt, an dem du mir und diesem Prozess wirklich vertrauen musst.

Deine schlimmsten Angstzustände hast du bereits erlebt. Was seitdem passiert, ist, dass du deine Angst mit deinem Widerstand gegen sie aufrechterhältst. Dieser Widerstand ist der Treibsand, der dich gefangen hält. Wenn du aufhörst, *"Nein"* zu sagen und den Widerstand fallen lässt, wirst du dich allmählich aus dem Treibsand herausziehen können. Ich denke, dass der Prozess des Annehmens der Angst, mit dem Lernen, nicht an einem starken Juckreiz zu kratzen, vergleichbar ist. Am Anfang ist das Jucken alles, woran man denken kann und man kratzt sich ständig, um den Juckreiz zu lindern. Das Kratzen macht es natürlich immer nur noch schlimmer. Durch Akzeptanz lernst du, mit dem Unbehagen des Juckreizes zu leben, ohne an ihm zu kratzen. Du konzentrierst dich auf deinen Tag und lässt den Juckreiz einfach da sein. Es ist nicht einfach, besonders in den Anfangsstadien, aber langsam wird der Juckreiz beginnen, immer weniger irritierend zu sein, mit der Zeit bemerkst du ihn immer weniger, bis er schließlich nach einiger Zeit vollkommen verschwunden ist.

Dasselbe geschieht, wenn man die Angst akzeptiert und aufhört, sich ihr zu widersetzen. Sobald du aufhörst, ängstlich auf deine Empfindungen zu reagieren, verliert die Angst ihren Treibstoff. Und wenn du nicht mehr negativ auf sie reagierst, filtert dein Gehirn sie schließlich heraus. Du bemerkst ihre Anwesenheit mit der Zeit immer weniger und schlussendlich dann überhaupt nicht mehr.

Es ist allerdings nicht so, dass du nie wieder ängstliche Empfindungen haben wirst. Sie werden sich von Zeit zu Zeit manifestieren, besonders dann, wenn du gestresst oder erschöpft bist, aber jetzt hast du die

Möglichkeit, anders zu reagieren und *"Ja"* zu sagen. Denke daran, gegen die Angst anzukämpfen ist wie Tauziehen: Je stärker du am Seil ziehst, desto stärker zieht die Angst zurück. Die Spannung und Reibung, die du fühlst, kommen von dem Seil, das du so festhältst, welches du aus Angst, den Kampf zu verlieren, nicht loslassen möchtest. *Mit dem "Ja" sagen zur Angst lernst du, deinen Widerstand und das Seil nach und nach loszulassen.*

## ES IST OKAY, SICH ÄNGSTLICH ZU FÜHLEN

Angst kann eine wirklich erschreckende Erfahrung sein. Erlaube dir, Angst zu haben. Erlaube dir, dich verletzlich zu fühlen. Je mehr du dir erlaubst, die Art und Weise zu akzeptieren, wie du dich in diesem Moment fühlst, desto schneller wird sich das aufgestaute Gefühl der Angst lösen. Denke daran, die Wellen der Angst steigen und fallen wieder ab. Es sind nur Gedanken und Gefühle. Sie können dir nichts anhaben. Die einzige Macht, die sie über dich haben, ist die Macht und Bedeutung, die du ihnen gibst. Gib ihnen also keine Wichtigkeit oder Bedeutung. Akzeptiere sie, normalisiere sie und lass sie vorüberziehen. Nimm die Angst ohne jegliche Bewertung und Verurteilung an. Sage *"Ja"* mit einem Lächeln und erlaube dir, das zu fühlen, was sich manifestiert. Wenn du dies zu 100 % tust, wird sich das Gefühl innerhalb weniger Augenblicke verändern. Es wird nicht weg sein, aber wenn du ihm Raum gibst, wird es sich in ein erträglicheres Gefühl verwandeln.

Allen unangenehmen Gedanken und Gefühlen Raum zu geben ist der entscheidende Schlüssel. Eine beliebte Metapher aus der Achtsamkeitslehre ist der blaue Himmel, der durch graue Wolken verdeckt wird. Stell dir vor, dein Verstand ist der blaue Himmel und deine ängstlichen Gefühle sind die aufziehenden, dunklen Wolken. Egal wie viele dunkle Wolken auch aufziehen mögen, der blaue Himmel ist immer da. Er lässt das dunkle Wetter aufkommen und vorbeiziehen, egal wie unangenehm es ist. Das dunkle Wetter zieht irgendwann vorüber und der Himmel erstrahlt wieder in blau.

Das Akzeptieren und Zulassen von allem was ist, erfordert Übung. Am Anfang wirst du sicherlich den Drang verspüren, *"Nein, ich will das*

*nicht"* zu sagen. Du wirst spüren, wie sich der Sturm zusammenbraut und denken: *"Mir gefällt das hier nicht"* oder *"Ich will das nicht fühlen".* Das ist eine ganz natürliche Reaktion. Lasse auch diese Gedanken des Widerstands aufkommen, beobachte sie und erlaube ihnen, anwesend zu sein. Alle Stürme ziehen vorbei und je mehr du den grauen Wolken Raum gibst, desto schneller ziehen sie vorüber.

Vielleicht spürst du auch einen gewissen Widerstand gegen dieses Buch und mich. Vielleicht fragst du dich, ob ich wirklich weiß, wovon ich rede. Vielleicht denkst du auch darüber nach, diesen Ansatz zu verwerfen und wieder online zu gehen, um eine andere Lösung zu finden, die weniger von dir fordert. Erlaube auch diesem Widerstand da zu sein. Schenke ihm Raum und beobachte ihn einfach. Lächle innerlich in dem Wissen, dass auch dies nur ein Spiel zwischen dir und deiner Angst ist.

*"Ja"* sagen bringt dich zurück in deinen "Flow" und in eine offene, sanfte und mitfühlende Haltung gegenüber all den Dingen, die du fühlst. Es ist wie ein erfrischender, kühler Wasserstrahl, der dein Nervensystem beruhigt. Es bringt dich aus einem Zustand von "Kampf-oder-Flucht" in einen Zustand des Ruhens.

In ihrem ausgezeichneten Buch *"Hope and Help for your Nerves"* schrieb Dr. Claire Weekes über den Zustand von "Flow" und beschreibt in diesem Zusammenhang das Konzept des Schwimmens mit der Angst. DARE basiert auf diesem gleichen Konzept, das Dr. Weekes vor über fünfzig Jahren geschrieben hat. Du fließt (oder schwebst) mit der nervösen Anspannung mit, was dir ermöglicht, die aufgestaute Angst abzubauen. Du wirst überrascht sein, wie schnell die ängstlichen Gefühle und Empfindungen sich verändern, wenn du dies tust. Suche aber nicht nach dieser Veränderung und versuche nicht, sie zu erzwingen. Erlaube, dass diese Veränderung in ihrem eigenen Tempo geschieht. Das Paradoxon der Heilung ist, dass du versuchst, eine positive Veränderung zu erzielen und gleichzeitig okay damit bist, wenn diese Veränderung nicht sofort eintritt. Verrückt, oder? Aber so ist es nun mal. Ein Teilnehmer meines Coaching-Programms hat dies so formuliert:

*"Was mich an meinem Fortschritt und dem ganzen Programm irritiert, ist, dass es so widersprüchlich erscheint: Okay, ich werde dich akzeptieren, damit ich frei von dir sein kann! Ich weiß jetzt, dass ich sicher bin und dass diese Empfindungen mir nichts anhaben können. Was ich nicht so gut kann, ist, mit den Empfindungen mitzugehen. Aber jetzt habe ich verstanden, dass ich einfach mein Leben weiterleben muss, all das tun muss, was ich sonst auch tun würde, während die Empfindungen präsent sind. Mich nicht mehr so sehr von ihnen ablenken zu lassen, sondern ihnen einfach keinen Platz in meinem Kopf einräumen".*

## GEHE SPIELERISCH AN DIESEN ANSATZ RAN

Sag *"Ja"* zu der Angst und sei dabei so offen und spielerisch wie möglich. Das kann bedeuten, dass du ein humorvolles Gespräch mit deiner Angst führst oder ganz bewusst ein Lächeln aufsetzt, wenn ängstliche Gedanken und Gefühle aus dem Nichts auftauchen. Einer meiner Klienten beschrieb dies so:

*"Ich mache tolle Fortschritte, wenn ich mit meiner Angst scherze: Ahhhh da bist du ja, dieses Gefühl, das mir normalerweise Angst macht, ... wie interessant. Ich frage mich, welche beängstigenden Gedanken heute auftauchen werden. Komm schon, Daffy Duck und all deine gruseligen Gedanken, versteck dich nicht. Ich werde nicht beißen. Ich will dich nur sehen. Ich werde mich nicht von dir frustrieren lassen oder vor dir weglaufen. Wollen wir etwas Zeit miteinander verbringen? Ich gehe jetzt in die Stadt, also warum kommst du nicht mit?"*

Nimm die Angst wahr und befreunde dich mit ihr, wann immer sie auftaucht. Lächle innerlich und sage: *"Ja, du kannst gerne reinkommen. Setz dich. Ich bin in einer Minute bei dir".* Wenn die Angst weiterhin mit erschreckenden *"Was ist, wenn…"* Gedanken auf dich losgeht, denke oder sage dir: *"Okay. Na ja, was soll's. Ich höre dich. Du kannst bleiben, aber ich muss diese Sache noch erledigen, also werde ich das jetzt einfach tun. Ich werde dich nicht wegdrücken. Ich glaube aber nicht, dass deine Warnungen tatsächlich so dringend sind, wie du vorgibst".*

Gegen Ende meiner eigenen Heilungsreise bekam ich diese willkürlichen Wellen von ängstlichen Gedanken, die sich wie ein Schlag in meinen Magen anfühlten. Sobald ich diese fühlte, wusste ich, dass es an der Zeit war, *"Ja"* zu sagen und DARE anzuwenden. Ich erinnerte mich zunächst daran, keinem der Gedanken -egal wie beunruhigend sie waren- zu widerstehen, sondern sie stattdessen alle anzunehmen. Früher hätte ich, *"NEIN! Nicht jetzt!"* geschrien, woraufhin mich sofort die nächste Welle überrollt hätte... *"OH NEIN, NICHT NOCH MEHR!!!!"* und -zack! Eine weitere 4 Meter hohe Welle hätte mich überrollt. So wäre es weitergegangen, bis ich in einem Meer aus Adrenalin und Angst versunken wäre. Mit DARE lernte ich jedoch, wie ich *"Ja"* statt *"Nein"* zur Angst sagen konnte und mit der Zeit wurden aus diesen riesigen Wellen langsam aber sicher nichts weiter, als kleine Schwankungen in einem See.

## BLITZANGST UND REAKTIONSANGST

Es gibt zwei Arten von Ängsten, die bei einer Angststörung auftreten können. Dr. Weekes nennt sie erste und zweite Angst. Ich nenne sie "Blitz-Angst" und "Reaktions-Angst". Blitz-Angst ist eine Welle intensiver Empfindungen. Diese Angst ist so unmittelbar und plötzlich, dass du keine Kontrolle über sie hast. Reaktions-Angst ist die Angst, welche der anfänglichen Blitz-Angst folgt. Bei DARE geht es darum, dass du dich darin übst, die richtige Reaktion auf die Blitz-Angst zu entwickeln.

Reaktions-Angst ist der Punkt, an dem der ganze Ärger beginnt. Dort beginnt der Teufelskreis und dort entsteht das Leid. Wenn du keine Reaktions-Angst hättest, wären deine Symptome nicht mehr als nur kurze Momente ungewöhnlicher Empfindungen, die in deinem Bewusstsein aufblitzen würden. Ich glaube, dass jeder ständig Blitz-Ängste erlebt, aber sie entwickeln sich nicht zu einem Problem (einer Störung), da sie nicht von starker Reaktions-Angst begleitet werden.

Wenn dein allgemeiner Angstpegel auf einem hohen Niveau ist, wirst du diese Blitz-Ängste häufig erleben: Jene Momente, in denen du einen plötzlichen, beängstigenden Gedanken hast, gefolgt von einem Schock, der dein Nervensystem durchzieht. Manchmal tritt ganz plötzlich ein seltsames Gefühl auf, während du dich gerade mit jemandem unterhältst oder bei der Arbeit beschäftigt bist. Vielleicht ist es ein Gefühl von drohendem Unheil, Angst oder ein Gefühl von Unwirklichkeit. Diese

Blitz-Ängste können auch durch eine Erinnerung an eine vergangene Situation ausgelöst werden. Sie können sich auch körperlich ausdrücken (z. B. plötzliches Herzrasen, plötzlicher Schwindel oder ein Knoten im Magen). Hier wurde deine "Kampf-oder-Flucht-Reaktion" aus irgendeinem Grund aktiviert. Wie bereits erwähnt, tauchen diese Empfindungen so plötzlich auf, dass wir keine Kontrolle über sie haben. Worüber wir hingegen Kontrolle haben, ist unsere Reaktion auf sie. Reaktions-Angst folgt der initialen Blitz-Angst und wird von *"Was ist, wenn…" Gedanken begleitet, wie z. B.:*

*"Was zum Teufel war das? Oh nein, … was kommt jetzt Schlimmes?"*

*"Das ist mir schon einmal passiert und ich bin in der Notaufnahme gelandet. Ich werde bestimmt gleich wieder eine Panikattacke bekommen!"*

Die Reaktions-Angst wird von diesen *"Was ist, wenn..". Gedanken* angefeuert und eskaliert schnell in einen Zustand von Panik. Was als unbehagliches Körpergefühl begonnen hat, entwickelt sich durch die Reaktions-Angst zu einer ausgewachsenen Panikattacke. Deshalb besteht der erste Schritt von DARE darin, die aufkommenden *"Was ist, wenn…" Gedanken* zu entschärfen. Jeder Mensch erlebt Blitz-Ängste bis zu einem gewissen Grad. Der Unterschied jedoch ist, dass eine Person mit einem hohen Angstniveau diese in größerer Häufigkeit und Intensität erlebt als eine Person, die nicht besonders gestresst oder sensibilisiert ist. Die vollständige Akzeptanz aufkommender Blitz-Angst ist entscheidend. Ich bin mir vollkommen bewusst, dass dies nicht leicht umzusetzen ist und dass es Übung erfordert, unmittelbar richtig zu reagieren. Zu Beginn wird deine unmittelbare Reaktion immer noch falsch sein und das ist okay, denn es ist Gewohnheit. Solange du dies aber bemerkst und umgehend korrigierst, wirst du verhindern können, dass die Angst außer Kontrolle gerät und wirst das gewünschte Ergebnis erzielen. Irgendwann wird die richtige Reaktion automatisch und ganz selbstverständlich für dich werden.

Du hast in der Vergangenheit auch schon Blitz-Ängste erlebt, genau solche wie die, die dich jetzt erschrecken. Damals hast du ihnen jedoch nicht allzu viel Aufmerksamkeit geschenkt, da du nicht in einem sensibilisierten Zustand warst. Du hast sie einfach nicht auf deinem Radar registriert. Jetzt bist du jedoch sehr sensibilisiert und bemerkst jede Kleinigkeit, jeden Gedanken, jedes Gefühl. Dein "Angst-Radar" ist auf Maximalalarm eingestellt und erfasst absolut alles: Jeden kleinen Schluckauf, jeden Herzschlag.

Mit dem Üben der DARE Schritte und dem *"Ja"* sagen zu deiner Angst, wirst du beginnen, wieder so auf ängstliche Empfindungen zu reagieren, wie du es früher getan hast, noch bevor diese jemals ein Problem für dich waren. Anstatt mit Angst, wirst du mit Gelassenheit oder sogar Gleichgültigkeit reagieren und während du dies tust, wirst du erkennen, dass mit dir tatsächlich schon immer alles in bester Ordnung war!

# KEINE ANGST VOR DIESEN EMPFINDUNGEN

Angst- und Panikgefühle werden durch die Angst vor den Empfindungen angeheizt. Um dich aus einem ängstlichen Zustand herauszubewegen, musst du zunächst lernen, keine Angst mehr vor den ängstlichen Gedanken und Empfindungen zu haben. In diesem Kapitel geht es um die verschiedenen Empfindungen, sowohl physische wie z. B. ein pochendes Herz oder ein Engegefühl in der Brust, als auch mentale Empfindungen, wie z. B. sich aufdrängende Gedanken oder Deresalisationsgefühle.

Ich möchte dir dabei helfen, deine Angst vor diesen Empfindungen aufzugeben, indem ich auf die häufigsten Empfindungen eingehe und dir aufzeige, wie du DARE auf diese anwenden kannst. In diesem Zusammenhang möchte ich betonen, wie wichtig es ist, deine unmittelbare Reaktion auf diese Empfindungen bereits jetzt schon zu entspannen und dann zu lernen, dich in dem ängstlichen Unbehagen, das sie erzeugen, wohl zu fühlen.

Denke immer daran: *Heilung bedeutet nicht, keine Empfindungen mehr zu haben.* Heilung bedeutet, wenn du ein Stadium erreichst, in dem sich Empfindungen manifestieren, du ihnen aber keine

Beachtung schenkst. Du lebst deinen Alltag und machst dir keine Gedanken darüber, ob die Empfindungen präsent sind oder nicht. Wenn du diesen Punkt erreicht hast, wird die Angst kein Problem mehr für dich darstellen.

Wie lernen wir also, keine Angst mehr vor den Empfindungen zu haben? Ich möchte dir ein Beispiel nennen: Wenn wir joggen gehen, machen wir uns keine Sorgen um unser pochendes Herz, weil wir wissen, dass die Bewegung die Ursache für unseren erhöhten Herzschlag ist. Genauso wenig machen wir uns Gedanken um den Schmerz, den wir empfinden, wenn wir uns einen Zeh verstaucht haben. Zu einem Problem wird es erst dann, wenn wir keine Ursache für eine Empfindung erkennen können.

Unser Gehirn ist so konzipiert, dass es wachsam nach Bedrohungen Ausschau hält, um uns zu schützen. Wenn wir ein seltsames Gefühl empfinden und nicht wissen, woher es kommt, neigen wir dazu, zu ängstlichen Schlussfolgerungen zu kommen. Mit folgendem Beispiel kannst du das selbst testen: Kratze dich mit den Fingern an deinem Kopf. Achte genau auf das Geräusch, dass das Kratzen erzeugt. Nun stelle dir vor, dass du nicht wüsstest, woher dieses Geräusch kommt. Würdest du nicht beginnen, dir Sorgen zu machen und befürchten, dass vielleicht etwas Schreckliches mit deinem Kopf passiert? Je höher dein generelles Angstniveau ist, desto stärker reagierst du auf unbekannte Empfindungen.

> "Die Heilung liegt inmitten all der Empfindungen, die du am meisten fürchtest"
>
> - Dr. Claire Weekes

Ein Beispiel dafür ist die folgende Geschichte eines Klienten:

Er erzählte mir, dass er einmal mit dem Auto seiner Frau zur Arbeit gefahren und in Panik geraten sei, weil er plötzlich ein seltsames Gefühl an seinen Füßen wahrgenommen hatte. Er fühlte sich damals sehr ängstlich und dieses ungewöhnliche Gefühl triggerte den Beginn einer Panikattacke. Er blickte dann nach unten, nur um zu sehen, dass die Klimaanlage seines Autos mit dem kalten Strom in Richtung der Füße eingestellt war. Die kalte Luft verursachte das ungewöhnliche

Gefühl. Er brach in Lachen aus und erkannte zum ersten Mal, wie sensibel er auf ungewöhnliche Körperempfindungen reagierte. Diese Geschichte verdeutlicht die Tatsache, dass unsere Angst nicht in den Empfindungen selbst, sondern in unserem Widerstand und unserer Reaktion auf diese Empfindungen liegt.

Ich möchte dir nachfolgend zeigen, wie du mithilfe von DARE lernst, nicht mehr mit Angst auf körperliche Empfindungen zu reagieren, unabhängig davon, ob du die Ursache dieser Empfindungen kennst oder nicht. Während du in diesem Kapitel über die einzelnen Empfindungen liest, kann es durchaus sein, dass du einige bis zu einem gewissen Grad selbst erlebst. Du musst dir keine Sorgen machen, falls dies der Fall ist - im Gegenteil, begrüße sie. Denke daran, dass du nur dann die Chance hast, die richtige Haltung gegenüber deinen Empfindungen zu üben, wenn sie präsent sind.

Ich habe unten einige der typischen Empfindungen aufgelistet, die mit Ängsten und Panikattacken einhergehen. Diese sind zwar die häufigsten Empfindungen, doch es gibt noch viele mehr, die hier nicht aufgeführt sind und die du vielleicht erlebst. Doch auch wenn deine Empfindungen hier nicht aufgeführt sind, wirst du dennoch eine sehr gute Vorstellung davon bekommen, wie du DARE auf diese anwenden kannst.

**In diesem und dem nachfolgenden Kapitel ("Keine Angst vor diesen Situationen") musst du nicht jedes angegebene Beispiel durchlesen. Du kannst zu denjenigen springen, die für dich am ehesten zutreffen.** Ich werde nach jeder Symptombeschreibung auch ein Anwendungsbeispiel mit DARE geben.

Bevor wir nun starten, *hier nochmals meine eindringliche Bitte, alle Gefühle und Symptome, die dir Sorgen bereiten, ärztlich untersuchen zu lassen, um andere mögliche Ursachen auszuschließen. Dies ist nicht nur aus medizinischer Sicht wichtig, sondern wird dir auch dabei helfen, etwaige Sorgen, dass etwas anderes die Ursache für deine Symptome sein könnte, zu zerstreuen.*

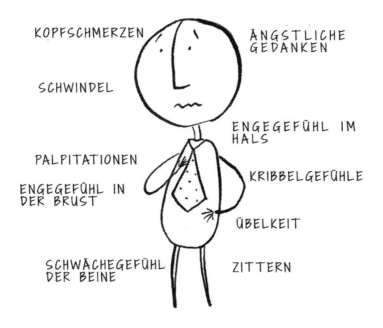

DEPERSONALISATION

KOPFSCHMERZEN

ANGSTLICHE
GEDANKEN

SCHWINDEL

ENGEGEFÜHL IM
HALS

PALPITATIONEN

KRIBBELGEFÜHLE

ENGEGEFÜHL IN
DER BRUST

ÜBELKEIT

SCHWÄCHEGEFÜHL
DER BEINE

ZITTERN

## PHYSISCHE EMPFINDUNGEN

- *Herz: Palpitationen, verpasste Herzschläge, Herzstolpern*

- *Atemnot, flache, unregelmäßige Atmung*

- *Bewusstlos werden*

- *Übelkeit / Angst sich zu Übergeben*

- *Erstickungsgefühle / Engegefühl im Hals*

- *Kopfschmerzen*

- *Verschwommene Sicht*

- *Schwächegefühle der Beine, wackelige Knie*

- *Zittern / Schütteln*

- *Kribbelgefühle*

## MENTALE EMPFINDUNGEN

- *Angst vor Kontrollverlust*
- *Gefühl von Unwirklichkeit (Derealisation/Depersonalisation)*
- *Sich aufdrängende, verstörende Gedanken*
- *Depression*
- *Angst, verrückt zu werden*

## PHYSISCHE EMPFINDUNGEN

## HERZ: PALPITATIONEN, UNREGELMÄSSIGE HERZSCHLÄGE

Die meisten Menschen, die einmal eine Panikattacke erlebt haben, sorgen sich an irgendeinem Punkt um die Gesundheit ihres Herzens.

Wenn du dir Sorgen um dein Herz machst, solltest du es auf jeden Fall gründlich untersuchen lassen, wenn auch nur, um dich zu beruhigen und ängstliche *"Was ist, wenn.."*. *Fragen* abzumildern. Wenn dein Arzt dir jedoch ein gesundes Herz bescheinigt, vertraue auf die Ergebnisse und hinterfrage sie nicht. Wenn du mehr Gewissheit brauchst, hole dir ruhig eine zweite Meinung ein, aber dann hör auf, an deiner guten Gesundheit zu zweifeln.

Die Hauptsymptome einer Herzerkrankung sind Atemnot und Brustschmerzen, sowie gelegentlich Herzklopfen und Bewusstlosigkeit. Diese Symptome hängen im Allgemeinen mit der Intensität der körperlichen Anstrengung zusammen, d. h. je größer die Anstrengung, desto schlimmer werden die Beschwerden.

Lass uns einen kurzen Blick auf einige typische Herzempfindungen werfen, bevor wir herausfinden, wie man DARE auf diese anwenden kann.

## PALPITATIONEN

Palpitationen sind kurze, abrupte Perioden, in denen das Herz plötzlich beginnt, schnell zu schlagen. Wenn du in einem sehr sensibilisierten

Zustand bist, kann dies bei dir die Alarmglocken läuten lassen, da du möglicherweise einen Herzinfarkt befürchtest. Je mehr du in Panik gerätst, desto schneller schlägt dein Herz. Es ist daher verständlich, wenn du in dieser Situation voreilige Schlüsse ziehst und einen Arzt aufsuchst. Was du wissen musst, ist, dass Palpitationen vollkommen normal sind und oft durch Erschöpfung oder Stimulanzien wie Koffein verursacht werden.

Dein Herz ist ein unglaublich starker Muskel und wird nicht aufhören zu schlagen oder gar explodieren, nur weil es heftig und schnell schlägt. Ein gesundes Herz kann den ganzen Tag über kräftig schlagen und dabei in keinerlei Gefahr sein.

## VERPASSTE HERZSCHLÄGE, HERZSTOLPERN

Der medizinische Fachbegriff für das Herzstolpern ist "Extrasystole". Ein verpasster Herzschlag wird in der Regel durch einen zusätzlichen Schlag zwischen zwei normalen Schlägen verursacht. Aufgrund der Pause, die auf diesen zusätzlichen Schlag folgt, kann es so wirken, als ob ein Schlag verpasst wurde. Und weil sich die unteren Kammern des Herzens während der Pause mit einer überdurchschnittlichen Menge an Blut füllen, kann sich der nächste, normale Herzschlag wie ein kleiner Ruck anfühlen. Wenn du dieses Gefühl spürst, bekommst du wahrscheinlich Angst und fragst dich, ob dein Herz möglicherweise in Schwierigkeiten ist. Dieses Herzstolpern ist in der Regel harmlos. Es kann hilfreich sein, dich hinzusetzen, wenn du dieses Gefühl spürst. Du kannst aber auch weiterhin gerne in Bewegung bleiben. Bewegung wird die Situation nicht verschlimmern. Bitte denke nicht, dass nach Hause zu gehen und dich hinzulegen der einzige Weg ist, die Situation zu verbessern. Dein Herz ist keine Funkuhr, das sich immer perfekt an die Zeiten halten muss. Es schlägt mal schneller, dann wieder langsamer. Gelegentlich schlägt es unregelmäßig. Von Zeit zu Zeit kann es vorkommen, dass du einen oder zwei unregelmäßige Schläge bemerkst. Das ist nichts, worüber du dir Sorgen machen müsstest.

Das *New England Journal of Medicine* veröffentlichte kürzlich eine Studie von Dr. Harold Kennedy, die ergab, dass gesunde Menschen mit häufigen, unregelmäßigen Herzschlägen, nicht anfälliger für

Herzprobleme zu sein scheinen, als die durchschnittliche Bevölkerung. Die Mehrheit der gesunden Menschen erlebt Herzklopfen oder unregelmäßige Herzschläge.

Manche Betroffene haben Angst, dass ihre stetige Sorge um ihr Herz dessen Funktion irgendwie negativ beeinträchtigen könnte, sie ihr Herz möglicherweise verwirren könnten und es dann plötzlich vergisst, richtig zu schlagen. Diese Sorge ist unbegründet, denn egal wie sehr du dich um dein Herz sorgst oder dich darauf konzentrierst, deinem bewussten Verstand ist es nicht möglich, deinen Herzschlag zu stoppen. Alles, was du bewusst tun kannst, ist, es für einen gewissen Zeitraum durch ein erhöhtes Angstniveau zu beschleunigen oder es durch mentale Entspannungsübungen marginal zu verlangsamen.

### Wie du DARE hierauf anwendest:

Wenn du eine Herzempfindung spürst, sei es ein pochendes Herz, Palpitationen oder unregelmäßige Herzschläge, **entschärfe** zunächst sofort die aufkommenden *"Was ist, wenn..". Fragen*. Sag dir:

*"Na und? Was soll's, wenn mein Herz nicht aufhört, so schnell zu schlagen?"*

*"Was auch immer. Ich weiß, dass mein Herz super gesund ist und mehr als gut damit umgehen kann".*

Das Wichtigste ist, die anfängliche *"Was ist, wenn..". Angst* zu **entschärfen** und dann deinem Herzen zu **erlauben**, in jedem Rhythmus zu schlagen, den es für richtig hält. Versuche nicht, den natürlichen Rhythmus deines Körpers zu kontrollieren, indem du immer auf einen ruhigen und gleichmäßigen Herzschlag bestehst. Je mehr du deinem Körper erlaubst, in der von ihm gewählten Weise sein und arbeiten zu dürfen, desto schneller kehrt er in seinen natürlichen Ruhezustand zurück. Je vertrauter und wohler du dich mit der Vielfalt und Reichweite deiner Herzschläge fühlst, desto geringer ist die Wahrscheinlichkeit, dass du mit Angst reagierst, wenn diese auftreten. Dein Körper besitzt eine erstaunliche, angeborene Intelligenz. Vertraue auf diese und darauf, dass dein Herz nicht aufhören wird zu schlagen, nur weil du Angst davor hast.

Wenn deine Angst um deine Herzschläge in ein Gefühl von Panik eskaliert, **renn auf diese Angst zu**, indem du dich von diesem Gefühl begeistern lässt und mehr davon forderst. Wenn dein Herz beispielsweise rast, versuche es mental dazu zu bringen, noch schneller zu schlagen. Wenn du einen übersprungenen Herzschlag bemerkst, versuche, einen weiteren zu erzeugen. Nach wenigen Augenblicken mit dieser Übung wird deine Panik sinken und du kannst dann wieder dazu übergehen, die Empfindung zu erlauben, ohne sie wegzuwünschen oder sie zu verdrängen.

Sobald du die Angst entschärft und dem Gefühl erlaubt hast, präsent zu sein, besteht der nächste Schritt darin, dich mit etwas zu **beschäftigen**, dass deine volle Aufmerksamkeit auf sich zieht. Versuche dein Bestes, dich nicht weiter auf dein Herz zu konzentrieren oder deinen Puls zu messen. Manchmal möchte dein Herz einfach nur ein wenig schneller schlagen. Warum? Das ist die Sache des Herzens. Erlaube ihm das einfach. Es ist dein ängstlicher Verstand, der sich Sorgen macht und in Panik gerät, was dazu führt, dass noch mehr Adrenalin produziert wird, wodurch das Herzklopfen anhält.

Also, von jetzt an, schließe eine mündliche Vereinbarung mit deinem Herzen, dass du aufhören wirst, dich in seine Arbeit einzumischen und dich um seine Gesundheit zu sorgen. Du wirst deinem Herzen von nun an zu 100 % vertrauen. Erlaube deinem Herzen, zu sein wie es ist und lasse es sich so verhalten, wie es sich verhalten möchte. Indem du die Empfindungen geschehen lässt und dann deinen Geist mit einer Aktivität beschäftigst, löst du die Angst um dein Herz und minimierst das ständige in dich "Hineinhorchen". Sobald du mit dieser Empfindung vertrauter bist und dich wohler fühlst, wirst du feststellen, dass deine *"Na und?!/Was soll`s .."*. Antwort auf die initialen *"Was ist, wenn.."*. *Fragen* ausreichen wird, um das Aufkommen von Angst und Panik zu stoppen.

## BESCHWERTE ATMUNG

Es ist üblich, dass Betroffene Ängste in Bezug auf ihre Atmung haben. Viele beschreiben, dass ihre Atmung sehr angestrengt und flach ist. Diese Ängste werden fast immer von einer Empfindung begleitet, die

Betroffene wie ein "enges Band um ihre Brust" beschreiben. Einige befürchten, dass sie nicht genügend Sauerstoff bekommen oder dass sie ganz aufhören könnten zu atmen. Diese Angst führt dazu, dass sie sich gezwungen fühlen, bewusst die Kontrolle über ihre Atmung zu übernehmen. Ein Klient beschrieb dieses Gefühl, als ob er *"auf einem Planeten leben würde, der nicht genügend Sauerstoff zur Verfügung hat"*.

Weit verbreitet ist auch ein Engegefühl in der Brust oder im Hals, was zu einer angestrengten oder flachen Atmung führen kann. Es wird oft durch eine Ösophagitis (Entzündung der Speiseröhre durch einen Säure-Reflux) ausgelöst. Wenn die Speiseröhre durch Magensäure gereizt wird, kann es sich so anfühlen, als ob die Lunge nicht genügend Sauerstoff liefert und man kurzatmig wird. Eine andere Ursache können Muskelverspannungen im Brustbereich sein, die das Gefühl einer verminderten Atemfähigkeit verursachen. Natürlich solltest du dich auch bezüglich dieser Empfindung gründlich untersuchen lassen, um die Ursache des Problems zu klären. Du kannst dann das physische Problem (z. B. die Ösophagitis) behandeln und gleichzeitig DARE anwenden, um deine Angst bezüglich deiner Atmung zu lindern.

Das Gefühl von Enge in der Brust oder die Angst, nicht genügend Luft zu bekommen, wird meist von *"Was ist, wenn.."*. *Fragen* begleitet, die sich darum drehen, möglicherweise zu ersticken oder aufgrund von Sauerstoffmangel bewusstlos zu werden. Lass dich davon nicht beunruhigen. Vertraue mir, du könntest jede Minute der nächsten zehn Jahre damit verbringen, dir Sorgen darum zu machen, dass du aufhörst zu atmen - und nichts würde passieren. Was für eine Verschwendung deiner Zeit und Energie das wäre! Selbst wenn du mit all deiner mentalen Kraft versuchen würdest, die Kontrolle über deine Atmung zu übernehmen, würde dein Körper weiterhin in der für ihn richtigen Weise weiteratmen. Deine Atemwegszentrale hat einen Reflexmechanismus, der dich irgendwann zum Atmen zwingen würde, wenn du nicht genug Sauerstoff bekommst. Du kannst diesen Mechanismus nicht einfach mit deinem ängstlichen Verstand außer Kraft setzen. Alles, was dein ängstlicher Verstand tun kann, ist, deine Atemfrequenz zu verändern.

Viele Menschen erleben diese Empfindung regelmäßig, geraten aber nicht in Panik, weil ihr Nervensystem nicht übermäßig sensibilisiert und ihr Angstniveau nicht erhöht ist. Du wirst vielleicht bemerken, dass du an manchen Tagen diese Empfindungen zwar spürst, sie aber keine Angst oder Panik auslösen - und dass sie auch schnell wieder vergehen, was wieder einmal beweist, dass deine Angst nicht in den Empfindungen, sondern in deinem Widerstand gegen die Empfindungen liegt.

## Wie du DARE hierauf anwendest

Wenn du dir deiner Atmung übermäßig bewusst wirst und Gedanken wie *"Was ist, wenn ich aufhöre zu atmen?"* oder *"Was ist, wenn ich ersticke?"* aufkommen, dann **entschärfe** diese Angst, indem du die Fragen mit einer gleichgültigen *"Na, und?!"* oder *"Was auch immer"*-Haltung beantwortest.

*"Was ist, wenn ich ersticke?"*

"Na, und?! Wenigstens habe ich dann eine gute Ausrede, um heute nicht beim Abendessen meiner Schwiegereltern aufzutauchen".

Natürlich meint man das nicht wirklich ernst. Es geht darum, humorvoll mit der gedanklichen Bedrohung umzugehen, um sie abzumildern. Erfinde Antworten, die deinem eigenen Sinn für Humor entsprechen und denke immer daran, dass du nicht aufhören wirst zu atmen, nur weil du dir Sorgen darum machst. Sag dir, dass es in Ordnung ist, wenn die Muskelanspannung und die Kurzatmigkeit aufkommen. **Erlaube** ihnen, da zu sein. Lasse sie so lange bleiben, wie sie wollen, denn du weißt jetzt, dass keine Gefahr besteht. Sag zu deinem Körper:

*"Es ist okay. Ich akzeptiere und erlaube dieses unangenehme Gefühl in meiner Brust. Es kann bleiben und ich werde einfach weiter meinem Tag nachgehen".*

Wenn du das Gefühl hast, dass deine Atmung flach ist, lasse sie einfach weiterhin flach sein. Wenn du das Gefühl hast, dass du nicht atmen kannst, dann lasse auch dieses Gefühl zu. Dein Körper wird sich anpassen und überschüssiges Kohlendioxid ausstoßen. Erinnere dich daran, dass deine Atmung ein unbewusster Prozess ist und dass dein Körper sich bisher immer um deine Atmung gekümmert hat. Und das wird er auch immer tun, unabhängig davon, wie sehr dein ängstlicher Verstand sich darum sorgt. Je mehr du die Empfindung erlauben und nicht mit ängstlichen Gedanken reagieren kannst, desto besser. Je wohler du dich mit der Empfindung fühlst, desto schneller wird sie sich lösen.

Wenn du einfach nicht aufhören kannst, dir Sorgen um deine Atmung zu machen, dann **renn auf die Angst zu**, indem du dir sagst, dass du dich von diesem Gefühl begeistert fühlst. Fordere, dass sich deine Brust noch enger anfühlt oder deine Atmung noch flacher werden soll. Um deine Angst wirklich herauszufordern, kannst auch folgendes tun: Atme all die Luft in deiner Lunge tief aus und halte deinen Atem dann so lange du kannst an. Dein Atemreflex wird einsetzen und dies wird dir wirklich beweisen, dass deine Atmung nicht aufhören und dein Körper sich jederzeit selbst darum kümmern wird. Wenn du dich dann wieder etwas entspannt hast, kannst du bewusst dazu übergehen, das Gefühl wieder zuzulassen. **Beschäftige** dich anschließend mit etwas, das wirklich deine volle Aufmerksamkeit erfordert. Dies wird dir helfen, nicht stetig weiter deine Atmung zu beobachten.

Diese Angst ist ein perfektes Beispiel dafür, wie dein ängstlicher Verstand dem natürlichen Fluss deines Körpers im Wege stehen kann. Wenn du lernst, wieder auf die Kraft deines Körpers zu vertrauen, werden die Sorgen um deine Atmung und auch das Bedürfnis, deinen Körper kontrollieren zu wollen, verschwinden. Ein angenehmer und natürlicher Rhythmus wird in deinen Körper zurückkehren. Die Wiederherstellung dieses Vertrauens in den natürlichen Rhythmus deines Körpers und dessen Fähigkeit, mit Stress umzugehen, ist von grundlegender Bedeutung für die Heilung von Ängsten.

## BEWUSSTLOSIGKEIT

Wenn du starke Angst oder Panik verspürst, kann es sein, dass du dich benommen oder schwindelig fühlst. Dieses Gefühl ist beunruhigend, da man sich dadurch sehr verletzlich fühlen kann. Wenn du alleine bist, fürchtest du vielleicht, bewusstlos zu werden, ohne dass sich jemand um dich kümmern könnte. Oder, wenn das Gefühl in der Öffentlichkeit auftritt, hast du vielleicht Angst, von Fremden umgeben zu sein.

Die Schwindelgefühle, die bei Angstzuständen häufig auftreten, werden durch eine erhöhte Atemfrequenz verursacht. Betroffene neigen dazu, bei Ängsten zu schnell zu atmen (zu hyperventilieren), was zu Schwindel oder Benommenheit führen kann. Schwindel kann auch durch Leistungsdruck in bestimmten Situationen ausgelöst werden, wie z. B. bei der Arbeit:

*"Ich weiß nicht warum, aber jedes Mal, wenn mein Chef mir eine Frage stellt, erstarre ich und mir wird schwindelig".*

Bestimmte Situationen können auch ängstliche Erinnerungen auslösen, wie diese:

*"Das letzte Mal, als ich in einem Aufzug war, wurde mir schwindelig. Jetzt fühle ich mich jedes Mal ein wenig benommen, wenn ich in einen Aufzug einsteige".*

Es kommt extrem selten vor, dass man bewusstlos wird, wenn man sich ängstlich oder bedroht fühlt, denn Bewusstlosigkeit ist die Folge eines niedrigen Blutdrucks. Wenn wir bewusstlos werden, fällt unser Körper zu Boden. Auf diese Weise kann dem Gehirn leicht Blut zugeführt werden - ein cleverer Schutzmechanismus. Wenn du ängstlich bist, steigt dein Blutdruck jedoch an, er sinkt nicht ab. Daher ist es unwahrscheinlich, dass du bewusstlos wirst, da dein Gehirn in solchen Momenten über eine ausreichende Blutversorgung verfügt.

Denke einmal an Situationen, in denen Menschen unmittelbaren Bedrohungen wie Raub oder großen Katastrophen ausgesetzt sind. Diese Menschen werden nicht reihenweise bewusstlos. Sie reagieren immer mit einem erhöhten Gefühl von Wachsamkeit, da ihr Körper durch das freigesetzte Adrenalin in Alarmbereitschaft versetzt wird. Wenn Höhlenmenschen jedes Mal bewusstlos geworden wären, als sie einem Raubtier begegnet sind, wäre die Geschichte der Menschheit sehr kurz gewesen!

Nochmal: Bei Angst- und Panikattacken bewusstlos zu werden ist aufgrund der Menge an Blut, die dem Gehirn zur Verfügung steht, sehr ungewöhnlich. Dein Herz schlägt normalerweise schnell, wenn du ängstlich bist, daher besteht wenig Sorge, dass es dem Gehirn an Blut mangeln könnte.

Menschen, die in der Vergangenheit schon einmal bewusstlos geworden sind, fürchten sich besonders davor, da sie das Gefühl haben, dass, wenn es früher schon einmal passiert ist, es wahrscheinlich wieder passieren wird. Wenn das bei dir der Fall ist, versuche dich an die Umstände zu erinnern, als du bewusstlos geworden bist: Warst du müde? War es an diesem Tag sehr heiß? Hattest du genügend gegessen? Bewusstlosigkeit kann die Folge vieler verschiedener Faktoren sein. Im Allgemeinen hat es wenig mit Angst zu tun und wird häufiger mit mangelndem Energielevel, der Ernährung und Temperatur in Verbindung gebracht. Solltest du öfter mit dieser Angst kämpfen, musst du die Angst entmachten.

**Wie du die DARE hierauf anwendest:**

Wenn du dich das nächste Mal benommen oder schwindelig fühlst und *"Was ist, wenn.."*. *Fragen* über ein mögliches bewusstlos werden in deinem Kopf aufblitzen, **entschärfe** sie mit einem gleichgültigen *"Na, und?!"* oder *"Was soll`s"*!

*"Wenn ich bewusstlos werde, dann werde ich eben bewusstlos und es gibt nichts, was ich dagegen tun kann. In einer Minute werde ich wieder bei mir sein".*

Wenn dir sehr schwindlig ist, solltest du einen Platz zum Hinsetzen finden und falls du gerade Auto fährst, an einem sicheren Ort anhalten. Dann **erlaube** deinem Körper, sich schwindelig zu fühlen. Wenn dein Kopf Karussell fahren möchte, lass ihn. Wenn du Sterne siehst, lass auch das zu. Wenn die Angst vor Bewusstlosigkeit anhält und sich in Panik steigert, **renn auf diese Angst zu. Verlange bewusstlos zu werden!** Sag zu deiner Angst:

*"Wenn du mich bewusstlos machen möchtest, dann lass es uns bitte jetzt tun. Aber wenn nicht, dann lass mich mit deinen Drohungen in Ruhe, denn sorry - aber ich muss weiter, ich habe noch einiges zu tun!"*

Niemand kann auf Kommando bewusstlos werden. Du wirst nicht bewusstlos, nur weil du es verlangst. Was du feststellen wirst, ist, dass die Angst schnell abflachen wird, da sie ihre Drohung nicht wahr machen kann. Du kannst dann langsam beginnen, dich mit etwas zu **beschäftigen**, das dein Interesse für längere Zeit in Anspruch nimmt. Fokussiere dich weiter auf deine Aktivität, während die Angst langsam abnimmt. Dies wird dich davon abhalten, ständig in dich "hineinzuhorchen" und dich darüber zu sorgen, ob der Schwindel wohl zurückkommt. Wenn dir die *"Was ist, wenn..".* *Fragen* immer wieder in den Sinn kommen, wiederhole die obigen Schritte.

Bei allen Empfindungen (einschließlich Schwindel), ist es wichtig, dass du versuchst, in der Situation, in der du dich befindest, zu bleiben und diese nicht zu verlassen. Das sofortige Verlassen der Situation könnte dazu führen, dass du diese dann künftig vermeidest. Bleib einfach dort wo du bist und arbeite dich durch deine Angst hindurch, bis sie nachlässt.

## ÜBELKEIT/ANGST VOR DEM ERBRECHEN

Angstzustände haben einen direkten Einfluss auf die Bauchregion. Typische Empfindungen reichen von einem milden nervösen Gefühl (wie Schmetterlinge im Bauch), bis hin zu, dass man sich wirklich krank fühlt. Die meisten Betroffenen ängstigt schon allein die Vorstellung, dass sie sich möglicherweise erbrechen könnten, was die Angst noch weiter verschlimmert und die Wahrscheinlichkeit erhöht, dass dies tatsächlich passiert. Auch diese Angst wird von *"Was ist, wenn..".* *Fragen* angetrieben:

*"Was ist, wenn mir hier und jetzt schlecht wird? Was mache ich dann? Was werden die Leute nur von mir denken?"*

Die Angst zu Erbrechen ist in sozialen Situationen natürlich viel größer als wenn man zu Hause ist, da es möglicherweise keinen Rückzugsort gibt und man Angst hat, sich bloßzustellen.

### Wie du DARE hierauf anwendest:

**Entschärfe** zunächst umgehend die aufkommenden *"Was ist, wenn..".* *Fragen.*

*"Was ist, wenn ich mich übergeben muss?"*

"Ich habe eine Papiertüte hier und kann sie benutzen, wenn ich sie brauche. Keine große Sache".

Dann lass das Gefühl in deinem Magen sich auf jede erdenkliche Weise manifestieren und gib ihm die **volle Erlaubnis**, anwesend zu sein. Sage deinem nervösen Magen, dass es in Ordnung ist, sich krank zu fühlen und dass, wenn er das Bedürfnis hat sich zu erbrechen, er das tun kann und du nicht versuchen wirst, ihn aufzuhalten. Dies zu tun funktioniert deshalb so gut, da wenn du deinem Magen die Freiheit gibst, sich unwohl zu fühlen, deine Bauchmuskeln sich sofort zu entspannen beginnen und du weniger Übelkeit verspürst.

Wenn du weiterhin große Angst vor dem Erbrechen hast, dann **laufe auf die Angst zu**. Sag dir, dass dieses Gefühl in deinem Magen nur das Ergebnis nervöser Erregung ist, wie Schmetterlinge in deinem Bauch und dass du von diesem Gefühl begeistert bist.

Gehe dann dazu über, dich mit irgendetwas zu **beschäftigen**, das deine Aufmerksamkeit von dem Gefühl in deinem Magen ablenkt. Eine übermäßige Fokussierung auf die Übelkeit führt nur dazu, dass du dich weiterhin angespannt fühlst.

In der Anfangsphase, während du lernst, diesen Ansatz anzuwenden, empfehle ich dir, eine kleine Papiertüte mitzunehmen (wie sie bei Flugreisen zu finden ist). Während du diesen Schritt übst, wird dir die Tüte als Sicherheit dienen.

Wahrscheinlich hast du jetzt eine gute Vorstellung davon, wie du DARE auf jedes Gefühl, das dich verängstigt, anwenden kannst. Um Wiederholungen zu vermeiden, werde ich das Anwendungsbeispiel zu den nachfolgenden Empfindungen nicht beschreiben, sondern lediglich einige zusätzliche Tipps geben, wie man mit den Empfindungen umgehen kann.

## ERSTICKUNGSGEFÜHLE/KLOß IM HALS

Ängste können ein Engegefühl im Hals verursachen, das von Betroffenen oft als Kloß im Hals beschrieben wird. Der medizinische Begriff dafür ist "Globus hystericus". Dieses Gefühl ist die Folge von

Muskelverspannungen im Halsbereich. Obwohl diese Empfindung unangenehm und manchmal beunruhigend ist (Hystericus im Namen bezieht sich auf das Wort hysterisch), ist sie nicht gefährlich.

Für Menschen, die diese Empfindung in Verbindung mit dem Essen erleben, ist es der Gedanke, das Schlucken zu erzwingen, der sie verängstigt.

Wenn du dich beim Essen unwohl fühlst, ist es am besten, einfach nur zu kauen und nicht zu versuchen, das Essen zu schlucken. Kaue einfach weiter. Du wirst feststellen, dass du das Schlucken nicht verhindern kannst. Es ist ein natürlicher Reflex. Indem du nicht das Gefühl hast, dass du das Schlucken erzwingen musst, lässt der Druck nach. Das Schlucken geschieht dann als natürlicher Reflex, wenn du einfach weiter kaust. Probiere es ruhig aus: Versuche, etwas zu essen und zwinge dich, nicht zu schlucken. Es ist fast unmöglich. Für diejenigen, die Angst vor dem Schlucken haben, ist dies ein großartiger Weg, sich selbst den Druck zu nehmen. Denn wenn der Druck erst einmal weg ist, löst sich das Problem von selbst.

Ich glaube, viele Menschen empfinden einen Kloß im Hals, wenn ihre Emotionen sich aufstauen. Bei emotionalen Ereignissen wie Hochzeiten und Beerdigungen ist es üblich, einen Kloß im Hals zu spüren. Noch interessanter ist, dass wenn man diese Emotionen zum Ausdruck bringt (z. B. durch Weinen, Lachen, Reden), die Emotionen sich lösen und damit auch der Kloß im Hals verschwindet.

Wenn du diese Empfindung regelmäßig spürst, schlage ich vor, dass du zu Singen oder vor dich her zu Summen beginnst. Regelmäßiges, mehrminütiges Singen oder Summen löst Muskelverspannungen im Halsbereich. Um dies so effektiv wie möglich zu gestalten, solltest du dich auf den Gesang oder das Summen konzentrieren und nicht darauf, zu prüfen, ob die Empfindung bereits verschwunden ist. Wie bei vielen anderen Angstempfindungen gilt: Je weniger man sich damit beschäftigt, desto schneller lösen sie sich.

Einige Leute assoziieren diesen "Kloß im Hals" vielleicht mit einer Krankheit. In der Praxis sind echte Knoten, wie z. B. bei einer Krebserkrankung aber nicht immer zu spüren. (Dies ist einer der

Gründe, warum ein Tumor so groß werden kann, bevor er entdeckt wird.) Dennoch, wenn du dir Sorgen um deinen Hals - oder einen anderen Teil deines Körpers - machst, ist es wichtig, dich gründlich medizinisch untersuchen zu lassen. Dies ist der schnellste Weg, ängstliche *"Was ist, wenn..". Gedanken* zu beruhigen.

## KOPFSCHMERZEN

Wenn du einen hohen Angst- oder Stresslevel hast, ist es sehr wahrscheinlich, dass du auch Kopfschmerzen oder sogar Migräne erlebst. Einige beschreiben ihre Kopfschmerzen als dumpfe Schmerzen oder als ein "enges Band um den Kopf". Migräne ist ein Kopfschmerz, der in stärkerer Intensität auftritt, manchmal verbunden mit einer Empfindlichkeit gegenüber Licht, Geräuschen und Bewegung. Wenn du in einem Büro arbeitest, kann das künstliche Licht - zum Beispiel ausgehend vom Computermonitor- eine Migräne auslösen. Migräne, die im Zusammenhang mit Angstzuständen auftritt, kommt zumeist bei Menschen vor, die ihren Tag im Büro verbringen.

Die häufigste Form von Kopfschmerzen ist der Spannungskopfschmerz. Verursacht wird dieser durch eine Verspannung der Muskeln im oberen Rücken, Nacken und Kopf. Forscher in Taiwan haben herausgefunden, dass die Mehrheit der Menschen, insbesondere Frauen mit chronischen Kopfschmerzen, entweder unter Angstzuständen oder depressiven Störungen leiden. Angstzustände können Spannungskopfschmerzen verschlimmern, da sie die Muskelspannung durch die Stressreaktion erhöhen.

Es gibt viele Behandlungsmöglichkeiten bei Kopfschmerzen, einschließlich kurz- und langfristiger Lösungen. Dein Arzt kann dich am besten bei der Behandlung deiner spezifischen Kopfschmerzen oder Migräne unterstützen.

## VERSCHWOMMENE SICHT

Wenn man ängstlich ist, erweitern sich die Pupillen rasch, was zu verschwommener Sicht führen kann. Verschwommenes Sehen kann auch auftreten, wenn man abwechselnd schnell auf nahe und ferne

Objekte sieht, da die Pupillen die Dimension wechseln. Oft wird es auch durch Müdigkeit verursacht oder wenn die Augenmuskulatur mit zunehmendem Alter an Elastizität verliert. Doch auch wenn verschwommenes Sehen bei Angstzuständen häufig auftritt, ist es wichtig, einen Augenarzt zu konsultieren. Wenn es beispielsweise gemeinsam mit einem Ausfluss auftritt, kann es sich um eine Konjunktivitis handeln, die einer Behandlung bedarf. Wenn etwas behandelt werden muss, kann eine frühzeitige Erkennung in vielen Fällen helfen, das Problem zu beheben.

## SCHWÄCHEGEFÜHL DER BEINE/WEICHE KNIE

Angstzustände werden oft von einem Schwächegefühl in den Beinen begleitet. Wenn man ängstlich ist, wird Adrenalin in den Körper freigesetzt, was dazu führen kann, dass sich die Muskulatur, insbesondere die Beinmuskulatur, sehr schwach anfühlt. Menschen, die kurz vor einem öffentlichen Auftritt stehen, berichten oft, dass sie weiche Knie bekommen und befürchten, dass sie umkippen könnten. Es ist wichtig zu wissen, dass die Empfindung von Schwäche kein Zeichen dafür ist, dass deine Beine tatsächlich schwach sind - ganz im Gegenteil. Das Adrenalin sorgt dafür, dass deine Beine aktiviert und auf Bewegung vorbereitet werden, hab also keine Angst, dass sie unter dir zusammenbrechen könnten.

Wenn du unterwegs bist und dieses Gefühl spürst, gehe einfach ruhig weiter. Wenn du in einer Reihe stehst, bleibe einfach weiter stehen. Es ist nicht nötig, einen Platz zum Hinsetzen zu finden. Dies würde nur deine Angst vor dem Gefühl verstärken. Indem du dich selbst darin übst, weiterhin das zu tun, was du getan hast, wirst du schnell lernen, dass das Gefühl schwacher Beine eine Illusion ist und dass deine Beine stark und sehr wohl fähig sind, deinen Körper während einem Angstzustand zu stützen und zu tragen. Je mehr du auf diese Weise deine ängstlichen Empfindungen herausforderst, desto schneller werden sie verschwinden. Viele Angstsymptome werden durch ängstliche Gedanken über das Gefühl verschlimmert. Wenn man wie hier das Gefühl hat, dass die Beine schwach werden, kann man zu extremen Schlussfolgerungen kommen, wie z. B.:

*"Schwache Beine bedeuten, dass ich umkippe - und das bedeutet, dass ich gleich bewusstlos werde!"*

Wenn du so denkst, kann die Angst dich dazu bringen, dass dir schwindlig wird, wodurch ein noch größerer Teufelskreis entsteht. Die Antwort liegt, wie du jetzt sicher weißt, darin, die Empfindung zuerst mit *"Na, und?! oder Was soll's"* zu entschärfen und dann zu erlauben, dass sie da ist. Erlaube deinen Beinen zittern zu dürfen. Dies wird dir dabei helfen, die nervöse Energie, die du fühlst, schneller abzubauen.

## SCHÜTTELN/ZITTERN

Es ist durchaus üblich, dass man während Angstzuständen ein leichtes Zittern in den Beinen und Armen oder auch am ganzen Körper verspürt. Wie bereits erwähnt, ist dies vor allem nach einer Panikattacke der Fall. Das Zittern sollte immer ermutigt und nicht unterdrückt werden. Wenn du dir das Zittern und Schütteln erlaubst, kannst du die Spannungen in deinen Muskeln schneller lösen. Um diesen Prozess zu beschleunigen, kannst du deine Arme kräftig ausschütteln und von Fuß zu Fuß springen.

## KRIBBELGEFÜHLE

Zu Beginn einer Panikattacke spüren Menschen oft ein kribbelndes Gefühl in ihrem Körper. Der medizinische Begriff dafür ist "Parästhesie". Es ist eine Empfindung von Kribbeln, Stechen oder auch Taubheitsgefühlen auf der Haut und hat keine langfristigen körperlichen Folgen. Parästhesien sind am häufigsten an den Händen, Armen, Mund und an den Füßen zu spüren. Aber keine Sorge - diese Empfindung ist im Zusammenhang mit Angstzuständen völlig normal. Sobald dein Angstniveau sinkt, wird dieses Gefühl wieder abklingen.

## MENTALE EMPFINDUNGEN

Angstzustände können zu einer psychischen Erschöpfung führen, welche diverse mentale Empfindungen auslösen kann. In diesem Abschnitt erfährst du, dass mentale Empfindungen, wie z. B. obsessive, sich aufdrängende Gedanken oder die Angst, die Kontrolle zu verlieren, nur Anzeichen dieser mentalen Belastung und Erschöpfung und kein Zeichen für eine neurotische Krankheit sind. Du kannst DARE genauso auf mentale Empfindungen anwenden, wie du es mit physischen Empfindungen machst. Gehe mit jedem beunruhigenden, mentalen Gefühl folgendermaßen vor:

**Entschärfe** die ängstlichen *"Was ist, wenn.."*. *Gedanken*, sobald diese aufkommen.

*"Was ist, wenn ich verrückt werde und man mich wegsperrt?"*

*"Na ja, was soll's. Wenigstens muss ich dann kein Abendessen mehr kochen und kann etwas lesen".*

Dann **erlaube** dem ängstlichen Gedanken jederzeit da zu sein, wann immer und so lange er will. Lade ihn dazu ein, zu bleiben, während du deinem Tag, ohne jeglichen Widerstand vor ihm, nachgehst. Wenn der Gedanke ein Gefühl der Bedrohung hervorruft, **renn auf ihn zu**. Freue dich über ihn und fordere ihn auf, noch mehr ängstliche Gedanken hervorzubringen.

Dann **beschäftige** dich mit etwas, das dich voll einnimmt. Dies wird dir helfen, dich nicht stetig mit dem unangenehmen Gefühl oder dem Gedanken zu beschäftigen. Am Ende dieses Kapitels gehen wir noch auf weitere Anwendungsbeispiele von DARE bei mentalen Empfindungen ein.

## GEFÜHL DES KONTROLLVERLUSTES

Während einer Panikattacke oder auch bei generalisierten, anhaltenden Ängsten haben viele Betroffene die Befürchtung, sie könnten die Kontrolle verlieren. Dieser gefürchtete Kontrollverlust kann körperlich sein (z. B. dass alle lebenswichtigen Organe die Kontrolle verlieren und ins Chaos stürzen) oder auch emotional/mental sein (z. B. dass man den Bezug zur Realität verliert und nie wieder "normal" wird). Diejenigen, die soziale Verlegenheit fürchten, neigen dazu, am häufigsten unter dieser Angst zu leiden. Der befürchtete Verlust der Kontrolle kann vom Schreien in der Öffentlichkeit bis hin zum Zusammenstoß mit dem Auto gegen die Leitplanken auf der Autobahn reichen.

Sei beruhigt! So beängstigend diese Gedanken auch sein mögen, du wirst keine dieser Dinge tun. Der Grund, warum du diese Gedanken hast, ist, dass dein Körper aufgrund des stetigen Bombardements mit Stresshormonen sehr aufgewühlt ist. Dein Verstand denkt, dass, wenn dein Körper außer Kontrolle ist, er der nächste auf der Liste sein könnte.

Du wirst deinen Verstand nicht verlieren. Ich bin mir sicher, dass bei all den Panikattacken und Angstzuständen, die du an öffentlichen Orten erlebt hast, niemand überhaupt bemerkt hat, dass du dich ängstlich fühlst. Wir sind von Natur aus soziale Wesen und fürchten, in einer peinlichen Situation gesehen zu werden. Die Idee, während eines Geschäftsmeetings von deinem Stuhl zu springen und nach einem Krankenwagen zu schreien, mag dir vielleicht in den Sinn kommen, aber es ist unwahrscheinlich, dass dies passiert. Die meisten Menschen finden einen Weg, sich höflich zu entschuldigen. Und selbst wenn du dich am Ende bloßstellst, spielt das wirklich eine Rolle? Du musst lernen, nett zu dir selbst zu sein. Was soll's, wenn du eine Szene machst und dich bloßstellst! Das Leben ist zu kurz, um sich ständig darum zu sorgen, wie man auf andere wirkt. Je ehrlicher und offener du mit deinen Ängsten umgehst, desto weniger setzt du dich selbst unter Druck.

## DEREALISATION (GEFÜHL DER UNWIRKLICHKEIT) / DEPERSONALISATION (ENTFREMDUNGSGEFÜHLE)

Gefühle von Unwirklichkeit oder Entfremdung werden oft als die beunruhigendsten und unangenehmsten Empfindungen im Zusammenhang mit Ängsten beschrieben. Psychologen fassen diese Empfindungen unter der Derealisations- bzw. Depersonalisationsstörung zusammen. Bei der Derealisation kommt es zu einer plötzlichen Veränderung der Wahrnehmung. Objekte und vertraute Situationen wirken plötzlich seltsam und fremd. Depersonalisation ist ein Gefühl von Selbstentfremdung, bei der es zu einer Veränderung des Persönlichkeitsbewusstseins kommt. Viele Menschen, die Panikattacken und anhaltende Ängste erleben, werden durch diese Gefühle erschüttert und befürchten, dass sie dabei sind, ihren Verstand zu verlieren. Sie berichten oft, dass sie sich wie durch einen Nebel oder eine Glasscheibe von der Außenwelt abgetrennt fühlen. Dies führt oft zu dem Glauben, dass ihr Gehirn dauerhaften Schaden genommen hat und dass diese Schädigung nun diese Empfindungen verursacht.

Typischerweise manifestieren sich diese Empfindungen, wenn man gerade ein Gespräch mit jemandem führt, z. B. mit den Kollegen an der Kaffeemaschine. Ganz plötzlich fühlt man sich alarmierend isoliert und aus der Situation entfernt. Wenn dieses Gefühl aufkommt, kann es so einschneidend sein, dass man es tagelang nicht abschütteln kann und man sich ständig Sorgen darüber macht, wann es wieder auftaucht. Es kann schwer zu akzeptieren sein, dass eine so verstörende Empfindung einfach nur die Folge anhaltender Angst ist. Aber so ist es tatsächlich.

Diese Empfindungen werden durch zwei Dinge verursacht: Eine verzögerte Wahrnehmung und mentale Besorgnis. Die durch anhaltenden Stress oder Angstzustände erhöhten Stresshormone führen zu einer verzögerten Reaktion im Senden von Informationen zwischen Neurotransmitterstellen. Diese leichte Verzögerung zwischen Erfahrung und Denken kann ein momentanes Gefühl von Unwirklichkeit erzeugen. Die gleichen Effekte werden unter dem Einfluss von Marihuana erlebt, Menschen reagieren hier aber nicht ängstlich, weil sie sich bewusst sind, dass das Marihuana diese Empfindungen verursacht. Wenn Derealisations- oder Depersonalisationsgefühle als Folge eines Drogenrausches auftreten, verursachen diese zwar keine langfristigen Schäden, Betroffene sollten die Substanzen jedoch künftig meiden, da weitere Episoden wahrscheinlich sind.

Über die Depersonalisation ist bis heute wenig bekannt, aber eine Theorie besagt, dass das Gefühl von Depersonalisation ein Schutzmechanismus ist, welchen das Gehirn aktiviert, um uns vor Traumata zu bewahren. Dieses Gefühl wird oft mit intensiven, traumatischen Ereignissen in Verbindung gebracht. Um uns vor den emotionalen Auswirkungen dieses Ereignisses zu schützen, betäubt uns unser Gehirn sozusagen mit einem Psycho-Anästhetikum. Menschen, die Panikattacken oder intensive Angstzustände erleben, könnten somit als Reaktion auf diese Gefühle eine Depersonalisation als Schutzmechanismus auslösen.

Ich beschreibe diese Empfindungen deshalb, da über diese nicht oft gesprochen wird und ich möchte den Menschen, die sie erleben, versichern, dass diese Empfindungen mit absoluter Sicherheit wieder vergehen werden, sobald das allgemeine Angstniveau wieder sinkt - vertraue mir, sie werden vergehen. Sobald dein Geist und Körper auf ein normales Entspannungsniveau zurückkehren und dein Körper die aufgestauten Stresshormone wieder abgebaut hat, wird das Gefühl, von der Welt abgetrennt zu sein, wieder verschwinden. Ich weiß wie leicht es ist, sich all die schrecklichen psychischen Erkrankungen vorzustellen, die diese Gefühle bedeuten könnten, aber keine Sorge: Diese Empfindungen können dir nichts anhaben und du wirst bald wieder die Person werden, die du warst, bevor sich diese Empfindungen eingeschlichen haben.

Der schnellste Weg aus diesen Gefühlen ist DARE anzuwenden und dann Zeit verstreichen zu lassen. Kämpfe nicht dagegen an. **Entschärfe** die aufkommenden *"Was ist, wenn.."*. *Gedanken,* die sagen, dass diese Empfindungen ein Anzeichen einer ernsthaften psychischen Störung sind. Das sind sie nicht. Sie sind einfach nur die Folge anhaltender Angst. Dann mache dich mit diesen -wenn auch sehr unangenehmen- Gefühlen vertraut, indem du ihnen **erlaubst,** präsent zu sein. Wenn du dich von diesen Empfindungen bedroht fühlst, **lauf auf sie zu** und wandle das Gefühl der Gefahr in Aufregung um, indem du dir immer wieder sagst, dass dieses Gefühl dich begeistert. Verlange mehr davon! Natürlich ist es nicht wahr, dass du mehr davon willst, aber auf diesem Weg gibst du deinem Körper die Chance, die Angst schneller abzubauen und mit ihr zu gehen, anstatt dich gegen sie zu wehren. Schließlich solltest du deine volle Aufmerksamkeit auf eine Aktivität richten, die deinen Geist **beschäftigt** und deinen ängstlichen Verstand davon abhält, sich ständig über das unangenehme Gefühl Sorgen zu machen. Der Beschäftigungs-Schritt von DARE ist bei Derealisation und Depersonalisation besonders wichtig, da die ständige Fokussierung darauf, wie seltsam sich alles anfühlt, diese Empfindungen weiter aufrechterhält.

Die Beschäftigung mit Aktivitäten wie zügigem Gehen, Laufen, Radfahren, Schwimmen, etc. sind einige der besten Möglichkeiten sich zu beschäftigen, da körperliche Aktivität dich aus deinem Kopf und in das Geschehen um dich herum bringt. Darüber hinaus setzt das Training Endorphine frei, die dir dabei helfen, dich zu entspannen. Weniger hilfreich sind passive Aktivitäten wie Fernsehen oder zu viel Zeit online verbringen. Wenn du deinen Heilungsprozess weiter unterstützen möchtest, schaue dir das Kapitel "Beschleunige deine Heilung" an.

Wenn Derealisations- bzw. Depersonalisationsgefühle am Morgen besonders stark präsent ist (wie die meisten Ängste), starte deinen Tag mit einer kalten Dusche. Ein paar Minuten in eiskaltem Wasser helfen unheimlich gut gegen ein träges Gefühl am Morgen (welches ein Mitverursacher für die oben genannten Empfindungen ist). Starte dann direkt in deinen Tag und bleibe beschäftigt, ohne die Empfindungen wegzustoßen oder dich über sie aufzuregen.

Versuche dich bei jedem Aufkommen dieser Empfindungen daran zu erinnern, dass dies nur eine Phase ist, durch welche du hindurchgehst und die wieder vergehen wird. Sei gut und mitfühlend dir selbst gegenüber. Sag dir, dass alles in Ordnung ist, denn das ist es. Ich weiß genau, wie schwer es ist, die Gedanken von diesen Empfindungen fernzuhalten, ich habe sie selbst erlebt. Aber sie werden wieder vergehen. Gib dem Ganzen Zeit. Sobald du dich erholt hast, wird es dir schwerfallen, dich überhaupt daran zu erinnern, wie diese Empfindungen sich anfühlen.

Depersonalisation geht oft mit verstörenden/intrusiven Gedanken einher, daher solltest du unbedingt auch den nächsten Abschnitt lesen.

## VERSTÖRENDE GEDANKEN

Angst geht fast immer Hand in Hand mit einem gewissen Maß an verstörenden Gedanken einher. Möglicherweise bist du mit deinen Kindern unterwegs und hast dann blitzartig den Gedanken, die Kontrolle verlieren zu können und in ein entgegenkommendes Auto zu rasen. Oder du stehst auf einer Brücke, blickst nach unten und bekommt plötzlich Angst, die Kontrolle über deine Sinne zu verlieren und hinunter zu springen.

Wenn du solche Gedanken erlebst, möchte ich, dass du weißt, dass du dir keine Sorgen machen musst, unabhängig davon, wie verstörend diese sind. Sie sind das Ergebnis eines ängstlichen Verstandes, der durch Erschöpfung belastet ist. Sie sind kein Anzeichen dafür, dass du eine psychische Krankheit entwickelst. Diese Gedanken bleiben bestehen, weil du so stark auf sie reagierst. Wenn du keine signifikante Reaktion hättest, würden dich solche Gedanken nicht belasten.

Solche Gedanken kommen den Menschen in den Sinn, die nie davon träumen würden, die Dinge zu tun, an die sie denken. Doch allein die Tatsache, dass sie solche Gedanken haben, schockiert die Betroffenen und lässt sie glauben, dass sie in irgendeiner Weise schlechte Menschen sind. Es ist aber nur die ängstliche Reaktion auf die Gedanken, die sie immer wieder in Bewegung hält. Ich erkläre dies noch genauer im Kapitel "Keine Angst vor ängstlichen Gedanken".

Der beste Weg, um im Hier und Jetzt mit diesen Gedanken umzugehen, ist, sie vollends zu akzeptieren. Wenn dir "schreckliche Idee X" in den Sinn kommt, kannst du sie wie folgt entschärfen:

*"Oh, was auch immer! Diese Gedanken langweilen mich inzwischen. Sie sind in keiner Weise von Bedeutung für mich oder mein Leben. Aber sicher, mach nur weiter, wiederhole ruhig diese schrecklichen Ideen, wenn es dich glücklich macht".*

Sprich mit den Gedanken, als wären sie Besucher, die keine Beziehung zu deinem wahren Selbst haben. Du bist einfach höflich, indem du sie zulässt. Drücke sie daher nicht weg - das erzeugt nur einen Rückstoß. Erlaube ihnen stattdessen da zu sein, aber schenke ihnen nicht zu viel Beachtung. Das Ziel ist, deine Aufmerksamkeit wieder auf das zu lenken, was du getan hast, bevor dich diese Gedanken erschreckt haben.

Du weißt, wer du bist und dass diese Gedanken dich nicht ausmachen, also mache dir keine Sorgen. Allein die Tatsache, dass dich diese Gedanken erschrecken, macht deutlich, wie sehr du dich von den Ideen unterscheidest, die dir Sorgen bereiten. Stell dir die verstörenden Gedanken als einen Schulhof-Rüpel vor, der dich damit ärgert, in dem er schreckliche Dinge über Menschen sagt, die dir nahestehen. Wenn du Angst bekommst oder dich über ihn ärgerst, freut sich der Rüpel und ärgert dich noch mehr. Wenn du hingegen lachst und sagst:

*"Ähm, ja klar, was auch immer"*, und dich dann abwendest, verliert er das Interesse.

Akzeptanz und Erlaubnis sind hier die Schlüssel. Nimm eine einladende und akzeptierende Haltung ein, die signalisiert, dass alles in Ordnung ist. Denn das ist es. Diese Gedanken sind lästig, aber sie werden wieder verschwinden, wenn dein allgemeines Angstniveau sinkt. Halte durch. (Im Kapitel "Keine Angst vor ängstlichen Gedanken" gehe ich näher auf verstörende und sich aufdrängende Gedanken ein.)

## DEPRESSION

Depressionen sind ein sehr umfangreiches Thema. Ich werde es hier nur im Zusammenhang mit Ängsten erwähnen, da dies der Schwerpunkt dieses Buches ist. Wenn jemand sich seit geraumer Zeit ängstlich fühlt, kann diese Erfahrung sehr frustrierend werden und zu Gefühlen von Depression führen. Diese Gefühle werden in diesem Zusammenhang von Gedanken an eine Zukunft voller Angst und Einschränkung angetrieben. Ein einst sorgloser Mensch fühlt sich nun gefangen. Eine Angststörung ist nicht nur mit neuen Einschränkungen verbunden, sie bringt auch Ängste über die eigene Gesundheit mit sich, die zu weiteren Gefühlen von Verzweiflung beitragen können.

Wenn du die Angst bewältigst, wirst du eine deutliche Verbesserung deines allgemeinen Wohlbefindens feststellen und auch der depressive Zustand wird sich verbessern und in einen Zustand von Hoffnung übergehen. Hoffnung ist das Heilmittel bei Depressionen. Sie gibt dir einen Grund, dein Ziel eines angstfreien Lebens weiter zu verfolgen. Auch wenn es hier in diesem Buch wenig Spielraum gibt, um weiter über Depressionen ins Detail zu gehen, kann DARE gleichermaßen auch hierauf angewendet werden. Achte auch hier zunächst auf aufkommende *"Was ist, wenn.."*. *Gedanken,* die versuchen, dich in der stagnierenden Energie der Depression gefangen zu halten. Eine "Was auch immer"-Haltung als Reaktion auf diese kann schwierig aufzubringen sein, ist aber durchaus möglich. Versuche auch diese Gedanken wie den Rüpel auf dem Schulhof zu behandeln, der dir gemeine und beängstigende Dinge erzählt. Weise diese Gedanken als bedeutungslos und unwahr ab.

Erlaube der Angst um die Depression präsent zu sein und setze dich bewusst mit ihr zusammen, ohne zu versuchen, sie wegzudrängen oder dich selbst dafür zu verurteilen, wie du dich fühlst. Sobald du dich bereit fühlst, versuche dich mit etwas zu beschäftigen, was dich davon abhält, ständig darüber nachzudenken, wie du dich fühlst.

Für Betroffene mit depressiven Symptomen ist vor allem das Kapitel "Hör auf, so hart mit dir zu sein" besonders relevant.

## ANGST "VERRÜCKT ZU WERDEN"

Viele Betroffene befürchten, dass ihre Angst zu einer psychischen Störung wie Schizophrenie oder der bipolaren Störung führen könnte. Im Hinblick darauf, dass das Bewusstsein der Öffentlichkeit für psychische Störungen weiterhin gering ist, wundert es nicht, dass Menschen zu so extremen Schlussfolgerungen neigen. Diese Schlussfolgerungen basieren in der Regel auf Fehlinformationen und einer überaktiven Fantasie.

Es ist wichtig zu wissen, dass Menschen nicht schlagartig oder unerwartet "verrückt" werden. Schwere psychische Störungen wie Schizophrenie oder die bipolare Störung beginnen in der Regel sehr langsam, nicht plötzlich (wie z.B. bei einer Panikattacke). Stress oder Angst verursachen die Störung nicht. Ein weiterer wichtiger Punkt ist, dass an Schizophrenie erkrankte Menschen in der Regel einen Großteil ihres Lebens bereits leichte Symptome (ungewöhnliche Gedanken, blumige Sprache, etc.) gezeigt haben. Wenn dies also bei dir noch nicht bemerkt wurde, wirst du aller Wahrscheinlichkeit nach nicht schizophren werden. Dies gilt insbesondere dann, wenn du bereits über 25 Jahre alt bist, da Schizophrenie im Allgemeinen im späten Teenageralter bis zum Anfang der 20er Jahre auftritt.

## ZUSAMMENFASSUNG

Ich möchte betonen, wie wichtig es ist, jeglichen Wunsch und Versuch loszulassen, jedes ängstliche Gefühl, dass man empfindet, zu kontrollieren. Dein Körper hat eine angeborene Intelligenz, die dich am Leben erhält und dafür sorgt, dass alles einwandfrei funktioniert. Je weniger dein Bewusstsein versucht, dies zu beeinflussen, desto besser. Wenn du dich zu sehr um einen ängstlichen Gedanken oder ein körperliches Empfinden sorgst, wende die DARE Schritte an und lass dann los.

Lass deinen Körper das tun, was er am besten kann. Denke an all die Jahre, in denen dein Körper ohne das Zutun deines ängstlichen Verstandes perfekt funktioniert hat. Du musst lernen, dich hinzugeben und wieder zu vertrauen. Lass los und vertraue deinem Herzen. Lass los und vertraue deiner Brust. Lass los und vertraue deinem Verstand. Lass los und vertraue jeder Empfindung, die dich verängstigt.

---

**Hier ist eine Zusammenfassung, wie du DARE auf jedes ängstliche, körperliche oder mentale Gefühl anwenden kannst:**

- Wenn sich eine Empfindung manifestiert, **entschärfe** die anfängliche Angst sofort mit einer "Na, und?!" oder "Was soll`s"-Haltung.

- **Erlaube** jedem einzelnen Gefühl, präsent zu sein. Mach dich mit den ängstlichen Empfindungen vertraut. Akzeptiere sie so, wie sie sind, wehre dich nicht gegen sie und dränge sie nicht weg. Wenn sie sich in etwas anderes verwandeln, dann lasse auch das zu.

- Wenn das Gefühl stärker wird und du dich davon bedroht fühlst, **lauf darauf zu**. Lass dich davon begeistern und verlange mehr. Fordere, dass es noch intensiver wird, indem du z. B. sagst: "Na, los, zeig mal was du kannst!" Diese paradoxe Forderung verhindert die Eskalation der Angst.

- Und zuletzt: **Beschäftige** deinen Geist mit einer Aktivität, die deine volle Aufmerksamkeit fordert. Versuche dein Bestes, nicht ständig zu prüfen, ob deine Angst noch da ist oder nicht.

---

**TIPP:** Das Internet ist eine wunderbare Informationsquelle. Aber das Schlimmste, was du tun kannst, ist zu versuchen, dich selbst online zu diagnostizieren. Wenn du eine wiederkehrende Sorge bezüglich einer bestimmen Empfindung hast, dann wende dich an deinen Arzt und lass dich untersuchen, sodass dein Verstand zur Ruhe kommen kann. Dies könnte bedeuten, dass weitere Untersuchungen durchgeführt werden müssen. Manchmal ist es hilfreich, eine zusätzliche Bestätigung durch weitere Untersuchungen zu bekommen, aber wenn du diese Bestätigung einmal hast, vertraue auf sie und hinterfrage sie nicht! Eine Angststörung wird oft auch als "krankhafte Unsicherheit" bezeichnet. Fall nicht in die Falle deines ängstlichen Verstandes, der an deiner Gesundheit zweifelt, besonders dann, wenn alles andere dagegen spricht.

# KEINE ANGST VOR DIESEN SITUATIONEN

Die Höhle, in die du dich am meisten fürchtest, birgt den Schatz, den du suchst.

-Joseph Campbell

Also, wie bist du nun von einem unbekümmerten und sorgenfreien Dasein dazu gekommen, Angst zu haben, einkaufen zu gehen oder einfach beim Friseur zu sitzen und dir die Haare schneiden zu lassen? Du bist klug und kompetent und hast die halbe Welt bereist. Warum also musst du dich jetzt durch Alltagssituationen kämpfen, welche dir nie zuvor Angst gemacht haben? Die Antwort ist ganz einfach:

Du hast Angst vor den körperlichen und mentalen Empfindungen bekommen. Diese Angst hat dein Vertrauen in die Fähigkeit deines Körpers, sich um sich selbst kümmern zu können, erschüttert. Es ist nie wirklich eine bestimmte Situation, die du bewältigen musst - es bist immer du selbst.

Dieser Vertrauensverlust geschieht nicht über Nacht. Du wachst nicht eines Tages plötzlich auf und bist außerstande, all die Dinge zu tun, die du jetzt fürchtest. Es ist ein langsamer Prozess, der dein Selbstvertrauen nach und nach untergräbt. Solche Ängste lassen sich oft auf nur einen Vorfall zurückführen. Vielleicht bist du eines Tages in einer Schlange gestanden und hast plötzlich eine unangenehme Empfindung bemerkt. Eine solche Erfahrung kann ausreichen, dich derart zu erschrecken, dass du von diesem Moment an Angst bekommst, in einer Schlange zu stehen und diese dann künftig meidest. Oder vielleicht bist du im Stau stecken geblieben und hast dort deine erste Panikattacke erlebt. Dein Verstand interpretierte das Autofahren dann als Gefahr, woraufhin du Angst vor dem Fahren bekommen und begonnen hast, es zu meiden. Auf diese Weise schleicht sich langsam aber sicher das Vermeidungsverhalten ein.

Wenn wir Situationen vermeiden, fühlen wir anfänglich eine gewisse Erleichterung und genau diese Erleichterung von Unannehmlichkeiten verstärkt wiederum das Vermeidungsverhalten. Das Problem ist jedoch, dass die Vermeidung eine Falle ist - tatsächlich ist sie ein Todesurteil für die Freiheit. Mit der Zeit entwickelt sich eine Angst vor einer Situation durch die Vermeidung zu einer Phobie. Eine Phobie ist definiert als eine extreme oder irrationale Angst vor einer bestimmten Sache.

Menschen, die unter Angst leiden, können Phobien gegen das Fahren, Fliegen, den Aufenthalt in geschlossenen Räumen (mit nicht leicht zugänglichem Ausgang) oder überfüllten Räumen entwickeln. Die Liste ist lang. Es kann die Angst beinhalten, keine Sicherheitsperson bei sich zu haben oder irgendwo außerhalb der persönlichen Komfortzone zu sein, etc. Es gibt für fast alle Phobien einen klinischen Fachausdruck.

Die Entstehung einer Phobie ist leicht erklärbar. Der Kern ist der Vertrauensverlust in die eigene Fähigkeit, ängstliche Empfindungen tolerieren zu können. Aufgrund dieses mangelnden Vertrauens versuchen Betroffene ihre Angst dann zu bewältigen indem sie jede Situation meiden, von der sie wissen, dass sie ängstliche Empfindungen auslösen könnte.

Vermeidung kann für eine Weile gut funktionieren, aber irgendwann sperrt sie dich ein. Sie schränkt dein Leben ein und nimmt dir viele Dinge, die dir Freude bereiten könnten. Der typische Verlauf der Vermeidung besteht aus drei Phasen:

**A.** Eine Panikattacke in einer bestimmten Situation erleben.

**B.** Die Situation mit einem Gefühl von Gefahr verknüpfen.

**C.** Die Situation anschließend nach Möglichkeit vermeiden.

Es erstaunt mich immer wieder, welche kreativen Wege Menschen finden, um bestimmte Situationen zu vermeiden. Ich spreche hier von der Planung eines jedes einzelnen Details ihres Tages, um nur nicht ihre Komfortzone verlassen und sich Situationen, die sie ängstigen, stellen zu müssen. Diese Komfortzone wird schließlich zu einem Gefängnis.

## DIE "WAS IST, WENN..". GEDANKEN UND DER VERSUCH, SITUATIONEN KONTROLLIEREN ZU WOLLEN

In den nachfolgenden Beispielen werde ich dir aufzeigen, wie du DARE auf eine Vielzahl von Situationen anwenden kannst. Da es zu viel Raum beanspruchen würde, jede Situation einzeln durchzugehen, werde ich stattdessen Beispiele für die gängigsten Situationen aufführen. Wenn eine bestimmte Situation, mit der du zu kämpfen hast, hier nicht aufgeführt ist, wirst du dennoch ein sehr gutes Verständnis dafür bekommen, wie du mit ihr umgehen kannst, wenn du die folgenden Beispiele durchliest.

Grundsätzlich besteht jedes Vermeidungsverhalten aus zwei Haupt-komponenten, den *"Was ist, wenn.."*. *Gedanken* (welche du bereits aus den vorherigen Kapiteln kennst) und dem Versuch, Situationen kon-trollieren zu wollen.

Die *"Was ist, wenn.."*. Gedanken sind die treibende Kraft hinter jeder situativen Angst.

*"Was ist, wenn ich einkaufen gehe und mich überfordert fühle?"*

*"Was ist, wenn ich ins Flugzeug steige und die Angst zu groß wird, um mit ihr umzugehen?"*

*"Was ist, wenn ich die Kontrolle verliere und etwas Peinliches vor den Augen derer tue, die ich kenne?"*

Die *"Was ist, wenn.."*. *Gedanken* sind die Funken, die die Flamme der Angst entzünden - wenn man es ihnen erlaubt. In dem Bestreben, die Auswirkungen der *"Was ist, wenn.."*. *Gedanken* zu begrenzen, wird eine ängstliche Person versuchen, bestimmte Situationen kontrollieren zu wollen und sich Tage oder sogar Wochen im Voraus darüber Gedanken machen. Möglicherweise wird sie sich Hilfe in Form einer Stütze, wie z. B. eine Sicherheitsperson oder Medikamente holen müssen, um die Situation zu bewältigen. Oft wird bereits im Voraus ein Notfallplan zurechtgelegt.

Zu den typischen "Notfallplänen" gehören:

- Auf der Außenseite einer Sitzreihe zu sitzen, um im Fall der Fälle schnell zum Ausgang zu kommen.

- Vorgeben, einen wichtigen Anruf zu erhalten, wenn das Bedürfnis fliehen zu wollen auftaucht.

- Immer mit dem eigenen Auto fahren, so dass man nie auf eine Heimfahrt warten oder auf dem Beifahrersitz des Fahrzeugs einer anderen Person sitzen muss.

- Immer wissen, wo eine Toilette ist, falls man plötzlich dringend gehen oder einfach nur für ein paar Minuten alleine sein muss.

- Immer ein Telefon zur Hand haben, um Hilfe rufen zu können.

Der Versuch, Situationen auf diese Weise zu kontrollieren, ist ebenso wenig hilfreich wie die Vermeidung von Situationen, da man sich selbst weiterhin das Signal sendet, in potenzieller Gefahr zu sein, obwohl man es natürlich nicht ist.

Eine Panikattacke wird dich nicht umbringen. Während einer Angst- oder Panikattacke bist du auf einer verlassenen, einsamen Insel genauso sicher, wie in einem Krankenhaus umgeben von Ärzten. Während einer Panikattacke in einem Kaufhaus, bist du genauso sicher wie in deinem eigenen zu Hause. *Wenn du das wirklich verstehst, wirst du erkennen, dass du am Ende nur dich selbst meistern musst - nicht die Situation.* Die Angst ist nicht in der Situation; sie ist in deiner Reaktion auf die Empfindungen, die du in der Situation erlebst.

Nachfolgend lernst du, wie du eine höhere Toleranz gegenüber ängstlichen Empfindungen in verschiedenen Situationen entwickeln kannst. Zu lernen, dich in den Situationen, die dir Angst machen, selbstbewusst und sicher zu fühlen ist das Erfolgsgeheimnis, um deine Ängste zu überwinden.

DARE kann auf unterschiedlichste Situationen angewendet werden. **Du kannst gerne direkt zu der Situation springen, die dich betrifft. Ich bitte dich aber, wieder zur Zusammenfassung am Ende dieses Kapitels zurückzukommen, da ich dort noch weitere, wertvolle Tipps und Tricks für den Umgang mit ängstlichen Situationen beschreibe.**

Die Situationen, die ich nachfolgend beschreibe, sind:

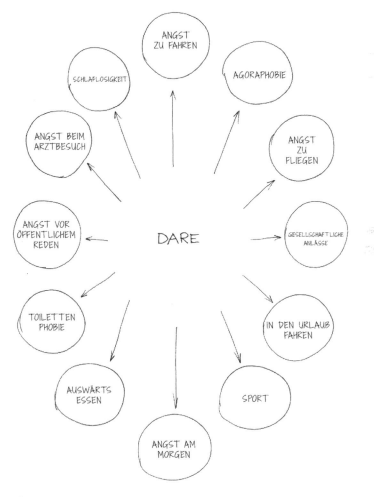

Beginnen wir mit Beispielen von Situationen, in denen du das Gefühl hast, nur schwer entkommen zu können, wie z. B.: Auto fahren, Aufenthalt in geschlossenen Räumen, Fliegen, Reden in der Öffentlichkeit und wie du DARE auf diese Situationen anwenden kannst:

## ANGST VOR DEM AUTO FAHREN

Eine der häufigsten Fragen, die mir gestellt wird, ist, wie man DARE während des Autofahrens anwendet. Es gibt verschiedene Ängste rund um das Fahren, z. B. die Angst, im Stau stecken zu bleiben oder die Angst über Brücken zu fahren. Häufig dreht sich die Angst darum, bei einem Stau im Fahrzeug eingesperrt zu sein oder die Kontrolle über das Fahrzeug zu verlieren und einen Unfall zu verursachen. Obwohl Betroffene oft bereits seit vielen Jahren an ihrer Phobie leiden, haben die allermeisten von ihnen nie derartige Vorfälle erlebt. Betrachten wir aber zunächst einmal die primäre Angst: Durch seine Angst derart abgelenkt zu sein, dass man einen Unfall verursacht.

Die meisten Menschen steigern sich in einen Angstzustand, noch bevor sie ihre Einfahrt verlassen haben. Sie stellen sich bildhaft vor, wie sie einen Massenunfall mit mind. 10 Autos verursachen, da sie "ausflippen" und in ein anderes Fahrzeug krachen. Wenn dir das bekannt vorkommt, dann wirf zunächst einen Blick auf deine bisherige Fahrhistorie. Warst du in der Vergangenheit ein rücksichtsloser Fahrer? Hast du Punkte und Strafen gesammelt? Die meisten phobischen Fahrer haben tatsächlich eine sehr ordentliche Fahrhistorie und haben noch nicht einmal einen kleinen Unfall verursacht. Ängstliche Fahrer stellen keine tödliche Gefahr auf der Straße dar. Sie können sogar viel wachsamer sein als andere Fahrer, die nach einem langen Tag im Büro halb am Steuer einschlafen.

Wie wir bereits besprochen haben, haben ängstliche Fahrer schon rein biologisch bedingt ein höheres Maß an sensorischer Wachsamkeit. Diese Wachsamkeit macht sie auf potenzielle Gefahren aufmerksam und sorgt dafür, dass sie sich auf das Fahren konzentrieren - sie träumen nicht, plaudern nicht und wühlen auch nicht im Handschuhfach herum. Das soll natürlich nicht heißen, dass ängstliches Fahren die ideale Art zu fahren ist. Aber ich glaube, dass es wichtig ist, diesen

Punkt anzusprechen, denn so viele Menschen machen sich selbst nieder, weil sie während des Fahrens ängstlich sind. Wenn du weißt, dass du ein sicherer und rücksichtsvoller Fahrer bist, dann sag dir das ruhig laut, bevor du einsteigst und losfährst. Allein diese Affirmation kann deine Bedenken oft weitgehend beruhigen.

Die zweite, große Sorge vieler phobischer Fahrer ist die Angst, in ihrem Auto in irgendeiner Weise gefangen zu sein. Damit meine ich, im Stau zu stehen, auf belebten, dreispurigen Autobahnen oder über lange Brücken zu fahren oder auch an roten Ampeln zu stehen. Wenn man seinem ängstlichen Verstand erlaubt, sich in diese Ängste hineinzusteigern, wird er sich alle möglichen, ängstlichen Szenarien vorstellen, z. B. im Auto eingesperrt zu sein, ohne dass jemand zur Hilfe kommt oder im Flugzeug eingeschlossen zu sein und eine Panikattacke zu erleben.

Das Wichtigste hier ist, die aufkommenden *"Was ist, wenn.."*. *Gedanken* einzudämmen, bevor sie Wurzeln schlagen und sich selbst tragfähige Lösungen für jede dieser Szenarien anzubieten. Denke über Folgendes nach: Gibt es wirklich eine Situation, wie oben beschrieben, in der du tatsächlich, ohne die Möglichkeit zu fliehen, gefangen bist? Nein, natürlich nicht. Letztendlich bewegt sich jeder Verkehr wieder. Es gibt immer Bewegung und es gibt immer einen Ausweg. Dies kann bedeuten, dass du dir selbst die Möglichkeiten für einen Ausgang zurechtlegst. Wenn du diesen Ängsten mit logischen Lösungen entgegentrittst, verlieren sie ihre Kontrolle und ihren Einfluss über dich.

Nachfolgend möchte ich dir ein Beispiel geben, wie du DARE auf die Angst vor dem Auto fahren anwenden kannst. Ich empfehle dir, damit zu beginnen, dein Auto auf eine Übungsfahrt zu nehmen, bestenfalls nachts oder an einem Sonntag, wo es weniger Verkehr gibt. Wähle eine Route, die dich beunruhigt. Gehe über deine Sicherheitszone hinaus oder fahre beispielsweise über eine Brücke. Wenn du dich sehr angespannt fühlst, fang kleiner an. Wichtig ist jedoch, dich selbst mit einer Route herauszufordern, die dir zumindest ein gewisses Maß an Unbehagen bereitet. Du wirst nicht weit fahren müssen, bis sich die ersten Empfindungen zeigen. Am Anfang ist dein Angstniveau vielleicht noch nicht sehr hoch, aber wenn Fahren wirklich ein Problem für dich ist, wird ein leichtes Unbehagen mit ziemlicher Sicherheit in Gefühle von Angst und Panik übergehen.

Wenn du spürst, dass das Gefühl von Panik aufkommt und sich *"Was ist, wenn.."*. *Gedanken* manifestieren, beginne damit, jede Angst mit einer selbstbewussten und abweisenden Reaktion zu entschärfen. Zum Beispiel:

*"Was ist, wenn ich weit weg von zu Hause im Auto eine Panikattacke bekomme?"*

"Na und?! Ich habe jetzt die Werkzeuge, um das jetzt durchzustehen. Ich weiß, dass ich damit umgehen kann".

*"Was ist, wenn das Auto kaputtgeht und ich ganz allein hier festsitze?"*

"Na und?! Ich rufe einfach um Hilfe. Es wird nicht lange dauern, bis jemand kommt, um mir zu helfen".

*"Was ist, wenn ich Angst bekomme, eine Brücke zu überqueren oder durch einen Tunnel zu fahren?"*

"Was auch immer! Die Welle der Panik wird vorübergehen, sobald ich DARE anwende. Ich habe schon viel Schlimmeres durchgemacht".

*"Was ist, wenn mir schwindlig wird und ich nicht fahren kann?"*

"Na, und?! Was soll`s! Ich werde einen sicheren Ort finden, um anzuhalten und eine Pause einzulegen, bis es mir wieder besser geht".

**Entschärfe** die *"Was ist, wenn.."*. *Fragen* schnell und lasse die nervöse Erregung, die du fühlst, einfach bei dir sein, während du fährst. Sag dir, dass du vollkommen **erlauben** wirst, dass die Angst sich so manifestieren darf, wie sie will. Du wirst dich mit allem ängstlichen Unbehagen, das du im Auto fühlst, absolut wohlfühlen. Sag dir während du fährst: *"Ich akzeptiere und erlaube diese ängstlichen Gefühle. Ich akzeptiere und erlaube diese ängstlichen Gedanken"*.

Wenn du akzeptierst und erlaubst, ist es völlig normal, dass dir weiterhin *"Was ist, wenn.."*. *Fragen* in den Sinn kommen. Das ist zu erwarten. Antworte mit einem abweisenden "Na, und?!" oder "Was soll`s!", sobald du sie bemerkt. Wenn du spürst, dass sich die nervöse

Energie in einen Adrenalinschub steigert (eine Panikattacke), **laufe auf deine Angst zu**. Sag dir, wie aufgeregt du dich fühlst, dass du Auto fährst und fordere, dass deine Angst deine Empfindungen noch weiter verstärkt. Fordere, eine voll ausgeprägte Panikattacke zu haben! Werde wütend und fordere es wirklich heraus! Wenn du dies aufrichtig tust, wird die Adrenalinflut schnell wieder abklingen und die nervöse Erregung wird wieder auf ein viel niedrigeres Niveau herabsinken.

Du kannst natürlich auch an einer sicheren Stelle anhalten und die Schritte dort üben, wenn du dich damit wohler fühlst. Ebenso, wenn du dich benommen oder schwach fühlst. Du solltest bei der Fahrt nicht zu sehr abgelenkt sein, obwohl es vielen Menschen möglich ist, die Schritte auch während der Fahrt anzuwenden. Du weißt, womit du dich am besten fühlst. Wenn du dich entscheidest, weiter zu fahren, ist es wichtig, dich auf die Straße zu konzentrieren und in einer für dich sicheren Geschwindigkeit zu fahren.

Schließlich solltest du dich dann voll und ganz auf die Fahrt konzentrieren. Achte auf alles, was um dich herum vor sich geht. Achte auf alle anderen Fahrzeuge um dich herum. Wenn du bemerkst, dass dein Verstand immer wieder zu ängstlichen *"Was ist, wenn.."*. Gedanken zurückkehrt, kannst du etwas Musik einschalten und anfangen zu singen. Das Auto ist nach der Dusche der nächstbeste Ort, um laut zu singen. Singen ist eine großartige Möglichkeit, aufgestaute nervöse Energie um den Hals- und Brustbereich herum, abzubauen. Spiele also deine Lieblingslieder und singe mit! Dies wird dir wirklich helfen, deine Anspannung zu lösen.

Wenn du dein Auto auf eine Übungsfahrt nimmst, solltest du dir bewusst sein, dass du ein gewisses Unbehagen verspüren wirst. Wenn sich keine Angst manifestiert, bist du vielleicht nicht weit genug aus deiner Komfortzone herausgefahren. Echtes Lernen geschieht aber außerhalb deiner sicheren Zone. Echtes Selbstvertrauen wird aufgebaut, indem du dich ängstlich fühlst und dein Vorhaben dennoch ausführst. Das primäre Ziel ist nicht, deine ängstlichen Empfindungen zu beseitigen. Das Ziel ist zunächst, einfach zu fahren, unabhängig davon, ob die Empfindungen präsent sind oder nicht.

Um dein Selbstvertrauen zu stärken, kannst du auf die ersten Übungsfahrten auch eine andere Person mitnehmen. Wenn du niemanden hast, mit dem du üben kannst, beauftrage einen Fahrlehrer, mit dir zu fahren. Nach etwas mehr Übung empfehle ich dann, alleine zu fahren - das ist der Punkt, an dem du wahre Unabhängigkeit und ein Gefühl von Freiheit entwickelst. Wenn du immer mit einer anderen Person gemeinsam übst, läufst du Gefahr, die Vorstellung zu entwickeln, dass es dein Mitfahrer ist, der dir hilft, dich sicher zu fühlen. Dies könnte deinen Fortschritt bremsen.

Wenn es dir schwerfällt, auf stark befahrenen Straßen zu fahren, dann übe zu Tageszeiten, zu denen es wenig bis gar keinen Verkehr gibt (z. B. sehr früh an einem Sonntagmorgen).

### *"Wohin du auch gehst, da bist du"*. – Buddha

Es kommt häufig vor, dass Betroffene sich sehr davor fürchten, ihre sichere Zone zu verlassen und weit weg von zu Hause zu fahren. Der ängstliche *"Was ist, wenn.."*. Gedanke ist hier: *"Was ist, wenn ich zu weit fahre, eine Panikattacke bekomme und nicht mehr zurückfahren kann?"* Diese Angst zeigt sich in der Regel auf allen Reisen. Was du aber verstehen musst, ist, dass Entfernung wirklich irrelevant ist. Wie weit weg du fährst, ist nicht wichtig. Was wichtig ist, ist, wie du mit jeder einzelnen Welle der Angst umgehst, die sich manifestiert. Dies ist ein physiologisches Problem, das in deinem eigenen Geist und Körper vor sich geht und es spielt keine Rolle, ob du auf deiner Terrasse oder an Bord der Raumstation sitzt. Es geht immer um deine Reaktion, also konzentriere dich nicht auf die Entfernung, sondern auf deine Reaktion. Ich verstehe jedoch auch, dass man sich dies anfangs nur schwer vorstellen kann, ohne es selbst erfahren zu haben. Aber vertraue mir, es ist der richtige Schritt.

Beginne damit, zu bestimmen, was deine persönliche Sicherheitszone ist und fahre zunächst nur ein kleines Stück weiter über diese Grenze. Dies können 5, 10 oder 50 Kilometer von deinem Zuhause entfernt sein. Wenn du dort ankommst, wird ein Teil von dir das Gefühl haben: *"Großartig! Ich habe es geschafft. Jetzt lass uns nach Hause eilen, sollte doch etwas passieren"*. Das ist verständlich, aber ich möchte, dass du stattdessen einfach das Auto anhältst und *eine Weile dort bleibst*.

Bleibe dort in deinem Auto sitzen, bis du dich ein wenig langweilst. Dies zu tun ist sehr wichtig, weil dies bedeutet, dass du deine Grenze erweitert und dort neu verankert hast. Deine Welt ist nun viel größer geworden und so auch dein Vertrauen. Jetzt begreifst du, dass die Entfernung, die du zurücklegst, wirklich eine Illusion ist. Das Einzige, was zählt, ist, wie du auf die Wellen der Angst reagierst, wo immer du dich auch befindest. (Siehe dazu mehr in den folgenden Abschnitten Agoraphobie und Urlaub.) DARE gibt dir die Möglichkeit, mit deiner Angst in jeder Fahrsituation umzugehen. Indem du dich während der Fahrt mit deinem ängstlichen Unbehagen mitbewegst, wird dein Selbstvertrauen Schritt für Schritt wieder aufleben.

## DARE FÜR GESELLSCHAFTLICHE SITUATIONEN, IN DENEN MAN SICH EINGESPERRT FÜHLT

Mit "gesellschaftlich eingesperrten" Situationen meine ich Situation, in denen du das Gefühl hast, nicht einfach gehen zu können, ohne dich damit in Verlegenheit zu bringen. Typische Beispiele sind

- Beim Friseurbesuch
- Beim Einkaufen in der Schlange stehen
- Geschäftsmeetings
- Im Kino oder in der Kirche sitzen
- Im Restaurant
- Als Beifahrer im Auto
- Im Aufzug

Alle diese Situationen haben ähnliche *"Was ist, wenn..". Gedanken*, die darum kreisen, gefangen zu sein und sich womöglich in Verlegenheit zu bringen. Das erste, woran du dich erinnern musst, ist, dass du in keiner dieser Situationen wirklich "eingesperrt" bist. Niemand hält dich dort gegen deinen Willen fest. Dein Gefühl, gefangen zu sein, hat mehr mit deiner Angst zu tun, was andere denken könnten, wenn du dich plötzlich aus der Situation entschuldigst. **Entschärfe** diese *"Was ist, wenn..". Gedanken*, sobald sie auftauchen, wie folgt:

*"Was ist, wenn ich in Panik gerate und meine Einkäufe zurücklassen muss?"*

"Na und?! Wenn ich wirklich gehen muss, dann tue ich das einfach".

*"Was werden die Leute von mir denken, wenn ich rausgehe?"*

"Ach, was soll`s! Ich werde mir einfach eine Ausrede ausdenken und gehen. "Hey, tut mir leid Leute, ich muss leider los. Bis bald".

*"Was, wenn zu Gehen jetzt wirklich unangebracht ist?"*

"Und wenn schon? Wenn ich gehen will, gehe ich. Keiner kann mich zwingen, hier zu bleiben".

Was soll's, wenn man damit ein paar Leute verärgert! Du bist erwachsen. Ich bin mir sicher, du kannst da drüberstehen.

Beachte, dass diese Art von Antworten auf die *"Was ist, wenn.."*. *Fragen* nicht dazu dienen, einen Plan zur Vermeidung dieser Situationen zu machen, sondern um sie zu entschärfen, damit die Angst nicht weiter steigt und dich tiefer in die Angstschleife zieht.

Ich werde unten als Beispiel den Besuch beim Friseur nehmen. Dieses Beispiel und die Beschreibung beziehen sich jedoch auf fast jede Situation, in der man befürchtet, nicht leicht entkommen zu können oder aus der man sich nicht leicht entschuldigen kann.

Vor dem Termin solltest du dir eingestehen und auch zulassen, dass du dich höchstwahrscheinlich ängstlich fühlen wirst. Erwarte, dass die Angst da ist, sodass wenn sie auftaucht, sie dich nicht überrascht. Während du dich im Salonstuhl entspannst und beginnst, Small Talk zu führen, wirst du spüren, wie deine Angst ein wenig zunimmt. Es kann eine körperliche Anspannung oder ein anderes unbehagliches Gefühl sein. Wenn die Angst steigt, kommen auch die *"Was ist, wenn.."*. *Fragen,* die du dann sofort **entschärfen** musst:

*"Was ist, wenn ich mitten im Termin gehen muss?"*

"Na, und?! Ich werde eine Ausrede finden und sagen, dass ich in Kürze zurück bin. Keine große Sache. Das passiert".

Dann **erlaubst** du all der nervösen Energie einfach bei dir zu sein, während du dir die Haare schneiden lässt. Lade die Angst ein, sich zu dir zu setzen und sag dir, dass du während des gesamten Termins dich in deinem ängstlichen Unbehagen vollkommen wohl fühlen wirst. Erlaube dir alles zu fühlen. Sag dir: *"Ich akzeptiere und erlaube diese ängstlichen Gefühle. Ich akzeptiere und erlaube diese ängstlichen Gedanken".*

Es kann ein Punkt kommen - in der Regel nur wenige Minuten nach dem du dich hingesetzt hast – an dem deine Angst ansteigt und du einen plötzlichen Adrenalinschub spürst. Normalerweise würde dich dies erschrecken und ein Indikator für eine Panikattacke sein. Aber jetzt nicht mehr, weil du weißt, was zu tun ist:

**Du rennst auf diese Welle zu.** Du bist begeistert und verlangst mehr. Du verwandelst diesen Ansturm von Panik in Aufregung und verlangst, dass deine Angst noch intensiver wird. Dein Verstand mag dich weiterhin mit *"Was ist, wenn..".* *Gedanken* warnen, aber diese werden durch die Tatsache, dass du mehr von der Angst verlangst, neutralisiert. Du weißt, dass dies alles nur eine Flut an Adrenalin ist und dass es vorbeigehen wird. Tatsächlich bist du mit diesem Adrenalin-Rausch bereits so vertraut, dass du noch mehr davon verlangst, nur um zu sehen, was passiert! Du bist in einer spielerischen, aufgeregten Stimmung, nicht in Panik.

Wenn du dies mit echtem Engagement tust, wird die Adrenalinflut schnell vorbeiziehen und dich mit dem gleichen nervösen, hibbeligen Gefühl zurücklassen, das du hattest, als du das erste Mal auf dem Stuhl gesessen bist. Beginne schließlich, dich mit etwas zu **beschäftigen**. Du könntest eine Zeitschrift lesen, aber noch besser ist, mit der Person, die deine Haare schneidet, ins Gespräch zu kommen. Gespräche sind immer sinnvoller, da sie mehr Aufmerksamkeit erfordern und eine soziale Bindung erzeugen, die eine positive, stimmungsaufhellende Wirkung hat. Während du weiter zulässt, dass die nervöse Erregung einfach bei dir sein darf, kannst du dich beispielsweise über deinen nächsten, geplanten Urlaub unterhalten.

Es ist wirklich wichtig, dich in der Situation so gut du kannst durch deine Ängste hindurchzuarbeiten. Wenn du wegen der Angst vorzeitig gehst, wirst du dich besiegt fühlen, als hätte die Angst die Oberhand.

Aber was ist nun mit Situationen, in denen es absolut keinen Ausweg gibt?

## DARE BEI FLUGANGST UND SITUATIONEN, IN DENEN MAN PHYSICH EINGESCHLOSSEN IST

Fliegen ist ein gutes Beispiel für eine Situation, die man nicht verlassen kann (wenn das Flugzeug bereits gestartet ist). Dieses Beispiel kann jedoch auf alle Situationen angewendet werden, in denen man temporär physisch "eingeschlossen" ist (z. B. in einem Aufzug, bei einem CT/MRT Scan oder beim Zahnarzt). Es bezieht sich auf die Angst davor, einen Angstzustand oder eine Panikattacke zu bekommen und dann nicht aus der Situation fliehen zu können. Wenn sich deine Angst jedoch darauf bezieht, dass das Flugzeug aufgrund eines mechanischen Problems abstürzt, empfehle ich dir, einen Kurs, wie beispielsweise das SOAR-Programm von Kapitän Tom Bunn, zu absolvieren. Dieser wird dir helfen zu verstehen, wie sicher Fliegen ist.

Die *"Was ist, wenn..". Gedanken* sind auch hier der Treibstoff (verzeih mir das Wortspiel), die die Angst vor dem Fliegen auslösen. Also lass uns diese genauer betrachten: Was ist wirklich das Schlimmste, das passieren könnte? Du weißt bereits, dass eine Panikattacke dich nicht umbringen wird. Du wirst nicht daran ersticken und dass du aus Angst bewusstlos wirst, ist sehr unwahrscheinlich. Du weißt auch, dass die überwiegende Mehrheit der Menschen, die ausgeprägte Panikattacken haben, diese erleben, ohne dass die Menschen um sie herum dies überhaupt bemerken. Sie verlieren nicht die Kontrolle und handeln weder impulsiv noch gefährlich.

Das Schlimmste, was also wirklich passieren kann, ist dass du dich für eine gewisse Zeit im Flugzeug sehr unwohl fühlen wirst. Unangenehm, ja - aber nicht gefährlich. Wenn man das im Hinterkopf behält, erscheint es schon nicht mehr ganz so schrecklich, sich in einer solchen Situation -wie beispielsweise in einem Flugzeug- zu befinden. Du wirst es überstehen. Und jetzt, wo du dieses Buch liest, hast du die nötigen Werkzeuge, die du brauchst, um diese bis jetzt unangenehme Erfahrung, angenehm zu machen - bis zu dem Punkt, an dem du das Fliegen sogar genießen kannst.

Nachfolgend zeige ich dir, wie du DARE bei Flugangst anwenden kannst und dich beim Fliegen, sowohl auf kurzen als auch auf langen Strecken, gelassen und sicher fühlst.

Ein angenehmer Flug beginnt in der Nacht zuvor. Achte darauf, dass du dich vor deiner Abreise genügend ausruhst. Müdigkeit kann zu übermäßigem Stress führen. Organisiere den Tag deiner Abreise so gut wie möglich und sorge dafür, dass dein Weg zum Flughafen entspannt ist und du problemlos durch die Sicherheitskontrolle kommst usw. Nimm dir soviel Zeit, wie du brauchst um dich entspannt zu fühlen. Es macht wenig Sinn, einer bereits angespannten Reise noch mehr Stress hinzuzufügen, nur weil man in letzter Minute durch den Flughafen eilen muss. Wenn du an Bord des Flugzeugs gehst, *erwarte nicht, dass du dich entspannt und ruhig fühlen wirst.* Erwarte stattdessen, dass du sehr wahrscheinlich ängstlich und angespannt sein wirst.

Wenn du dich dann auf deinen Platz setzt, sag dir immer wieder:

*"Ich bin so aufgeregt, dass ich fliegen kann. Ich freue mich riesig darauf".*

Und du solltest dich auch freuen. Fliegen ist aufregend. Erlaube deinem Körper, diese Aufregung auszudrücken.

Ängstliche *"Was ist, wenn..". Gedanken* werden garantiert aufkommen. **Entschärfe** jeden einzelnen, sobald du sie bemerkst.

*"Was ist, wenn die Angst wirklich schlimm wird und ich nirgendwo hinlaufen kann?"*

"Na und?! Wenn es wirklich schlimm wird, dann wird es zwar sehr unangenehm sein, aber es wird mich nicht umbringen. Es wird vorbeigehen. Schlimmer als das kann es nicht werden.

*"Was ist, wenn wir in heftige Turbulenzen kommen?"*

"Was auch immer! Ich werde es mir einfach wie eine aufregende Achterbahnfahrt vorstellen. Ich weiß, dass ich sicher bin und dass Flugzeuge selbst die heftigsten Turbulenzen leicht bewältigen können."

**Erlaube** dann all der nervösen Energie, die du fühlst, präsent zu sein. Lass sie dich auf dieser Reise begleiten. Lade sie ein zu bleiben und sage ihr, dass du weißt, dass die Anspannung während des Starts und in Momenten von Turbulenzen wahrscheinlich intensiver wird – und dass auch das okay ist. Wiederhole und sage dir immer wieder: *"Ich akzeptiere und erlaube dieses ängstliche Gefühl. Ich akzeptiere und erlaube diese ängstlichen Gedanken".*

Wenn du zu irgendeinem Zeitpunkt während des Fluges die vertraute Adrenalinflut spürst und denkst, dass du dabei bist, eine Panikattacke zu bekommen, dann antworte auf diese Angst wie folgt:

*"Da bist du ja. Ich habe erwartet, dass du irgendwann auf diesem Flug auftauchst".*

Erinnere dich daran, dass du nie versucht hast, vor ihr wegzulaufen. Tatsächlich hast du gehofft, dass sie auftauchen würde, damit du auf sie zulaufen kannst.

*"Nun, dann mal los!"* denkst du dir.

Dann **verlange mehr** von den ängstlichen Empfindungen und fordere, dass sie noch intensiver werden.

Ich weiß, dass dies in einer geschlossenen Situation wie einem Flugzeug nicht ganz so leicht umzusetzen ist, aber vertraue mir - es ist die genau richtige Reaktion. Je mehr du dich von diesem Gefühl wirklich begeistern lässt und eine Panikattacke forderst, desto stärker und selbstbewusster wirst du dich fühlen, da dich diese Art von Reaktion in eine Position von Kontrolle bringt.

Erwarte beim Start einen Adrenalinschub. Dieser ist in der Regel für die meisten Menschen der beängstigendste Moment des ganzen Fluges. Beobachte dabei, wie die Adrenalinschübe in Wellen aufkommen und deinen Körper durchströmen - und wenn du genau in dich hineinfühlst, wirst du bemerken, wie schnell sie auch wieder vergehen, meist dauern sie nur zwanzig oder dreißig Sekunden an. Es gibt während diesem Auf- und Ab der Adrenalinwellen absolut nichts zu befürchten. Wenn die Welle vorbeigeht, fühlst du dich wieder stärker und dein Vertrauen kehrt zurück -bis die nächste Welle kommt. Und dann die nächste und du schließlich das Muster bemerkst. Wenn du nicht mit Angst reagierst, ist der Effekt auf dich nichts anderes, als eine körperliche Empfindung, die du wahrnimmst – frei von Angst und Panik.

Sobald dann der Höhepunkt deiner Angst nachgelassen hat, solltest du deine volle Aufmerksamkeit auf etwas richten, dass dich einnimmt. **Beschäftige** dich mit einer angenehmen Aktivität, die dich interessiert. Dies könnte bedeuten, dass du eine Zeitschrift liest oder dir das Bordprogramm ansiehst. Jetzt ist auch guter Zeitpunkt, um entspannende Musik zu hören. Während des Fluges wird es dir wahrscheinlich schwerfallen zu schlafen, aber versuche dich so gut wie möglich zu entspannen. Und vielleicht erreichst du sogar den Punkt, an dem du die Zeit während des Fluges genießt.

Ich empfehle dir, während längerer Flüge eine Schlafmaske und entspannende Musik mitzubringen, so kannst du dich etwas zurückziehen. Besser noch: Lade mein kostenfreies Audio herunter, das dich während des Fluges beim Entspannen unterstützt:

 Besuche dazu die Website: www.dareresponse.de/welcome

## DARE BEI ANGST VOR ÖFFENTLICHEM REDEN

Eine sehr häufig gestellte Frage ist, wie man DARE umsetzen kann, wenn es keine Zeit zum Nachdenken gibt. In solchen Situationen wendet man einfach eine modifizierte Version der DARE Schritte an. Das beste Beispiel für eine solche Situation ist Öffentliches Reden, da es eine unter hohem Druck stehende Ausgangssituation mit der Notwendigkeit verbindet, eine Leistung zu erbringen. Öffentliche Reden müssen nicht unbedingt die klassischen "Bühnenpräsentationen" sein; es kann genauso auch ein einfaches Geschäftsmeeting sein, bei dem von dir erwartet wird, deine Meinung zu einem Thema zu äußern oder ein Feedback zu geben.

Die Befürchtung in diesen Situationen ist, durch die Angst außer Gefecht gesetzt zu werden und nicht mehr in der Lage zu sein, das zu sagen, was man eigentlich sagen wollte oder das Begonnene nicht zu Ende bringen zu können. Ich habe im Laufe der Zeit mit den verschiedensten Rednern und Rednerinnen zusammengearbeitet, von Fernsehmoderatoren und berühmten Entertainern bis hin zu Menschen, die zu erstem Mal in ihrem Leben eine öffentliche Rede halten mussten - der Ansatz ist immer derselbe.

Wie bei allen in diesem Kapitel behandelten Situationen ist eine vorherige Vorbereitung entscheidend. Ich meine damit nicht nur die übliche Vorbereitung des benötigten Materials, sondern vor allem die mentale

Einstellung. Zuerst solltest du ein paar Antworten vorbereitet haben, um die aufkommenden *"Was ist, wenn.."*. *Gedanken* zu **entschärfen.**

*"Was ist, wenn die Leute merken, dass ich nervös bin?"*

"Na und?! Ich erlaube mir, nervös zu sein und werde diese Energie nutzen, um das Publikum mitzureißen. Meine Aufregung wird zeigen, wie sehr ich mich für das Thema interessiere, das ich vortrage."

*"Was ist, wenn die Angst zu groß wird, noch bevor ich anfange?"*

"Na und?! Eigentlich hoffe ich sogar, ängstlich zu werden, damit ich diese Energie nutzen kann, um besser zu präsentieren".

Es ist wichtig, zu akzeptieren, dass du vor und während der Rede ängstlich sein wirst. Wenn du dir das zugestehst und erlaubst, wird es dich nicht aus der Bahn werfen. Sobald du mit dem Reden beginnst, besteht das eigentliche Geheimnis darin, nicht mehr zu versuchen, ruhig und gelassen zu sein. Dieses mentale Bemühen, ruhig und gelassen zu sein, ist das, was dich während des Vortrags dazu bringt, in immer größere Anspannung zu geraten. Wenn du dir hingegen **erlaubst**, die ängstlichen Empfindungen zu erleben, wird es sich so anfühlen, als ob alles genau so läuft, wie es sollte. Vielleicht fühlst du, wie dein Hals sich verengt, vielleicht beginnt dein Herz zu rasen oder deine Stimme zittert während der Rede - lasse alles zu. Die meisten der besten Sprecher der Welt sind voller Angst vor ihrem Auftritt, nutzen diese Nervosität aber immer, um ihre Rede oder Leistung zu verbessern.

Wenn du deine nervöse Anspannung in die Präsentation kanalisierst, fließen alle deine Energien in die gleiche Richtung, anstatt dass ein Teil von dir stetig versucht, ruhig und gelassen zu sein. Niemand will Ruhe und Gelassenheit bei einem Vortrag. Die Menschen wollen Vortragende hören, die lebendig und präsent sind. Es ist okay, die Welt bemerken zu lassen, dass du nervös bist! Ein nervöser Redner wirkt viel authentischer als ein Redner, der völlig gelangweilt wirkt und so tut, als hätte er dieselbe Präsentation schon hundertmal vorgetragen.

Indem du die nervöse Energie in den Moment einbringst und sie sich ausdrücken lässt, bewegst du dich in dieselbe Richtung wie die Angst. Anstatt die emotionale Energie und Aufregung in deinen Magen zu verdrängen, nutzt du sie zu deinen Gunsten. Du kannst dies noch intensivieren, indem du dich noch kraftvoller ausdrückst oder lebhafter bist und dich auf der Bühne bewegst. Auf diese Weise erlaubst du der nervösen Anspannung, sich schneller freizusetzen, wodurch du dich augenblicklich vitaler und präsenter fühlen wirst. Von Schauspielern weiß man, dass deren Lampenfieber in dem Moment endet, wenn sie ihren Akt beginnen. Das liegt daran, dass sie genau diese Technik nutzen. Sie sind im Moment fokussiert. Natürlich haben sie einen leichten Vorteil, da sie eine Rolle spielen, aber du kannst das Gleiche in einer abgewandelten Weise in jeder Situation tun, in welcher du etwas präsentieren musst, sei dies ein geschäftlicher Vortrag oder eine emotionale Trauzeugenrede.

Wenn du zu irgendeinem Zeitpunkt vor oder sogar während deines Vortrags spürst, dass deine Angst sich in eine Panikattacke steigert und deine körperlichen Empfindungen sehr intensiv werden, dann fordere sie heraus und **renn auf sie zu**. Lass dich von diesen Gefühlen begeistern und fordere mehr. Dieses Mehr-Fordern kannst du sekundenschnell gedanklich tun, während du einfach weiter sprichst. Wenn man sich der Angst auf diese Art und Weise stellt, ist es mehr eine innere Einstellung als alles andere. Fordere die Angst also aufrichtig heraus:

*"Na los, komm schon! Ja, hier und jetzt. Das ist ein Kinderspiel für mich".*

Egal wie unangenehm es auch sein mag, du wirst bei deiner Rede bleiben und sie fertig machen. Auch wenn es Momente gibt, in denen du das Gefühl hast, dass du nicht weitermachen kannst, ignoriere diese Gedanken und mache trotzdem einfach weiter.

Du wirst überrascht sein, wie schnell dieser einfache Schritt deinen Herzschlag beruhigen und die Adrenalinflut stoppen kann. Er gibt dir ein unmittelbares Gefühl von Stärke und Kontrolle. Wenn du bemerkst, dass die Angst nachlässt, fordere sie auf, zurückzukommen. Du verlangst mehr von den Empfindungen, weil du dich von ihnen absolut nicht bedroht fühlst. Wenn du diesen Ansatz anwendest, wirst du eine großartige Präsentation halten, da du lebendig, voll engagiert und präsent sein wirst.

Aber wie macht man das alles, während man gleichzeitig spricht?

All dies geschieht in Sekundenbruchteilen. Es ist erstaunlich, wie viele verschiedene Gedanken man haben kann, während man eine Rede hält. Tatsächlich hast auch du diese. Zum Beispiel: *"Reagieren die Leute gut auf mich? Warum spielt der Typ mit seinem Handy, anstatt bei der Sache zu sein? Wo geht diese Person hin?"* usw. Doch diese Fragen sind nicht wichtig, viel wichtiger ist, ermutigende Gedanken zu wählen, die deine Präsentationsfähigkeiten unterstützen.

Der am meisten gefürchtete *"Was ist, wenn.."*. *Gedanke* ist der, während dem Reden einen Blackout zu bekommen. Mach dir hier bewusst, dass wenn du mit deiner Angst im Hier und Jetzt präsent bist, du dich viel besser konzentrieren und auf dein Gedächtnis zurückgreifen kannst. Wenn du mit Stichwortnotizen arbeitest, wirst du feststellen, dass du mühelos von einem Punkt zum nächsten fließen kannst. Dies liegt daran, dass dein ängstlicher Verstand dir nicht im Weg steht und nicht ständig damit bemüht ist, gegen die Angst anzukämpfen. So ist der Abruf von Informationen aus deinem Kurz- und Langzeitgedächtnis ununterbrochen möglich. Ein zusätzlicher Vorteil davon, präsent zu sein, ist, dass du auf Zwischenfälle, wie beispielsweise unerwartete Fragen oder humorvolle Zwischenrufe adäquat reagieren kannst.

Gleichwohl muss ich eingestehen, dass mir persönlich dies auch nicht immer gelingt. Auch ich habe den einen oder anderen Rückschlag und vergesse manchmal, meinem eigenen Rat zu folgen. Ich möchte dir hierzu eine kurze Geschichte erzählen, die davon handelt, was man vor einem Auftritt *nicht tun sollte...*

Nachdem ich meine Ängste überwunden hatte, habe ich immer nach Wegen gesucht, mich selbst herauszufordern und meine Komfortzone immer mehr zu erweitern. Vor ein paar Jahren habe ich etwas getan, das ich zu Zeiten meiner Angststörung nie geträumt hätte, tun zu können. Ich habe mich einer Amateur-Schauspielgruppe angeschlossen. Beim Schauspielern ist es nicht nur die Angst davor, den Text zu vergessen, sondern hinzu kommt auch noch die Angst, die anderen Akteure im Stich zu lassen. Ganz zu schweigen von der Regie, dem Bühnenchef, dem Lichtdesigner... ahhhhh!

Unsere erste Produktion war eine Reihe von Kurzfilmen zum Thema Romantik. Ich war mit einer attraktiven, jungen Frau namens Robin besetzt, die auch neu in der Schauspielerei war. Unsere gemeinsame Szene war die eines nervösen, ersten Dinner-Dates. Wir hatten die Szene tausendmal geprobt und waren beide sehr zuversichtlich, als wir hinter der Bühne saßen und auf unseren Auftritt warteten. Tatsächlich waren wir so zuversichtlich, dass wir dachten, es wäre eine gute Idee, bereits jetzt etwas zu feiern und die Flasche Wein zu öffnen, die Teil unserer Dinner-Szene war. Wir begründeten dies damit, dass die Szene ja erst nach dem Abendessen stattfand. Wir hatten ein paar Gläser (besser gesagt, ich hatte ein paar Gläser) und füllten dann die fast leere Flasche mit Wasser auf - würde ja niemand bemerken, oder?

Als es an der Zeit war, auf die Bühne zu gehen, fühlte ich mich total selbstsicher und freute mich auf meinen ersten Auftritt in einem vollbesetzten Theater. Wir gingen auf die Bühne und setzten uns an den Tisch, die Lichter richteten sich auf uns und ich hatte einen totalen Blackout! Es war wie als ob der Teil meines Gehirns, in dem alle meine Texte gespeichert waren, vollkommen unzugänglich war. Vermutlich kennst du dieses Gefühl. Du weißt, dass die Informationen da sind und du schon tausende Male darauf zugegriffen hast, aber aus irgendeinem Grund kommst du einfach nicht an sie heran, wie als ob die Datei gelöscht wäre.

Robin eröffnete die Szene und glücklicherweise lösten ihre ersten paar Sätze eine Erinnerung an meinen Text aus. Aber dann, als sie wieder sprach, spürte ich, wie sich die Angst und ein Gefühl schieren Terrors über mich legte, dass ich meine nächsten Sätze vergessen würde. Interessanterweise handelte es sich bei der Szene um ein sehr unangenehmes erstes Date und ich hatte aufgehört, zu schauspielern und fühlte mich wirklich sehr unangenehm. Meine vorherige Gelassenheit und mein Selbstbewusstsein waren wie weggeblasen und hatten sich stattdessen in die Angst, einen totalen Narren aus mir zu machen, entwickelt. Natürlich ist dann passiert, was passieren musste. Ich war an der Reihe zu sprechen und hatte keine Ahnung, was ich sagen sollte. Totaler Blackout. Ich hatte keine andere Wahl, als den stellvertretenden Regieassistenten, der hinter der Bühne stand, darum zu bitten, mir meinen Text zu sagen. Mein Selbstvertrauen war erschüttert, ich fühlte mich völlig verunsichert und wünschte mir nichts sehnlicher, als dass die Szene so schnell wie möglich zu Ende geht. Ich krampfte mich durch den Rest der Szene und als wir von der Bühne kamen, schwor ich mir, nie wieder einen Schluck Alkohol vor einem Auftritt zu trinken.

Ironischerweise sagte der Regisseur, dass dies wahrscheinlich die beste Szene des Abends war, weil das Publikum dachte, dass unser aufrichtiges Unwohlsein auf unser angeborenes Talent zurückzuführen sei. Wenn nur meine Kollegin Robin dies auch so empfunden hätte... wir haben sie nie wieder gesehen.

Seit diesem Vorfall haben wir viele weitere Stücke gespielt, die mir alle sehr viel Freude bereitet haben. Aber dieser Vorfall hat mir gezeigt, welche verheerenden Auswirkungen Alkohol bei öffentlichen Auftritten haben kann. Vielleicht warst du bisher der Ansicht, dass das ein- oder andere Glas Alkohol eine gute Idee ist und dir hilft, zu entspannen. Aber sei gewarnt, Alkohol kann einen dramatischen Effekt auf dein Erinnerungsvermögen haben. Ein Glas vor deiner Rede als Trauzeuge ist sicher kein Problem, bei allen anderen Auftritten aber keine gute Idee.

## DARE BEI AGORAPHOBIE

Die Agoraphobie ist definiert als eine extreme, irrationale Angst vor weiten Plätzen und/oder öffentlichen Orten. Was sich wirklich dahinter verbirgt, ist die extreme Angst, irgendwo außerhalb des eigenen Zuhauses eine Panikattacke zu bekommen. Ich denke, dass viele Menschen, die wiederkehrende Panikattacken haben, in gewissem Maße von der Agoraphobie betroffen sind. Einige von ihnen nennen sich vielleicht "funktionierende Agoraphobiker", was bedeutet, dass sie in einem engen Umkreis um ihr Zuhause herum funktionieren können - sie können lokal einkaufen gehen oder die Kinder von der Schule abholen, aber außerhalb dieser Zone können sie nicht viel tun.

Agoraphobiker befürchten, dass, wenn es zu einer Panikattacke kommt, sich niemand um sie kümmern und beruhigen könnte. Sie fühlen sich den Menschen und dem Ort, an dem sie sich befinden, ausgeliefert. In ihrer extremen Form kann Agoraphobie dazu führen, dass Menschen über lange Zeiträume hinweg an ihr Zuhause gebunden sind und dieses nicht mehr verlassen.

*Wenn du an Agoraphobie leidest, lies bitte das Kapitel "Verlasse deine Komfortzone", dort findest du hilfreiche Tipps, wie du mithilfe von DARE lernen kannst, Schritt für Schritt deine Sicherheitszone zu erweitern.*

## DARE BEI ANGST, IN DEN URLAUB ZU FAHREN

Ich möchte kurz auf eine sehr häufig verbreitete Angst eingehen, nämlich die Angst davor, in den Urlaub zu fahren. Die Vorstellung davon in den Urlaub zu fahren, wirft in der Regel folgende Befürchtungen auf:

- Angst davor, weit weg von zu Hause zu sein.

- Unbehagen in fremden, neuen Umgebungen (z. B. fremdes Essen /Orte/Geräusche).

- Angst davor, mit Leuten (Freunden/Familie) Urlaub zu verbringen, die dein Problem vielleicht nicht verstehen.

- Angst davor, den Urlaub nicht genießen zu können und jede Minute damit zu verbringen, wieder zu Hause sein zu wollen.

In den Urlaub zu reisen ist eine großartige Möglichkeit, dein Selbstvertrauen zu stärken, da es dir die Möglichkeit gibt, deine begrenzte Sicherheitszone zu verlassen und DARE zu üben. In solchen Situationen hast du die Chance, wirklich zu begreifen, dass die Vorstellung, dass eine gewisse Entfernung für deine Sicherheit relevant sei, eine Illusion ist. Es geht immer um dich und wie du mit der Angst umgehst, wenn sie sich manifestiert, unabhängig davon, wo du dich befindest. Bewaffnet mit DARE kannst du jetzt in den Urlaub fahren und sicher sein, dass du, mit allem was auch immer passieren mag, umgehen kannst.

Die tatsächlich größte Herausforderung ist dabei meist die Angst vor dem Urlaub, die ich hier als "Erwartungs-Angst" beschreibe. Hier geht es um die Sorge um den Flug, die Sorge um die Unterkunft, die Sorge um die Heimkehr. Solche Sorgen vor einem Urlaub sind zu erwarten, vor allem, wenn es sich um eine Reise handelt, die man schon lange nicht mehr unternommen hat. **Entschärfe** auch hier alle Erwartungs-Angst und vertraue darauf, dass, sobald der Urlaub dann losgeht, deine Angst tatsächlich gar nicht so ein großes Problem sein wird, wie du vielleicht erwartet hast.

Ein Urlaub hat den Vorteil, dass man durch die neuen Eindrücke so sehr eingenommen ist, dass man gar keine Zeit hat, über seine Angst nachzudenken. Sollte dir die Angst im Urlaub einen Besuch abstatten, dann tue dein Bestes, dich nicht darüber zu ärgern. Erinnere dich daran, dass es nie die Erwartung war, im Urlaub keine Angst zu verspüren, sondern darum, eine gute Zeit mit deinen Freunden und deiner Familie zu haben, unabhängig davon, ob die Angst präsent ist oder nicht. Das zu tun ist eine große Leistung. Plane deine Reise mit der Einstellung, deine Angst bewusst mitzunehmen und packe ihr in Gedanken eine kleine Tasche mit ein. Und auch wenn die Angst die ganze Reise über bleiben möchte, ist das okay. Das Wichtigste ist, dass du dich nicht davon abhalten lässt, zu gehen. Wenn du dies tust, wirst du mit einem gestärkten Selbstvertrauen nach Hause zurückkehren, denn du wirst dir wirklich bewiesen haben, dass die Idee einer sicheren Zone eine Illusion ist. Du wirst weit außerhalb deiner Sicherheitszone gereist und am Ende sogar eine gute Zeit gehabt haben. Herausforderungen zu Hause werden dir dann viel einfacher erscheinen.

## DARE BEI MORGENDLICHEN ANGSTZUSTÄNDEN

Viele Betroffene berichten, dass ihre Ängste am Morgen am stärksten sind. Es gibt tatsächlich wissenschaftliche Beweise dafür, warum dies so ist. Die überwiegende Mehrheit der Menschen hat am Vormittag die stärkste Ausschüttung des Stresshormons Cortisol. Dies kann für einige bedeuten, dass sie eine bis zu 50 %-ige Erhöhung des Cortisolspiegels innerhalb von zwanzig bis dreißig Minuten *nach* dem Aufwachen am Morgen haben. Im Laufe des Tages sinken die Cortisolwerte dann wieder ab, wobei die Werte in der ersten Hälfte der Nacht ihren Tiefpunkt erreichen. Diese Erhöhung des Cortisolspiegels wird von Menschen, die bereits ängstlich und sensibilisiert sind, stärker wahrgenommen.

Die morgendliche Anspannung wird durch die träge Natur unseres Körpers und Geistes am Morgen noch verstärkt und kann dazu führen, dass man sich ein wenig wie "eingenebelt" fühlt, was wiederum noch mehr Frustration und Sorgen auslöst. Man kennt den Ausdruck: *"Er oder sie ist ein Morgenmuffel".* Der Grund, warum Menschen jeden Morgen Kaffee trinken, ist, um aus dieser morgendlichen Trägheit rauszukommen. Beobachte deshalb, was in deinem Körper geschieht und lass dich nicht verunsichern. Morgendliche Anspannung bedeutet nicht, dass du keine Fortschritte machst oder dass deine Ängste schlimmer werden. Dieser träge Zustand legt sich im Laufe des Morgens, vor allem, wenn du DARE anwendest. Erlaube der Angst präsent zu sein und lenke die nervöse Energie, die du fühlst, zielgerichtet in positive Aktivitäten! Zusätzlich kannst du folgende Schritte tun:

1. Trinke ein großes Glas **frisches Wasser.**

2. Öffne das Fenster und lass etwas frische Luft herein. Dann beginne damit, deinen Körper **leicht zu dehnen.**

3. Nimm eine **kalte Dusche!** Nein, dies ist nicht besonders angenehm, aber durch den Schock des kalten Wassers wird sich der nervöse Schleier heben und du wirst dich augenblicklich wacher fühlen. Wenn das zu intensiv für dich ist, dann nimm eine Wechseldusche und variiere die Temperatur zwischen kalt und warm. Kalt zu duschen bringt zusätzlich gesundheitliche Vorteile mit sich. Studien zeigen, dass regelmäßige, kalte Duschgänge unser Immunsystem stärken, da hierbei die Anzahl der weißen Blutkörperchen ansteigt.

4. Iss ein **ausgewogenes Frühstück.** Meide raffinierten Zucker, Kaffee und koffeinhaltigen Tee. Stattdessen kannst du eine Tasse heißes Wasser mit einer Scheibe Zitrone trinken. Dies ist eine tolle Möglichkeit, deinem gesamten Immunsystem (insbesondere deiner Leber) einen gesunden Aufschwung am Morgen zu geben. Lass das Frühstück auf keinen Fall aus, egal wie sehr die Zeit drängt.

5. Solltest du am Vormittag nicht etwas Bestimmtes zu tun haben, dann solltest du etwas finden, das dich beschäftigt. **Bleib nicht untätig.** Wenn du untätig bleibst, wird sich dein Verstand nach innen wenden und du wirst ständig in dich "hineinhorchen", um zu überprüfen, wie es mit deiner Angst steht. Sorge dafür, dass du eine Routine hast und deinem Morgen einen Sinn gibst. Beschäftigung ist oft der entscheidende Schlüssel, wenn es darum geht, schnell aus ängstlichen Gefühlen herauszukommen.

# DARE BEI SCHLAFSTÖRUNGEN UND NÄCHTLICHER PANIK

Es sind meist eine der folgenden zwei Dinge, die Menschen nachts wach halten: Körperliche Schmerzen und/oder Sorgen. Insomnie ist der medizinische Begriff für Schlaflosigkeit oder Schlafstörungen. Nach einigen schlaflosen Nächten sorgen sich Betroffene bereits Stunden vor dem Zubettgehen darüber, ob sie in der kommenden Nacht wohl schlafen werden können.

Wenn du unter Schlafstörungen leidest, musst du den Kreislauf durchbrechen, indem du das, was nachts geschieht, voll und ganz zulässt. Versuche nicht, das Schlafen zu erzwingen, da dies das Problem nur noch verschlimmert. Gehe mit der Haltung zu Bett, dass diese Nacht eine mögliche Gelegenheit zum Schlafen ist, aber kein Muss. Auf diese Weise nimmst du dir den Druck, schlafen zu müssen.

Immer dann, wenn die Frage: *"Werde ich heute Nacht wohl schlafen?"* auftaucht, sag dir: *"Vielleicht ja, vielleicht nein"*. Sei dir bewusst und versuche zu akzeptieren, dass du momentan -aus welchen Gründen auch immer- durch eine Phase von Schlaflosigkeit gehst, in der ein erholsamer Schlaf einfach nicht garantiert ist. **Entschärfe** die ängstlichen *"Was ist, wenn.."*. *Gedanken* mit einer abweisenden und gleichgültigen Antwort, wie:

*"Ach, was soll`s! Wenn ich ein oder zwei Stunden schlafen kann, ist das schon nicht schlecht. Und wenn ich überhaupt keinen Schlaf bekomme ist es auch nicht schlimm, ich werde es überleben".*

Dann **erlaube** alles, was in dieser Nacht geschieht. Diese offene Akzeptanz wird dir das Gefühl der Frustration darüber, nicht schlafen zu können, nehmen. Sag dir jede Nacht, wenn du ins Bett gehst:

*"Ich mache mich bettfertig, aber ich werde nicht versuchen, meinen Schlaf zu erzwingen. Wenn ich schlafen kann - gut. Und wenn nicht, werde ich mich nicht darüber ärgern. Dies ist nur eine Phase, die ich durchmache und mein normaler Schlafrhythmus wird sich schon bald wieder einpendeln".*

Es ist wichtig, sich bewusst zu machen, dass jeder Mensch von Zeit zu Zeit Perioden von Schlaflosigkeit durchlebt. Dies kann verschiedenste Gründe haben. Ab einem bestimmten Punkt ist es jedoch die Wut und

Frustration darüber, nicht schlafen zu können, die einen wach hält. Um diesen Kreislauf zu durchbrechen, ist es von großer Bedeutung, diese vorübergehende Phase der Schlaflosigkeit zu akzeptieren.

Nimm dir selbst den Druck, schlafen zu müssen und lasse zu, was auch immer im Laufe einer Nacht passieren mag oder nicht. Wenn dir dies schwerfällt und du mit der Frustration, nicht schlafen zu können, kämpfst, dann wende die **paradoxe Vorgehensweise an und versuche stattdessen, wach zu bleiben**. Sag dir selbst, dass du dein Bestes geben wirst, die ganze Nacht über wach zu bleiben. Dies allein kann ausreichen, die Frustration zu überwinden und dich kurz darauf einschlafen zu lassen. Vermeide es, dich mit "To-Do Listen" zu beschäftigen oder über negative Ereignisse des Tages nachzudenken. Konzentriere dich stattdessen während du im Bett liegst einfach auf deinen Atem.

Hier sind einige zusätzliche Tipps, um günstige Schlafbedingungen zu schaffen und was man tun kann, wenn der Schlaf einfach nicht kommen möchte.

- Nimm nach Möglichkeit vor dem Schlafengehen ein warmes Bad mit mehreren Tropfen Lavendelöl. Das warme Wasser entspannt deine Muskulatur und der Duft des Lavendelöls wirkt beruhigend. Wenn du nicht baden kannst oder möchtest, dann nimm eine lange, heiße Dusche.

- Nimm 300 mg Magnesium ein, bevor du ins Bett gehst. Magnesium ist eine gute Schlafhilfe, da es die Muskelentspannung unterstützt. (Mehr zu Magnesium im Kapitel "Beschleunige deine Heilung").

- Sorge dafür, dass dein Schlafzimmer die richtige Temperatur hat. Es ist einfacher, in einem eher kühlen Raum einzuschlafen, als wenn es zu warm ist. Die empfohlene Temperatur liegt zwischen 18 bis 22 Grad Celsius. Finde die Temperatur, die für dich persönlich ideal ist. Ein zu warmer Raum oder zu viele Decken sind in vielen Fällen einer der Hauptgründe für einen unruhigen Schlaf.

- Wenn dein Geist sehr aktiv ist, solltest du für kurze Zeit einen Roman lesen, bevor du das Licht ausschaltest. Romane sind deshalb eine gute Einschlafhilfe, da sie die rechte Seite des Gehirns stimulieren. Diese steuert die Vorstellungskraft und Visualisierung und hilft, den Teil, der für die analytischen Funktionen verantwortlich ist und sich gerne Sorgen macht, zu beruhigen. Damit dies effektiv ist, solltest du ein Buch wählen, welches nicht zu einnehmend ist und darauf achten, dass es ein Roman ist (keine Zeitung oder Fachbücher).

- Verwende eine Augenmaske. In einem sensibilisierten Zustand neigt man dazu, sehr empfindlich auf Licht und Geräusche zu reagieren. Schon das geringste Licht, das in den Raum fällt, kann deine Schlafqualität beeinträchtigen. Am Anfang ist eine Augenmaske ungewohnt, nach der dritten Nacht hat man sich aber schon an sie gewöhnt.

- Wenn du mitten in der Nacht aufwachst, verlasse dein Bett nicht - versuche liegen zu bleiben. Das Aufstehen würde deinen Schlafrhythmus nur noch weiter stören. Es ist am besten, bei ausgeschaltetem Licht im Bett liegen zu bleiben. Dies sendet deinem Gehirn die Botschaft, dass es weiterhin Schlafenszeit ist. Wenn du sehr wach bist, lies noch ein paar Seiten eines Romans und schalte das Licht aus, sobald du dich wieder schläfrig fühlst.

- Sollten deine Gedanken einfach nicht zur Ruhe kommen, schalte das Licht an, nimm einen Stift und ein Blatt Papier und schreibe alle deine Sorgen auf (z. B.: "Morgen muss ich x, y, z tun ... und dabei werde ich nicht geschlafen haben... und was ist, wenn.."., etc.). Schreibe so lange weiter, bis die Übung dich langweilt. Es ist wichtig es zu übertreiben, damit dein Verstand die aufgestaute Energie, die dich wachhält, abbauen kann. Einer der Gründe, warum wir nicht einschlafen können, ist, dass unser Verstand denkt, dass diese Sorgen wichtig sind und immer und immer wieder analysiert werden müssen. Das Aufschreiben all deiner Sorgen hat den Effekt, dass du deinem Verstand sagst: *"Okay, lieber Verstand, du denkst, diese Dinge sind wichtig. Ich habe sie alle detailliert aufgeschrieben. Sie werden nicht vergessen, versprochen. Ich kann mich morgen wieder um sie kümmern - doch JETZT, lass uns schlafen".* Der Verstand kann manchmal wie ein kleines Kind sein, welches Gewissheit braucht, dass man sich um die Dinge kümmert und alles in Ordnung bringt. Mehr braucht es meist nicht, diese Sorgen loszulassen. Wenn du dies tust, wirst du am Morgen feststellen, dass fast alle Sorgen oder Bedenken gar nicht so wichtig waren.

## NACHTPANIK

Manche Menschen, die an Angstzuständen leiden, werden nachts durch Panikattacken geweckt. Oft beschreiben diese sie so:

*"Genau in dem Moment, wo ich gerade am einschlafen bin, durchzieht mich ein Gefühl wie ein Stromschlag. Ich schrecke auf und bin dann für Stunden wach".*

Dieses Aufschrecken wird als "hypnagogischer Schreck" bezeichnet. Ein hypnagogischer Schreck tritt normalerweise auf, wenn man gerade dabei ist, einzuschlafen. Dieses Phänomen wird oft als ein Gefühl von Fallen oder als Stromschlag beschrieben und es ist ein völlig natürliches Erlebnis. Es tritt vor allem dann auf, wenn wir unruhig schlafen oder übermüdet sind. Obwohl es zu diesem Thema noch wenig Forschung gibt, gibt es doch einige Theorien darüber, warum ein hypnagogischer Schreck auftritt. Beim Einschlafen durchgeht der Körper Veränderungen in der Temperatur, der Atmung und der Muskelspannung. Das Aufschrecken kann die Folge der Entspannung der Muskeln sein. Das Gehirn interpretiert dies als Zeichen des Fallens und signalisiert den Gliedmaßen, aufzuwachen, woraufhin die Arme und Beine ruckartig die Entspannung lösen und den Körper in Bewegung versetzen.

Bei vielen Menschen triggert dieses Aufschrecken eine Panikattacke, da sie ohnehin schon wegen ihrer Angstzustände sensibilisiert sind und denken, dass dieses Aufschrecken etwas Schlimmes bedeuten könnte. Auch hier ist es eine ängstliche Reaktion auf eine Empfindung. Im

Moment des Aufschreckens bekommen Betroffene oft Angst und schnappen nach Luft, was sich dann in eine Angst vor einem Atem- oder Herzproblem während des Schlafes entwickeln kann.

Wenn du davon betroffen bist, kann schon alleine das Wissen darüber, was gerade passiert, dir die Angst vor dieser Erfahrung nehmen. Erinnere dich daran, dass dies kein Grund zur Sorge ist und dass du dir keine Gedanken darüber machen musst. Es hat keinen Einfluss auf deine Körperfunktionen und stellt keine Gefahr für dich dar. Nebenbei bemerkt: Menschen, die an Flugangst leiden, erleben dieses Aufschrecken oft auf Langstreckenflügen, weil sie in einer unbequemen Position in den Schlaf driften und deswegen dann erwachen. Dies wäre normalerweise kein Problem für sie, aber allein die Tatsache, dass sie in einem Flugzeug sitzen, ist oft Grund genug, dass sie vor dieser Empfindung Angst bekommen.

## DARE BEI ANGST VOR SPORT/IM FITNESSSTUDIO

Einer der größten Auslöser für Panikattacken bei vielen Menschen ist das Auftreten einer intensiven Körperempfindung aus heiterem Himmel. Empfindungen wie ein pochendes Herz, eine erhöhte Atemfrequenz oder Hitzewallungen (die wir im vorherigen Kapitel behandelt haben) können sehr beunruhigend sein. Und doch sind dies genau die Empfindungen, die durch ein intensives Training ausgelöst werden. Aus diesem Grund berichten viele Menschen über Panikattacken im Fitnessstudio und entwickeln eine Phobie rund um jede Übung, die diese Empfindung triggern könnte.

Bewaffnet mit DARE kannst du von nun an Sport dazu nutzen, sowohl deine körperliche Fitness als auch dein Selbstvertrauen in deinen Körper zu stärken. Was folgt, ist eine Strategie für diejenigen, die Angst vor intensiven Körperempfindungen haben (was so ziemlich jeden einschließt, der Panikattacken hat).

Das Ziel ist, einzig und allein mit der Absicht in den Park oder ins Fitnessstudio zu gehen, um sich mit den aufkommenden Körperempfindungen vertraut zu machen. Ich nehme hier das Laufband als Beispiel. Dieses Beispiel kann aber auf jedes Training angewendet werden, das deinen Puls erhöht und dich zum Schwitzen bringt:

Beginne mit einem zügigen Spaziergang und arbeite dich dann von einem niedrigen zu einem mittleren Tempo auf dem Laufband hoch. Sobald die Empfindungen (Herzklopfen, Schwitzen, gesteigerte Atmung) auftreten, verlangsame dein Tempo und gehe zurück zu zügigem Gehen. Praktiziere jetzt die DARE Schritte, während du gemütlich gehst. **Entschärfe** zunächst ängstliche *"Was ist, wenn.."*. *Gedanken.*

*"Was ist, wenn mein Herz nicht aufhört so schnell zu schlagen?"*

"Na und was soll's! Wenn mein Herz schnell schlagen will, soll es das".

*"Was ist, wenn meine Atmung so schwerfällig bleibt?"*

"Oh nun, es ist okay, auch wenn sie schwerfällig bleibt. Keine große Sache. Sie wird sich irgendwann wieder beruhigen".

**Erlaube** allen Empfindungen, präsent zu sein. Sag dir immer und immer wieder: *"Ich akzeptiere und erlaube dieses ängstliche Gefühl. Ich akzeptiere und erlaube diese ängstlichen Gedanken".*

Wenn du das Gefühl hast, dass die Angst sich in ein Gefühl der Panik steigert, **renne auf sie zu**. Fordere mehr. Du läufst auf deine Angst zu, indem du forderst, dass dein Herz noch schneller schlägt oder dass deine Atmung noch schwerfälliger wird. Das Gute am langsam Gehen und nicht schnell Laufen in dieser Phase ist, dass du weisst, dass sich die Empfindungen ohnehin beruhigen werden, da sich dein Körper von einem angestrengten Zustand erholt.

Nach ein paar Minuten Gehen sind alle Empfindungen verschwunden und dein Körper wird sich angenehm erholt haben. Wenn du bereit bist, beginne wieder mit dem Joggen und wiederhole die Übung. Du möchtest die Empfindungen gerade so reizen, dass sie präsent sind, aber nicht so sehr, dass sie dich überwältigen. Du gibst dir die Möglichkeit, dich mit den Empfindungen auf kontrollierte Weise vertraut zu machen.

Schwindel ist beispielsweise etwas, was durchaus beim Training vorkommen kann und oft eine große Herausforderung für ängstliche Menschen ist. Nach dem Absteigen vom Laufband ist es typisch, sich kurz etwas schwindelig zu fühlen. Dies ist eine tolle Möglichkeit, DARE zu üben. Dein ängstlicher Verstand könnte mit *"Was ist, wenn*

*ich ohnmächtig werde?"* Alarm schlagen, worauf du dann antwortest: *"Na und! Und wenn schon! Ich setze mich hin und warte, bis es vorbei geht. Wenn ich Hilfe brauche, gibt es hier genügend Leute, die mir helfen können".* Während du dich ausruhst, lässt du das Gefühl dann einfach da sein, ohne dich darüber aufzuregen oder es wegzudrücken. Und wenn du bereit bist, gehst du dann zu einer anderen Übung über.

**Konzentriere** dich auf eine Übung, die deine volle Aufmerksamkeit erfordert. Durch diese vollständige Präsenz reduzierst du die Wahrscheinlichkeit, dass weitere ängstliche Gedanken auftauchen. Wichtig ist, es nicht zu übertreiben und zu schnell, zu viel zu tun. Baue dein Selbstvertrauen langsam auf. Bereits nach wenigen Malen des Übens von DARE wirst du viel mehr Selbstvertrauen im Umgang mit jedem ängstlichen Körpergefühl haben, das du innerhalb oder außerhalb des Fitnessstudios verspürst.

## DARE BEI ANGST VOR DEM ARZTBESUCH

Bei routinemäßigen Kontrollen der Blutdruckwerte sind viele Betroffene angespannt. Diese initiale Anspannung kann dazu führen, dass die Resultate verfälscht werden. Viele Ärzte sind sich dessen bewusst und nennen diesen Umstand oft auch das "Weisskittel-Symptom", da allein die Präsenz eines Arztes bei manchen Menschen zur Erhöhung des Blutdrucks führen kann.

Wenn dies bei dir der Fall ist, ist es wichtig, dass du deinem Arzt von deiner Angst erzählst. Allein das Ansprechen deiner Anspannung gegenüber deinem Arzt kann genügen, dich zu beruhigen. Erzähle deinem Arzt ruhig von DARE und dass du diesen Ansatz anwendest. Meiner Erfahrung nach sind viele Ärzte offen gegenüber nicht-pharmazeutischen Ansätzen, die ihren Patienten helfen können.

Wenn du mit deinem Arzt über deine Angst gesprochen hast und ein genauer Messwert nötig ist, besteht die Möglichkeit, ein mobiles 24-h Stunden Blutdruckmessgerät zu nutzen, welches in regelmäßigen Abständen während des Tages und der Nacht deinen Blutdruck misst. Dies ist deshalb wichtig, da dein Nervensystem -auch während der Anwendung von DARE- noch übersensibilisiert ist und deine Testergebnisse in der Praxis beeinflussen kann.

# DARE BEI TOILETTENPHOBIE

Es gibt eine Reihe verschiedener Phobien in Bezug auf die Toilette. Hier möchte ich aber nur auf die am häufigsten vorkommende eingehen: Die Angst, es nicht rechtzeitig auf die Toilette zu schaffen. Niemand sollte sich für diese Angst schämen. Sie ist weit verbreitet und es ist möglich, sie zu überwinden. Betroffene fürchten hierbei, es nicht rechtzeitig auf die Toilette zu schaffen und sich somit in Verlegenheit zu bringen. Diese Furcht tritt zumeist in Gesellschaft anderer auf und ist eher selten, wenn Betroffene alleine sind. Betroffene haben durch diese Angst oft das Gefühl, sie hätten eine schwache Blase, weswegen sie öfter die Toilette benutzen. In den meisten Fällen liegt aber kein körperliches Problem vor, sondern ein rein psychisches. Wie bei allen situativen Ängsten sind auch hier die *"Was ist, wenn.."*. *Gedanken* der Treibstoff.

*"Was ist, wenn ich es nicht rechtzeitig auf die Toilette schaffe?"*

Nachfolgend zeige ich dir Schritt für Schritt, wie du diese Angst überwinden kannst. Betroffene malen sich häufig die schlimmsten Szenarien aus, in denen sie es nicht rechtzeitig auf die Toilette schaffen und sich furchtbar in Verlegenheit bringen. Die Lösung besteht darin, wieder Vertrauen in den eigenen Körper zu gewinnen und die Angst, sich öffentlich bloßzustellen, abzulegen.

Beginne damit, dich in Situationen zu begeben, von denen du weisst, dass dort eine Toilette verfügbar ist. Entferne dich allerdings so weit weg von dieser, dass du deine Angst herausforderst. Nehmen wir als Beispiel den Besuch in einem Einkaufszentrum. Wenn du das Einkaufszentrum betrittst und deine Angst zu steigen beginnt, suche dir einen Platz und setze dich hin. Wenn die ängstlichen *"Was ist, wenn.."*. *Gedanken* auftauchen, **entschärfe** sie folgendermaßen:

*"Was auch immer! Ich mache mir absolut keine Sorgen, da ich vollstes Vertrauen in meinen Körper habe".*

Dann arbeitest du dich durch die DARE Schritte, indem du **zulässt**, dass die Angst präsent sein darf. Erst dann, wenn die Angst beginnt nachzulassen, stehst du auf und gehst dann langsam und ruhig auf die Toilette. Wenn du dort ankommst, wirst du vielleicht feststellen, dass du gar nicht mehr gehen musst. Der wichtigste Punkt ist, dich erst dann in Richtung der Toilette zu bewegen, wenn du das Gefühl hast, dass du – und nicht die Angst - entscheidest, ob und wann du gehst. Wenn du jedes Mal zur Toilette rennst, wenn du den Drang verspürst, verstärkst du die Idee, dass du keine Kontrolle über die Situation hast. Indem du dich durch die Angst durcharbeitest und nur dann gehst, wenn du bereit bist, wächst dein Vertrauen in deine Fähigkeit, deinen Körper zu kontrollieren, um das Zehnfache.

Zu Beginn solltest du dies üben, wenn du alleine unterwegs bist. Wenn du mit Freunden zusammen bist, kann die Angst, dich vor ihnen in Verlegenheit zu bringen, es dir schwieriger machen. Mit etwas Übung wirst du aber schon bald den Punkt erreichen, an dem du dich sehr viel sicherer fühlst, dein Bedürfnis auf die Toilette zu gehen, kontrollieren zu können.

## DARE BEI ANGST, AUSWÄRTS ZU ESSEN

Wer liebt es nicht, ein selbstgekochtes Essen bei Freunden zu genießen oder ein gutes Restaurant zu besuchen? Dieses Vergnügen wird für manche Betroffene jedoch getrübt, da während des Essens ängstliche *"Was ist, wenn..". Gedanken* auftauchen.

*"Was ist, wenn ich das Restaurant verlassen muss? Was werden meine Freunde/Kollegen nur denken?"*

"Na und, was soll`s. Ich werde eine Ausrede finden und einfach gehen".

*"Was ist, wenn ich gehen muss, nachdem meine Gastgeber sich so viel Mühe gegeben haben das leckere Essen zuzubereiten? Das ist so unhöflich!"*

"Was soll`s! Es ist nicht das Ende der Welt. Wenn ich gehen muss, werde ich sie am nächsten Tag anrufen und mich entschuldigen. Vielleicht schicke ich als Entschuldigung ein kleines Geschenk. Sie werden es verstehen."

*"Was ist, wenn sich mein Hals wieder so eng anfühlt und ich das Gefühl habe, dass ich das Essen nicht schlucken kann?"*

"Egal. Dann ist es eben so. Ich werde das Essen einfach langsam kauen und soviel essen, wie ich eben kann. (Siehe hierzu auch das Kapitel "Keine Angst vor diesen Empfindungen").

Denke an weitere Beispiele von *"Was ist, wenn.."*. *Gedanken* und an Antworten, wie du diese entschärfen kannst. Das Wichtigste ist, entschieden und selbstbewusst auf diese Befürchtungen zu reagieren und dich nicht davon abhalten zu lassen, das Essen zu genießen. Wenn dich dein Partner oder Freunde fragen, ob du mit ihnen essen gehen möchtest, sag einfach Ja. Während du dann das Restaurant betrittst, sag dir selbst, wie sehr du dich freust, dort zu sein.

*"Ich bin begeistert von diesem Gefühl. Ich freue mich, dass ich beim Essen bin. Das wird ein toller Abend".*

Wenn du dich an den Tisch setzt, lass jede Angst, die du fühlst, da sein. Lass die Wellen kommen. **Erlaube** jeder Empfindung einfach da zu sein. Der Unruhe, dem Unwohlsein und auch dem flauen Gefühl im Magen, von welchem du insgeheim gehofft hast, dass es nicht auftauchen würde und das nun doch da ist. Wiederhole in Gedanken immer und immer wieder: *"Ich akzeptiere und erlaube dieses ängstliche Gefühl, ich akzeptiere und erlaube diese ängstlichen Gedanken".*

Sollte sich deine Angst in ein echtes Gefühl von Bedrohung steigern, dann **laufe auf deine Angst zu** und sage dir, dass du dich von diesem Gefühl begeistert fühlst. Sieh es als ein abenteuerliches Erlebnis.

Tue dein Bestes, im Moment präsent zu sein. Lies die Speisekarte oder führe ein Gespräch - währendem du die Angst die ganze Zeit über präsent sein lässt. Wenn du das Gefühl hast, dass du zu sehr in Gedanken und nicht bei der Sache bist, ärgere dich nicht darüber und nimm dir den Druck, eine gute Zeit haben zu müssen. Es ist okay, es nicht zu genießen. Du bist am Üben und jede neue Situation ist eine neue Lernerfahrung. Der wichtigste Schritt ist, das zu tun, wovor du Angst hast und beim nächsten Mal könntest du es wirklich genießen, wie du es früher immer getan hast. Ein letzter Tipp zum Ausgehen: Versuche, nicht zu viel Alkohol zu trinken. Wenn du unbedingt etwas trinken möchtest, trinke ein Glas Wein oder ein Bier, aber übertreibe es nicht. Du könntest dich am nächsten Tag noch ängstlicher fühlen und dies dann mit dem Auswärtsessen in Verbindung bringen.

## ZUSAMMENFASSUNG

Was du hier lernst, ist den Widerstand und die Angst vor den körperlichen und mentalen Empfindungen in bestimmten Situationen zu überwinden, die dir in der Vergangenheit Schwierigkeiten bereitet haben. So wird mit der Zeit aus einer überfüllten Zugfahrt, vor der man Angst haben muss, nur eine überfüllte Zugfahrt mit unangenehmen Körperempfindungen. Das Gleiche gilt für einen Flug oder eine andere Situation, in der du dich angespannt und nervös fühlst.

Zusammenfassend hier noch einmal ein paar Tipps und Hinweise zur Überwindung deiner Angst in bestimmten Situationen:

## MACHE DICH MIT DARE VERTRAUT

Mache dich gründlich mit den DARE Schritten vertraut und denke im Voraus darüber nach, wie du die Schritte in ängstlichen Situationen anwenden kannst. In der Nacht, bevor du zum Beispiel eine Busfahrt unternimmst, kannst du in deiner Vorstellung üben, wie du mit den Wellen der Angst umgehen wirst, wenn sie sich bemerkbar machen. Visualisiere, wie du erfolgreich mit der Angst umgehst, indem du jeden der 4 DARE Schritte gedanklich umsetzt. Denke immer daran, dass es nicht darum geht, keine Angst zu haben, sondern darum, erfolgreich mit der Angst umzugehen. Diese Visualisierungen werden dir helfen, die Schritte in der realen Situation leichter umsetzen zu können. Du kannst dir als Hilfe für unterwegs die DARE Schritte als Stichworte auf einer Karte oder in deinem Handy notieren, so dass du sie immer bei dir hast.

## BEGINNE MIT KLEINEN SCHRITTEN

Erstelle dir ein Tagebuch und eine Schritt-für-Schritt-Strategie, wie du die Situation, vor der du Angst hast, angehen wirst. Unterteile dein Vorhaben in kleine Schritte und versuche, nicht zu früh, zu viel zu tun. Wenn es dir schwerfällt, dich zu einer Herausforderung zu motivieren, dann unternimm nur einen kleinen Schritt in diese Richtung. Beim Autofahren könntest du beispielsweise damit beginnen, nur einmal um den Block herum zu fahren. Vielleicht wirst du, sobald du draußen bist und erst einmal fährst, dann sogar weiter als geplant fahren. Wichtig ist, den ersten Schritt zu machen. Oder wenn Aufzüge dein Problem sind, beginne damit, den Aufzug einfach nur zu betreten, die Türe schließen zu lassen und dann wieder auszusteigen. Wenn das Einkaufen deine Herausforderung ist, dann gehe und kaufe nur einen Artikel ein. Achte darauf, dass du dich selbst genügend herausforderst, so dass du ein gewisses Maß an Angst verspürst, wenn du dich in diese Situationen begibst. Wenn du keine Angst verspürst, gehst wahrscheinlich nicht weit genug aus deiner Komfortzone heraus.

## SUCHE DIR EINE HILFSPERSON, WENN DU SIE BRAUCHST

Für einige Menschen ist die Idee, sich einer ängstlichen Situation alleine zu stellen, undenkbar. In diesem Fall ist es in Ordnung, eine Begleitperson mitzunehmen, während du die DARE Schritte praktizierst und dein Vertrauen wieder aufbaust. Sobald du dich bereit fühlst, solltest du versuchen, der Situation alleine zu begegnen, damit du nicht zu sehr von deiner Begleitperson abhängig wirst. Diese Person kann dein Partner oder ein Freund sein. Du könntest auch einen Therapeuten beauftragen, der mit diesem Ansatz der Angstbewältigung vertraut ist. Ich kenne einige Menschen, die Angst vor dem Autofahren hatten und einen Fahrlehrer beauftragt haben, der sie beim Üben auf der Straße begleitet hat. Dies gab ihnen die nötige Sicherheit und Motivation, ihre Komfortzone stetig zu erweitern.

## VERLASSE DIE SITUATIONEN IMMER ZU DEINEN BEDINGUNGEN

Wenn du DARE erfolgreich auf eine in diesem Kapitel beschriebene Situation angewendet hast und dich in dieser Situation schon etwas wohler fühlst, solltest du darauf achten, die Situation oder den Ort am Ende nicht direkt zu verlassen. Das zu frühe Verlassen einer angstbesetzten Situation kann deinem Gehirn die Botschaft vermitteln, dass die Angst dich dazu gebracht hat, schnell wieder zu gehen. Je selbstbewusster du im Umgang mit deiner Angst wirst, desto länger solltest du in der Situation verbleiben und zwar so lange, bis du spürst, dass die Angst nachlässt. Wenn du nicht länger in der Situation bleiben möchtest, dann bleib wenigstens noch zehn Sekunden. Nur noch zehn Sekunden ... Und dann vielleicht noch zehn Sekunden. Versuche, dich mit jedem Mal zu steigern und du wirst bemerken, dass du auf diese Weise -auch mit kleinen Schritten- dein Selbstvertrauen stärkst.

Es dauert in der Regel ungefähr 45 Minuten, bis die Angst sich merklich reduziert hat. Egal, ob du also mit dem Auto um den Block fährst, im Fitnessstudio trainierst oder zum Arzt gehst, versuche dein Bestes, so lange dort zu bleiben, bis die Angst nachlässt. Dies wird dem ängstlichen Teil deines Verstandes die eindrückliche Botschaft senden, dass diese Situation nicht gefährlich ist. Wenn du letztlich die Situation zu deinen Bedingungen verlassen hast, wirst du feststellen, dass sich dein Erfolgsgefühl viel stärker verankert hat, als wenn du gleich gegangen wärst.

## ERSATZÜBUNGEN FINDEN

Wenn sich deine Angst um eine Situation dreht, die nicht leicht zu üben ist, wie z. B. das Fliegen, dann finde eine Situation, die dieser ähnlich ist. Hier ein Beispiel: Wenn es das klaustrophobische Gefühl im Flugzeug ist, was dir Angst macht, könntest du stattdessen mit dem Fahrstuhl fahren, was in der Regel ebenfalls ein klaustrophobisches Gefühl auslöst. Auf diese Weise kannst du dein Selbstvertrauen langsam und schrittweise aufbauen. Wenn du dich dann der echten Situation stellst, wirst du auf diese neuen Fähigkeiten schnell und geübt zugreifen können.

## RÜCKSCHLÄGE ÜBERWINDEN

Es wird Zeiten geben, in denen es nicht so gut funktionieren wird, wie du erwartet hast. Und auch das ist in Ordnung. Dies bedeutet nicht, dass es ein Misserfolg ist; Rückschläge sind Teil des Heilungsprozesses. Erwarte nicht, es immer zu 100 % richtig zu machen. Wichtig ist, dass du nicht aufhörst und immer wieder aufstehst und weitermachst. Wie Winston Churchill sagte: *"Gib nicht auf, gib niemals auf, niemals, niemals, niemals"*.

Ich hoffe, du hast nun ein gutes Verständnis dafür bekommen, wie du DARE in verschiedenen Situationen anwenden kannst. Denke daran, dass deine Angst nicht in der Situation selbst liegt, sondern in deinem Widerstand gegen die Empfindungen, die du fühlst. Sobald du gelernt hast, dich mit diesen Empfindungen sicherer zu fühlen, werden dich diese Situationen nicht mehr belasten.

Ich kann nicht genug betonen, wie wichtig es ist, dass du dies alles nun umsetzt und übst! Nur durch das Umsetzen in der Praxis wirst du deine Reaktion gegenüber deiner Angst umlernen können. Für zusätzliche Unterstützung bei diesem Prozess kannst du die kostenlosen Audios herunterladen, die diesem Buch beiliegen.

📱 Besuche dazu: www.dareresponse.de/welcome

# KEINE ANGST VOR ÄNGSTLICHEN GEDANKEN

Wir können die Welt um uns herum nicht kontrollieren, wir können nur unsere Reaktion auf sie kontrollieren.

"Stress" ist das Schlagwort unserer heutigen Zeit. Alles, worüber die Medien jemals zu sprechen scheinen, ist Stress. Dieser Stress ist etwas, was uns angeblich angetan wird. Wir bekommen die Botschaft, dass wir durch die schnelllebige Welt, in der wir heute leben, alle Opfer von Stress sind. Niemand redet mehr über *Sorgen*. Selbst in der therapeutischen Welt ist dieses Wort fast aus der Mode gekommen, was ich sehr bedauerlich finde. Ich bevorzuge das Wort "Sorge", da es ein genaueres Bild davon wiedergibt, was wirklich in unseren Köpfen und unseren Herzen vor sich geht.

Generalisierte Ängste werden nicht durch Stress verursacht - sie werden durch Sorgen verursacht. Wir sind gestresst, weil wir besorgt sind. Wir sind nicht gestresst, weil wir die Kinder in die Schule fahren, zur Arbeit gehen und Geld verdienen müssen, um unser Haus abzubezahlen. Wir sind gestresst, weil wir uns um all diese Dinge sorgen. Wenn wir uns nicht sorgen würden, wären wir nicht gestresst.

Wenn wir wieder beginnen können, über Sorgen zu sprechen, ergibt alles mehr Sinn. Es legt die Verantwortung für das, was mit uns geschieht, wieder in unsere Hände. Es gibt dann weniger Raum dafür, die Welt für das verantwortlich zu machen, was sie uns antut und mehr Raum dafür, unsere Einstellung und unser Handeln gegenüber der Welt zu reflektieren. Jeder einzelne Ratschlag in diesem Buch basiert auf der Annahme, dass du, der Leser, für dein eigenes Schicksal verantwortlich bist und dass du persönlich in deinem Leben etwas unternehmen kannst, um deine Ängste zu überwinden. Deshalb ziehe ich es vor, über Sorgen zu sprechen, denn Sorgen sind etwas, dass man wahrnehmen und verändern kann.

Die Sorge ist die treibende Kraft der generalisierten Angst. Die ursprüngliche Bedeutung des Wortes "Sorge" ist "erdrücken". Wir erdrücken und beschränken unser Leben, wenn wir uns sorgen. Wir machen uns Sorgen, weil wir denken, dass dies unsere Probleme lösen und uns erlauben wird, mehr Kontrolle zu haben, wo es uns doch in Wirklichkeit vom Leben abtrennt.

In diesem Kapitel möchte ich über zwei Arten von Sorgen sprechen, die **"Sorge um Dinge"** und die **"Sorge um Gedanken"**. Die Sorge um Dinge ist offensichtlich. Wir sorgen uns um unsere Gesundheit, die Gesundheit unserer Lieben, Geld, Beziehungen und unsere Karriere. Wir machen uns sogar Sorgen darum, ob wir den Backofen ausgeschaltet haben, wenn wir das Haus verlassen.

Die zweite Art der Sorge ist die, unter der nur Menschen mit Ängsten wirklich leiden. Es ist die Sorge um die eigenen Gedanken. Dies sind Sorgen darüber, wie wir denken und welche Art von Gedanken wir haben. Die *"Warum kann ich nicht aufhören, an so bizarre Dinge zu denken?"* Art von Sorge. Diese Art von Sorge kann zu einem Teufelskreis der Angst vor den eigenen Gedanken führen.

Du kannst DARE auf beide Arten von Sorgen anwenden, um besser mit ihnen umzugehen. Betrachten wir aber zunächst einmal beide Arten im Detail.

## SORGEN UM DINGE

*"Unsere Aufgabe ist nicht, zu erkennen, was unklar in weiter Entfernung liegt, sondern das zu tun, was klar und unmittelbar vor uns liegt".*
– Thomas Carlyle

Ich bezweifle, dass es jemanden gibt, der nicht weiß, wie es ist, sich Sorgen zu machen. Im Westen haben wir das Sorgen in eine Kunstform verwandelt. Wir sorgen uns sowohl um kleine Dinge wie *"Werde ich pünktlich zum Termin kommen?"* als auch um ernste Dinge wie *"Wie werde ich leben können, wenn ich arbeitslos bin?"*.

Worum sich Menschen sorgen, ist sehr individuell und abhängig von der Person selbst und ihrer Umstände. Was für den einen eine Katastrophe ist, kann für den anderen eine eher banale Sache sein. Doch auf tiefster Ebene haben wir alle eine Sorge gemeinsam: Die Sorge, angenommen zu werden und dazuzugehören. *"Werden meine Kollegen/Familie/Gesellschaft mich akzeptieren? Wird man mich lieben?"*

Bevor wir darüber sprechen, wie wir die Sorgen angehen können, müssen wir uns zunächst ehrlich fragen, ob wir wirklich bereit sind, sie aufzugeben. Vielleicht willst du dir tatsächlich Sorgen machen, weil du denkst, dass dies nötig ist und du dies brauchst? Viele Menschen zögern, das Sorgen loszulassen, aus Angst, dass dann etwas Gefährliches passieren könnte, womit sie nicht gerechnet haben. Diese Sorge kann zu einer Gewohnheit werden, von der wir glauben, dass sie das Einzige ist, was uns schützt und vor Gefahren bewahrt. Wir stürzen uns in Panik von einer Sache zur nächsten in dem falschen Glauben, dass, wenn wir für nur eine Minute anhalten würden, alles auseinanderfallen und Chaos ausbrechen würde. Natürlich wäre das dann unsere Schuld, da wir es gewagt haben, uns nicht zu sorgen. Dies mag vielleicht etwas übertrieben erscheinen, ist aber für viele Menschen eine tägliche Realität. Es ist die Art und Weise, wie der ängstliche Teil unseres Verstandes funktioniert.

Vielleicht denkst du, dass die Sorge um deine Karriere oder deine Finanzen dich besser absichert? Oder dass die Sorge darüber, krank zu werden, dich davor bewahrt, Dinge zu tun, die dich krank machen könnten? Die Realität ist jedoch, dass, wenn du tatsächlich aufhörst, dir Sorgen zu machen, du nicht mehr oder weniger in Gefahr sein würdest, als du es bereits bist. Du würdest nicht plötzlich Termine verpassen und vergessen, die Kinder abzuholen oder deine Rechnungen zu bezahlen. Es ist ein Mythos, dass man von Sorgen und Ängsten angetrieben sein muss, um Dinge zu erledigen. Ohne das

Sorgen wird es dir immer möglich sein, auf den Teil deines Gehirns zurückzugreifen, der in der Lage ist, zukünftige Ereignisse vorweg erkennen und mögliche Probleme lösen zu können. Du musst nicht durch Sorgen motiviert sein, um ein besserer Mensch zu werden.

So wendest du DARE bei "Sorgen um Dinge" an:

Nehmen wir als Beispiel, du hast Angst, dass ein geliebter Mensch krank werden könnte. Vielleicht war er früher einmal krank und jetzt fürchtest du, dass die Krankheit wiederkommen könnte.

Beginne damit, die *"Was ist, wenn.."*. *Sorge* jedes Mal zu **entschärfen**, wenn sie sich manifestiert.

*"Was ist, wenn die Krankheit zurückkehrt? Wie werden wir dann damit umgehen?"*

"Oh, nun, wir befassen uns dann damit, wenn es so weit sein sollte. Aber im Moment ist das nicht der Fall, also werde ich mir jetzt keine Gedanken darüber machen".

Dann **erlaube** der Sorge, präsent zu sein, ohne dich über sie aufzuregen. Sag dir, dass es völlig normal ist, sich um solche Dinge zu sorgen und verurteile dich nicht, wenn das *"Was ist, wenn .."*. *Denken* aufkommt. Es kann auch sein, dass sich die *"Was ist, wenn.."*. *Gedanken* stetig wiederholen, sodass du sie die ganze Zeit über entschärfen musst. Akzeptiere dabei, dass es normal ist, diese Angst zu spüren. Wenn sich das Gedankenkarussell unaufhörlich dreht, **laufe auf die Gedanken zu**, indem du ein Blatt Papier nimmst und sie wieder und wieder aufschreibst. Dies hat einen lösenden und befreienden Effekt.

Dann **beschäftige** dich mit einer Aktivität und lenke deine Aufmerksamkeit voll auf das, was du tust. Wenn du mit nichts Bestimmtem beschäftigt warst, bevor die Sorge auftauchte, finde etwas, das deine Aufmerksamkeit einnimmt, sodass der ängstliche Teil deines Verstandes aufhört, sich über deine Ängste Sorgen zu machen.

Dale Carnegie hat ein großartiges Buch darüber geschrieben, wie man mit der ersten Art von Sorge umgeht. Das Buch *"Sorge dich nicht - lebe!"* Darin spricht er davon, *"Die eiserne Tür der Vergangenheit und Zukunft zu schließen"* und *"Im Hier und Jetzt zu leben"*. Was er meint, ist, dass wir lernen müssen, jeden Tag im Moment zu leben und nicht so viel Zeit damit zu verbringen, uns auf die Vergangenheit oder die Zukunft zu konzentrieren.

Das Gefühl von Schuld beispielsweise dreht sich oft um Dinge, die wir in der Vergangenheit getan oder nicht getan haben und die Sorge gilt einem Ereignis in der Zukunft. Carnegie spricht auch über die grundlegende Bedeutung der Akzeptanz (der zweite Schritt von DARE). *"Du musst bereit sein, die Dinge so anzunehmen und zu akzeptieren, wie sie sind, nicht so, wie du sie dir wünschst, dass sie wären"*. Durch die Annahme der Herausforderungen, mit denen wir im Leben konfrontiert sind, lösen wir die Spannungen, die das Sorgen erzeugt.

Wenn wir vor einem schwierigen Problem stehen, können wir uns zwar eine andere Zukunft wünschen und Pläne zur Veränderung unserer Situation machen, aber zuerst müssen wir die Realität so akzeptieren, wie sie hier und jetzt ist. Das bedeutet, dass du, wenn du beispielsweise deinen Job verloren oder ein gesundheitliches Problem hast, nach dem anfänglichen Schock dieser schmerzhaften Erfahrung, in einen Zustand der Akzeptanz übergehen musst, um voranzukommen.

Akzeptanz bietet dir den Startpunkt, von dem aus du vorwärtsgehen kannst, ohne dem Ganzen zusätzlich Sorgen hinzuzufügen. Es ermöglicht dir, das Leben zu genießen, während du gleichzeitig diesen Herausforderungen begegnest. Hinzu kommt, dass das Meistern dieser Herausforderungen sehr viel einfacher wird, wenn der mühsamste Teil der Aufgabe -das Sorgen- wegfällt.

Das Obige bezieht sich auf Dinge, über die wir keine Kontrolle haben. Manchmal gibt es jedoch Situationen, in denen wir handeln können und in diesem Fall kann das Ergreifen von Maßnahmen sehr hilfreich sein, um die Sorgen zu lindern.

Wenn es eine Handlung gibt, die du unternehmen kannst, um deiner Sorge zu begegnen, dann wirst du dich mehr in Kontrolle und weniger ängstlich fühlen. Nehmen wir noch einmal das Beispiel des Job-Verlustes. In diesem Fall kannst du wie folgt vorgehen:

*1. Schreibe detailliert auf, worüber du dir Sorgen machst.*

*2. Schreibe auf, was du dagegen unternehmen kannst.*

*3. Entscheide, was zu tun ist.*

*4. Beginne sofort mit der Umsetzung dieser Entscheidung.*

Wenn ich mich dabei ertappe, wie ich mir Sorgen um eine Angelegenheit mache, frage ich mich zunächst, ob diese Angelegenheit etwas ist, worauf ich mit einer Handlung reagieren kann, oder ob es sich um eine Sorge um etwas handelt, das sich außerhalb meiner Kontrolle befindet.

Wenn es etwas ist, worauf ich reagieren kann, liste ich das Problem auf und notiere mir auf meinem Handy, was passieren muss, um dieses Problem zu lösen. Ich schreibe dann nur einen Schritt auf, den ich an diesem Tag unternehmen kann und der mich der Lösung des Problems näher bringt. Dann richte ich mir eine Erinnerung ein, um später am Tag auf diesen Schritt zurückzukommen und ihn in Ruhe anzugehen. Allein die Erstellung dieser Notizen hilft mir, meine Sorgen zu lindern.

Wenn es sich um etwas handelt, das sich völlig außerhalb meiner Kontrolle befindet, wende ich die DARE Schritte, wie oben beschrieben, an. Ich **entschärfe** die ängstlichen *"Was ist, wenn.."*. *Gedanken* mit einer *"Na und, was auch immer!"*-Antwort. Ich **akzeptiere**, dass dies etwas ist, über das ich keine Kontrolle habe und dann lenke ich meine Aufmerksamkeit sanft auf das zurück, womit ich in dem Moment **beschäftigt** war. Ich muss dies vielleicht mehrmals tun, aber am Ende verliert die Sorge an Gewicht und wird weniger aufdringlich.

## SORGEN UM GEDANKEN

Wenn man eine längere Periode anhaltender, intensiver Angst durchlebt, können zu "Sorgen um Dinge", "Sorgen um Gedanken" hinzukommen. An diesem Punkt kann sich der kreative Teil des Verstandes gegen sich selbst wenden.

Die Art von Gedanken, auf die ich mich hier beziehe, sind ängstliche, sich aufdrängende und beunruhigende Gedanken über bestimmte Themen und Dinge, wobei allein die Tatsache, dass man solche Gedanken hat, einen zutiefst schockieren kann.

Typische, sich aufdrängende Gedanken drehen sich oft um Sex oder die Verwirrung über die eigene sexuelle Orientierung, blasphemische Gedanken oder spontanes, gewalttätiges Handeln gegenüber Angehörigen. Menschen, die wiederkehrend an diesen Gedanken leiden, berichten z. B. Folgendes:

*"Ich kann sie nicht kontrollieren und sie machen mir wirklich Angst. Sie tauchen immer wieder ganz plötzlich wie aus dem Nichts auf".*

*"Was, wenn ein Teil von mir diese schrecklichen Dinge, an die ich ständig denke, wirklich tun will?"*

*"Was ist, wenn dies ein Zeichen dafür ist, dass ich die Kontrolle verliere? Ich muss diese Gedanken unterdrücken, bevor sie die Kontrolle übernehmen".*

Es ist völlig normal, wenn du an diesem Punkt beginnst, dir Sorgen zu machen und dich um deinen Verstand fürchtest. Aber du musst verstehen, dass diese Gedanken nichts anderes sind, als die Folge von erhöhten Stresshormonen, verbunden mit psychischer Erschöpfung. Die Tatsache, dass du mit Angst auf diese Gedanken reagierst, beweist, dass du völlig normal bist. Du wirst weder deinen Verstand verlieren, noch bist du ein schlechter Mensch, weil du solche Gedanken hast. Du leidest nur an den Folgen anhaltender, intensiver Angst.

### Gedanken sind nur Gedanken - sie repräsentieren nicht dein wahres Ich.

Ein Gedanke ist nur ein Gedanke – keine Tatsache. Die Tatsache, dass du etwas denkst, macht dies nicht zur Realität, noch reflektiert es die Person, die du bist. Verwechsle den Inhalt deiner Gedanken nicht mit der Person, die du bist. Diese Gedanken repräsentieren nicht dein wahres Ich. Im Durchschnitt haben wir täglich etwa 50.000 Gedanken. Viele von ihnen sind bizarr und verrückt. Wir alle haben sie. Der einzige Unterschied liegt in der Wahrnehmung dieser Gedanken. Wenn du stark sensibilisiert bist, nimmst du diese Gedanken besonders intensiv wahr. Sie erregen deine Aufmerksamkeit. Wenn du sie dann bemerkst und mit Entsetzen auf sie reagiert, durchzieht dich ein Schock des Grauens. Hier ein Beispiel:

Du bist gerade dabei, die Kinder in die Schule zu fahren und plötzlich hast du folgenden Gedanken:

*"Was ist, wenn ich in das entgegenkommende Auto fahre?"*

Zapp! Du reagierst mit Entsetzen und spürst den Schreck der Angst in deinem Magen. Dieser Gedanke allein reicht aus, dich zu verstören.

*"Wie konnte ich nur so etwas denken? Ich glaube, ich drehe durch!"*

Zap, zap, zap! Die nächsten Schocks!

All diese Selbstzweifel und Ängste führen zu noch mehr ängstlichen Gedanken und schon bist du wieder im Teufelskreis der Angst gefangen. Andere typische Beispiele sind:

*"Was wäre, wenn ich einfach von diesem Balkon springen würde?"*

*"Was ist, wenn ich meinen Partner gar nicht mehr liebe?"*

*"Was wäre, wenn ich jetzt etwas völlig Unangemessenes tun würde?"*

Aus Angst vor diesen Gedanken reagiert jeder Mensch intuitiv damit, sie wegstoßen zu wollen und genau das ist der entscheidende Fehler! Je stärker du diese Gedanken wegdrückst, desto heftiger prallen sie zurück.

Erinnerst du dich an die Zeit, in der du als Kind mit einem aufblasbaren Strandball im Schwimmbad gespielt hast? Immer dann, wenn du versucht hast, den Ball unter Wasser zu drücken, um dich auf ihn draufzusetzen, schoss er mit der gleichen Kraft, mit der du ihn heruntergedrückt hast, wieder nach oben - mitten in dein Gesicht.

Es ist dasselbe Prinzip mit ängstlichen Gedanken. Man kann nicht erwarten, dass man sie los wird, indem man sie wegdrückt. Der einzige Weg, Ruhe zu finden, ist, dem Strandball zu erlauben, neben dir zu schwimmen. Du musst aufhören, mit Angst auf diese Gedanken zu reagieren und lernen, sie zu erlauben und zu akzeptieren.

Wenn ich sage, "akzeptiere und erlaube" einen ängstlichen Gedanken, dann meine ich nicht, dass du mit dem Inhalt des Gedankens übereinstimmst. Ich meine, dass du den Gedanken als das akzeptierst, was er ist, einen zufälligen Gedanken, erzeugt durch einen ängstlichen Verstand und nichts weiter. Lass mich dir ein Beispiel geben, wie du DARE auf ängstliche Gedanken anwenden kannst. Denke daran, dass du diese Gedanken oder Sorgen nicht kontrollieren kannst; du kannst nur deine Reaktion auf sie kontrollieren.

Nehmen wir zum Beispiel an, du schneidest gerade das Gemüse für das Abendessen und dein Partner kommt in die Küche und holt sich etwas aus dem Kühlschrank. In dem Moment, wo dein Partner dir den Rücken zukehrt, taucht plötzlich folgender Gedanke auf:

*"Was ist, wenn ich die Kontrolle verliere und ihn/sie mit dem Messer in den Rücken steche?"*

Deinem früheren Ich hätte dieser Gedanke einen derartigen Schrecken eingejagt, dass du aus Angst vielleicht das Messer zurück in die Schublade gelegt hättest. Jetzt aber, wo du weisst, wie du auf diese Gedanken reagieren musst, legst du das Messer nicht weg, sondern schneidest in Ruhe das Gemüse weiter und beginnst damit, den Gedanken zu **entschärfen:**

*"Was ist, wenn ich ihn/sie mit diesem Messer verletze?"*

"Oh, nun, dann würde ich eingesperrt werden. Wenigstens müsste ich kein Abendessen mehr kochen!"

Du **entschärfst** den ängstlichen Gedanken, indem du ihm abschätzig oder humorvoll anstatt ängstlich begegnest. Verwende dabei solche Antworten, die du für am geeignetsten hältst, um den Gedanken zu entschärfen. Gehe mit den Gedanken wie mit einem kleinen Kind um, dass als Monster verkleidet in den Raum kommt und versucht, dich zu erschrecken. *"Oh, du bist ja so gruselig und beängstigend!"* sagst du lächelnd.

Dann **erlaube** dem Gedanken ohne Widerstand anwesend zu sein. Lasse ihn so lange bleiben, wie er möchte. Erinnere dich an das Beispiel des Strandballs. Wenn du versuchst, ihn nach unten zu drücken, schießt er wieder hoch - so ist es auch mit dem Gedanken, also lasse ihn einfach da sein und lenke dann deine Aufmerksamkeit sanft zurück auf das, womit du **beschäftigt** warst.

Manchmal, besonders in Zeiten, in denen du dich sehr ängstlich fühlst, können manche Gedanken sehr hartnäckig sein. Diese nenne ich Gedanken mit "hohem Klebefaktor", denn sie können wirklich an einem haften! Hier kannst du den 3. Schritt von DARE **"Auf die Angst zu rennen"** anwenden. Um dich wirklich aus dem Griff der Gedanken zu lösen, kannst du dich über den Gedanken freuen und **mehr von ihm verlangen,** anstatt ihn nur anzuerkennen und zu akzeptieren.

*"Oh, wieder eine seltsame Idee darüber, etwas völlig Unangebrachtes zu tun. Du scheinst es heute wirklich ernst zu meinen. Okay, also los geht's!*

*Ich werde den ganzen Tag darüber nachdenken. Komm schon, mal sehen, ob mir noch seltsamere Dinge einfallen".*

Abschließend solltest du dich mit etwas **beschäftigen**, das deinen Geist voll einnimmt. In diesem Fall lenkst du deine Aufmerksamkeit wieder darauf, das Abendessen zu kochen, ohne dabei den Gedanken wegzudrängen. Bei sehr aufdringlichen Gedanken musst du die obigen Schritte möglicherweise mehrmals hintereinander wiederholen, um dich aus ihrem Griff zu lösen.

Je mehr du lernst, unbeeindruckt und furchtlos auf diese Gedanken zu reagieren, desto schwächer wird ihre Wirkung auf dich sein. Und je schwächer sie auf dich einwirken, desto weniger werden sie auftauchen, da sie nun nichts mehr haben, an dem sie sich festhalten können.

## DU BIST NICHT DIESE GEDANKEN

Diese Gedanken repräsentieren nicht dein wahres Ich. Sie sind nur das Ergebnis deines kreativen Vorstellungsvermögens, gepaart mit Angst und Erschöpfung. Tatsächlich kannst du dich selbst zu deinem kreativen Können beglückwünschen, anstatt dir dafür Vorwürfe zu machen!

Ängstliche Gedanken lieben es, wenn sie eine gute Portion Angst und Schrecken als Reaktion bekommen, diese hält sie aktiv. Sie sind ein bisschen wie eine lästige Biene, die herumschwirrt. Sie sticht dich normalerweise nur dann, wenn du versuchst, sie anzugreifen. Wenn du sie in Ruhe lässt, summt sie in Ruhe weiter vor sich hin. So ist es auch mit den Gedanken, lasse sie also einfach da sein und schenke ihnen nicht zu viel Raum. Wenn du eine widerstandslose Haltung ihnen gegenüber einnimmst, wird sich die mentale Anspannung, die du fühlst, schnell auflösen. Ich behaupte nicht, dass es einfach ist, dies umzusetzen. Es braucht Übung, nicht wie gewohnt mit Angst auf solche Gedanken zu reagieren, aber mit jedem Mal des Übens wirst du Fortschritte machen.

Im Laufe des Prozesses kann es auch sein, dass du auf bestimmte Gedanken schon nicht mehr mit Angst reagierst, aber neue, seltsame Gedanken dich überraschen. Wende auch hier die DARE Schritte jedes Mal an, wenn sie auftauchen und verurteile dich nicht, wenn du es nicht immer perfekt machst. Es wird Zeiten geben, in denen es einfach sein wird und dann wird es Momente geben, in denen du dich müde und verletzlich fühlst und die Gedanken dich überwältigen. So ist es manchmal und das ist okay. Bleibe einfach dran und übe die Schritte immer wieder. Letztendlich wirst du es schaffen.

## ZUSAMMENFASSUNG

Zum Abschluss dieses Kapitels möchte ich dir zwei hilfreiche Möglichkeiten aufzeigen, wie du ängstliche Gedanken visualisieren kannst. Diese sind beliebte Visualisierungen, welche in der kognitiven Verhaltenstherapie verwendet werden und sehr gut mit den DARE Schritten harmonieren.

## VORBEIZIEHENDE WOLKEN

Stell dir vor, du liegst in einem Feld und beobachtest, wie die Wolken über dir vorbeiziehen. Einige dieser Wolken sind groß, hell und weiß, während andere dunkel und düster sind. Jede Wolke repräsentiert einen Gedanken. Du bist der passive Beobachter, der nur zusieht, wie jede einzelne dieser Wolken vorbeizieht - und sie ziehen immer vorbei.

Deine Gedanken auf eine distanzierte Weise zu beobachten, erlaubt dir, sie ohne Beurteilung an dir vorbeiziehen zu lassen. Kennzeichne jeden Gedanken, wenn du ihn wahrnimmst (**entschärfe ihn**), *"Oh, da ist dieser seltsame Gedanke X wieder - naja.."*, und lasse ihn dann einfach weiterziehen (**erlaube ihn**). Während die Gedanken an dir vorbeiziehen, bittest du sie, wiederzukommen (**auf sie zulaufen**). Sobald du beginnst, dich damit zu langweilen, richtest du deine Aufmerksamkeit wieder auf eine Aktivität, die dich einnimmt (**beschäftigen**).

# HANDPUPPEN

Stell dir deine ängstlichen *"Was ist, wenn.."*. *Gedanken* als kleine Handpuppen vor, die dir alle möglichen, beängstigenden und beunruhigenden Dinge ins Ohr flüstern. Durch die Visualisierung der Albernheit dieser Handpuppen fällt es dir leichter, den Inhalt der Gedanken als irrelevant oder unsinnig abzutun (und sie damit zu **entschärfen**). Sei tolerant, ja sogar mitfühlend (**erlauben**) mit ihnen, nimm sie aber nicht für eine Sekunde ernst. Je abweisender du mit den Dingen umgehen kannst, die diese Handpuppen dir erzählen, desto einfacher wird es dir fallen, den ängstlichen Widerstand ihnen gegenüber fallen zu lassen. Wenn du deine Angst vor ihnen wirklich abschütteln möchtest, dann jage ihnen nach (**laufe auf sie zu**). Sag ihnen, sie sollen so lange wie möglich bei dir bleiben. Sobald dich die Übung langweilt, konzentriere dich auf etwas anderes, das dich **beschäftigt**.

*Wichtiger Hinweis:*

Aufdringliche, ängstliche Gedanken wirken wie ein Barometer für deine Angstzustände. Sie manifestieren sich am unteren Ende der Angstskala. Sie sind oft das Erste, was vor körperlichen Empfindungen auftaucht und auch das Letzte, was man wahrnimmt, wenn man kurz vor einer vollständigen Heilung steht. Wenn mir Leute sagen, dass sie alles andere unter Kontrolle haben, außer ihren aufdringlichen, ängstlichen Gedanken, weiß ich, dass dies ein Zeichen dafür ist, dass sie gute Fortschritte machen und einer vollständigen Heilung sehr nahe sind.

# VERLASSE DEINE KOMFORTZONE

Und es kam der Tag, da das Risiko, in der Knospe zu verharren, schmerzlicher wurde als das Risiko, zu blühen.

-Anaïs Nin

Jetzt, nachdem wir schon ein wenig weiter im Buch sind, möchte ich, dass du dich noch weiter pushst und dich wirklich herausforderst, mutig aus deiner Sicherheitszone herauszutreten. Hier findet das eigentliche Lernen und der Fortschritt statt.

Jede ängstliche Person hat eine sichere Zone, in der sie sich wohl fühlt. Diese sichere Zone kann eine vertraute Umgebung wie das Zuhause oder die Nachbarschaft sein, sie kann aber auch überall dort sein, wo eine verständnisvolle und unterstützende Person anwesend ist. Sicherheitszonen wirken auf den ersten Blick beruhigend, da sie ein Gefühl von Gewissheit vermitteln, mit allem was kommt, umgehen zu können. Das Problem jedoch ist, dass es sich hierbei um ein selbst auferlegtes Gefängnis handelt.

Sicherheitszonen sind bequem und Menschen tendieren dazu, mehr und mehr Zeit innerhalb dieser Zonen zu verbringen. Ängste neigen jedoch dazu, sich in viele Bereiche auszuweiten, so weit, bis die sichere Zone schließlich nur noch aus den vier Wänden des eigenen Zuhauses besteht (Agoraphobie).

Die sichere Zone ist ein Mythos. So etwas wie eine sichere Zone, in der man vor Ängsten geschützt ist, gibt es nicht. Eine Panikattacke ist absolut ungefährlich und daher ist es ist völlig irrelevant, ob du zu Hause oder im australischen Hinterland unter den Sternen sitzt. Natürlich wird dir dein Verstand jetzt sagen, dass es eine total absurde Idee wäre, im australischen Hinterland zu sitzen, ohne ein Krankenhaus, ohne Beruhigungsmittel, ohne Ärzte, OHNE SICHERHEIT. Aber blicke einmal auf deine bisherigen Erfahrungen mit Angst- und Panikattacken zurück. Bist du nicht immer noch hier, lebendig und gesund, nach all den Panikattacken, die du während der letzten Jahre erlebt hast und bei welchen du überzeugt warst, dass du sicher sterben würdest?

Vielleicht warst du schon einige Male aufgrund deiner Panikattacken im Krankenhaus und hast dort Medikamente erhalten, welche dich beruhigt haben. Aber denkst du wirklich, dass du ohne Beruhigungsmittel nicht überlebt hättest? Natürlich hättest du das! Wenn du dieselbe Panikattacke mitten im Nirgendwo gehabt hättest und ganz alleine gewesen wärst, dann wäre sie auch dort einfach vorbeigegangen. Wenn es um Krankheiten geht, die medizinische Hilfe benötigen - wie Asthma, Diabetes und eine Reihe anderer Krankheiten - dann ist es natürlich von Vorteil, medizinische Hilfe in der Nähe zu haben. Aber kein Arzt der Welt würde einer Person mit Angstzuständen sagen, dass es nur bestimmte Sicherheitszonen gibt, in denen sie sich bewegen kann.

Deshalb möchte ich, dass du jetzt aus deiner Sicherheitszone ausbrichst. Überschreite die imaginäre rote Linie in deinem Kopf. Nimm all deinen Mut zusammen und gehe den ersten Schritt. *Nur*

*das Lesen darüber, was du tun musst, reicht nicht aus, du musst es erleben.* Echtes Wachstum und echte Lernprozesse geschehen, wenn wir uns selbst herausfordern, wenn wir die Angst spüren und über unsere Komfortzone hinausgehen. Wie Susan Jeffers schrieb: *"Wir müssen die Angst fühlen und es trotzdem tun"*.

Bist du bereit, die Angst heute zuzulassen und zu fühlen?

Ich weiß mehr als jeder andere, wie beängstigend es sein kann, sich aus seiner Sicherheitszone zu bewegen, während die Angst im Inneren immer mehr aufsteigt. Ich weiß aber auch, dass du stark genug bist. Du wärst nicht so weit in diesem Buch gekommen, wenn du nicht alles hättest, was du brauchst, um den nächsten Schritt zu gehen.

Der Unterschied zwischen jetzt und dem letzten Mal, als du dies versucht hast, ist, dass du nun ein einzigartiges Werkzeug, DARE, sowie meine Unterstützung in Audioform hast, die du überall hin mitnehmen kannst.

📱 Besuche dazu www.dareresponse.de/welcome

Im Folgenden möchte ich dir ein Beispiel geben, wie du den ersten Schritt aus deiner Sicherheitszone wagen kannst. Ich werde das Fahren als Beispiel nehmen. Dieses Beispiel ist jedoch auf alle Situationen anwendbar, in denen du deine Sicherheitszone erweitern willst.

Wie ich bereits in einem vorherigen Kapitel zum Thema Fahren erwähnt habe, ist es wichtig, diese Herausforderung in kleine Schritte zu unterteilen und dann jeden Tag ein wenig weiter zu fahren. Dies kann bedeuten, dass du beim ersten Versuch bis zum Ende deiner Straße fährst und am nächsten Tag um den Block herum.

Wende die DARE Schritte an während du fährst und die Angst spürst. Sobald du bedeutend weit außerhalb deiner Sicherheitszone gefahren bist, halte dort an und bleibe dort für eine Weile. Arbeite dich dann dort, in dieser neuen Umgebung, durch die Angst hindurch.

Kehre nicht gleich um, um schnell nach Hause zu eilen. Nach Hause eilen würde deinem Gehirn die Botschaft senden, dass du es *gerade so* geschafft hast, wenn du aber länger geblieben, du vielleicht in Schwierigkeiten geraten wärst. Das ist nicht wahr und du musst diesen Ängsten entgegenwirken, indem du dir selbst beweist, dass du tatsächlich außerhalb deiner Sicherheitszone bleiben kannst. Sicher, es mag unangenehm sein, aber halte deine Stellung und gib nicht auf. Gehe zu deinen eigenen Bedingungen - nicht zu den Bedingungen der Angst. Bleibe am neuen Ort, bis du keine Angst mehr verspürst. Damit verankerst du deine Erfolgsflagge fest im Boden und beanspruchst dieses Neuland als deines. Sei stolz auf dich! Du bist nun weit über deine alte Sicherheitszone hinausgefahren und obwohl du dich ängstlich gefühlt hast, bist du dort geblieben und hast dich durchgesetzt. Jetzt kannst du mit einem viel größeren Selbstvertrauen über das, was du erreicht hast, nach Hause zurückkehren. Du hast deine Sicherheitszone verlassen und dein Ziel erreicht. Das ist ein echter Erfolg.

Festige diesen Erfolg, sobald du nach Hause kommst, indem du ihn in dein Tagebuch schreibst. Dies macht deinen Erfolg noch realistischer und verankert ihn fest in dir. Dann schreibe sofort auf, was dein nächstes Ziel sein wird. Vielleicht fährst du ein paar Blocks weiter? Vielleicht wirst du versuchen, bei regem Straßenverkehr zu fahren? Wenn du dich bereit fühlst, kannst du dein nächstes Ziel direkt am nächsten Tag angehen oder dir einen Tag Pause gönnen. Wichtig ist nur, nicht mehr als ein paar Tage zu pausieren, da du sonst Gefahr läufst, dass die Angst sich wieder einschleicht und dir deinen neu gewonnenen Boden raubt. Lass das nicht zu. Bleibe in Bewegung und erweitere deine unsichtbare Grenze immer weiter.

Wenn du diesen Schwung aufrechterhältst, wird sich die Illusion einer sicheren Zone schon sehr bald in Luft auflösen. Du wirst dich wirklich sicher und geborgen in dir selbst fühlen, egal wo du bist, sei es in der Wildnis, an einem überfüllten Ort oder über dem Atlantik. Diese Freiheit entsteht, indem man nie aufgibt und sich jedem Rückschlag widersetzt. Wann man diesen Punkt erreicht, ist von Person zu Person unterschiedlich, aber jeder der dranbleibt, wird diesen Punkt erreichen.

Natürlich solltest du dir auch freie Tage vom Üben erlauben. Überanstrenge dich nicht, vor allem dann, wenn du das Gefühl hast, dass du nicht bereit dazu bist. Es wird Tage geben, an denen du dich einfach nicht wohl fühlst und dich unter der Decke verkriechen möchtest. Das ist okay. Erlaube dir Tage der Ruhe. Sobald deine Energie zurückkehrt, kannst du dein nächstes Ziel wieder motiviert angehen. Nutze den mentalen Aufschwung und bleibe beharrlich dran.

Einige denken vielleicht, dass sie mit ihrer Form von Angst nicht so einfach üben können, weil sie schwer zu reproduzieren ist (z. B. Fliegen oder öffentliches Reden). Aber es gibt Möglichkeiten, sich in ähnliche Situationen zu begeben, die die gleiche Angst auslösen und in denen man üben kann. Hier ein paar Beispiele, wie einige meiner Klienten dies gelöst haben:

Einer meiner Klienten, welcher im Flugzeug klaustrophobisch wurde, nutzte Aufzüge in Hochhäusern als Gelegenheit zum Üben. Ein anderer Klient hatte Angst davor, bei Geschäftsmeetings zu sprechen, und besuchte ein Rhetorikseminar, in welchem er das öffentliche Reden üben konnte. Sei kreativ. Es gibt immer Möglichkeiten, Situationen zu finden, von denen du weißt, dass sie eine vergleichbare Angst auslösen werden und in denen du dich selbst herausfordern kannst.

Heilung geschieht außerhalb deiner Sicherheitszone, dort wo du die Angst erlebst und durch sie hindurcharbeitest. Es ist so viel besser, draußen in der Welt zu sein, Angst zu haben und sie zu überwinden, als in einer imaginären Blase der Sicherheit zu leben.

Noch ein letzter Hinweis: Erwarte nicht, dass du das Üben des Übertretens deiner Komfortzone unbedingt genießen wirst, selbst wenn diese Situationen normalerweise erfreuliche Dinge, wie ein Kinobesuch oder das Ausgehen mit Freunden sind. Sieh es als eine Art Hausaufgabe. In den ersten Tagen wird es sich einfach unangenehm anfühlen, da du dich so sehr auf die Herausforderung konzentrieren musst. Aber wenn du eine Weile geübt hast, wirst du schließlich beginnen, es genießen zu können.

Nimm dir jetzt einen Moment Zeit und triff die Entscheidung, diesen Schritt zu gehen. Gehe diesen Schritt an, als ob dein Leben davon abhängt. Frage dich: *"Was gibt es Wichtigeres, als darum zu kämpfen, meine Freiheit wiederzugewinnen?"*

Nimm mich mit auf die Reise, wenn du deine Komfortzone verlässt und lasse mich dich mit meinen Audios auf diesem Schritt unterstützen.

Du kannst die Audios unter www.dareresponse.de/welcome herunterladen.

# HÖR AUF, SO HART
# MIT DIR ZU SEIN

Menschen, die an Ängsten leiden, neigen dazu, unglaublich hart zu sich selbst zu sein. Je länger die Angst anhält, desto mehr verurteilen sie sich. Sie wären nicht so hart mit sich, wenn sie an einer körperlichen Krankheit wie Diabetes leiden würden, aber sie verurteilen sich dafür, ein psychisches Problem, wie Angstzustände, zu haben.

Der Grund dafür ist meiner Meinung nach, dass ein Teil von ihnen glaubt, dass es ihre Schuld sei. Sie schämen sich dafür, schwach und anfällig für Ängste zu sein. Diese Art negativer Selbstgespräche kann zu Gefühlen von Depression und Einsamkeit führen.

Patrick, der einen großen Beitrag zu meinem Coaching-Programm geleistet hat, nannte dies den "Kollateralschaden", welchen er sich täglich nach jeder Angst-Episode zufügte. Zum eigentlichen Problem, der Angst, kam noch seine eigene Verurteilung und die Scham darüber hinzu.

Du bist sicher ein sehr freundlicher Mensch. Nur bist du wahrscheinlich nicht so freundlich zu dir selbst. Vielleicht bist du sogar dein schlimmster Kritiker. Doch warum ist das so? Warum behandeln wir andere Menschen so viel besser als uns selbst? Ich bin mir sicher, dass wenn einer deiner engen Freunde an Ängsten leiden würde, du ermutigend und unterstützend wärst und nicht einmal im Traum daran denken würdest, ihm oder ihr die Dinge zu sagen, die du dir täglich selbst sagst. Ein anderes Coaching-Mitglied formulierte dies so:

*"Ich bin seit drei Jahren in Therapie und mir wurde immer wieder gesagt, wie hart ich zu mir selbst bin. Die Freundlichkeit und Großzügigkeit, die ich anderen schenke, kann ich mir selbst gegenüber nicht aufbringen".*

Woher kommt diese ausgeprägte Selbstkritik? Ich denke, dass ein wesentlicher Teil dieser Selbstkritik auf einer simplen Lüge basiert. Die Lüge, nicht gut genug zu sein. Wenn man dieser Lüge glaubt, fürchtet man, von anderen abgelehnt oder verlassen zu werden. Vielleicht denkst auch du, dass du in irgendeiner Weise falsch oder unzureichend bist.

Tatsächlich glaubt ein Großteil der Menschheit an diese Lüge, weshalb viele von uns unter einem niedrigen Selbstwertgefühl leiden. Der Grund, warum das Halten einer öffentlichen Rede für die meisten Menschen mit Angst verbunden ist, ist die Tatsache, dass man dabei im Mittelpunkt steht und von anderen verurteilt werden kann. Wir fürchten Ablehnung.

Diese eine Lüge - nicht gut genug zu sein - ist der Ursprung von so viel Unglück und kann in Extremfällen sogar zu Selbsthass führen. Das Selbstwertgefühl leidet noch weiter, wenn man mit Herausforderungen im Leben konfrontiert wird, Dinge schief gehen oder Ängste sich entwickeln.

In diesem kurzen Kapitel möchte ich mich auf die Lösung des Problems fokussieren. Wie du sicher schon bemerkt hast, rate ich nur zu einfachen und effektiven psychologischen Techniken, die sich leicht umsetzen lassen. Jede Therapieform hat ihre eigene Reihe von Techniken und Verfahren, um ein niedriges Selbstwertgefühl zu stärken. Die heute gängigste Therapieform, die kognitive Verhaltenstherapie (KVT) würde dieses Problem angehen, indem sie Betroffenen hilft, destruktive, negative Denkmuster zu identifizieren und diese dann durch positive und bestärkende Gedankenmuster zu ersetzen. Obwohl dies effektiv sein kann, denke ich, dass dieser Ansatz oft zu mühevoll ist, da man sich ständig darum bemühen muss, destruktive Gedanken zunächst zu bemerken und sie dann zu ersetzen. Nach ein oder zwei Wochen Übung verliert man schnell die Geduld.

Ein weiterer Grund, warum dieser Ansatz bei vielen Menschen scheitert, ist, dass er den Kern des Problems nicht erreicht. Es gelingt nicht, an die Wurzel der negativen Glaubenssätze heranzukommen, die tief in der Psyche verankert sind. Es ist vergleichbar mit Unkraut, dass man nur abschneidet, anstatt es mitsamt den Wurzeln herauszuziehen. Was viel besser funktioniert, ist eine wirklich simple Technik, die die Macht hat, negative Überzeugungen zu neutralisieren und ein starkes Selbstwertgefühl aufzubauen.

In diesem Kapitel geht es um mehr, als nur um die Heilung von Ängsten. Es geht auch um transformative Selbstentwicklung. Wenn du das Gefühl hast, dass du dich jetzt gerade nicht damit beschäftigen möchtest, kannst du dieses Kapitel gerne überspringen. Aber bitte denke darüber nach, zu einem späteren Zeitpunkt darauf zurückzukommen, da diese Übung eine tiefgreifende Wirkung auf deine Lebensqualität haben kann.

Seit ich ein Teenager war, hatte ich großes Interesse an Persönlichkeitsentwicklung. Ich habe unzählige Workshops und Seminare zum Thema Persönlichkeitsentwicklung in der ganzen Welt besucht und Hunderte von Büchern zu diesem Thema gelesen. In den letzten 10 Jahren meiner Arbeit in der Selbsthilfe für an Angst erkrankte Menschen habe ich viele großartige Lehrer und auch eine handvoll Scharlatane kennengelernt. All das Wissen, welches ich mir über die Zeit angeeignet habe, hat mich zwar nicht zu einer erleuchteten Person gemacht, aber es hat mir die Fähigkeit gegeben, schnell zu erkennen, welche Ansätze funktionieren und welche nicht. Ich übertreibe nicht, wenn ich sage, dass das, was folgt, die vielleicht effektivste Selbsthilfeübung ist, die du finden kannst. Es gibt diverse Versionen derselben Übung und auch zahlreiche Bücher dazu. Den Ansatz, den ich persönlich am besten finde, stammt aus dem Buch *"Love yourself"* von Kamal Ravikan. Seine Übung ist deshalb so effektiv, weil sie so einfach gehalten ist.

## DIE ÜBUNG

*Wiederhole folgenden Satz in jedem freien Moment: "Ich liebe mich". Wiederhole diesen Satz immer und immer wieder. Morgens wenn du aufwachst, während du deine Zähne putzt, beim Frühstück und auf dem Weg zur Arbeit. Wiederhole dieses Mantra während jedem freien Moment. "Ich liebe mich. Ich liebe mich. Ich liebe mich".*

Das ist alles! Denk nicht, dass diese Übung nicht funktionieren kann, nur weil sie so simpel ist.

Die größte Angst eines jeden Menschen ist nicht geliebt, ausgestoßen, abgelehnt oder verraten zu werden. Wir alle sehnen uns nach Liebe. Doch leider bekommen wir aus verschiedensten Gründen nicht das Maß an Liebe, das wir brauchen.

Das Gefühl der Liebe ist tief in uns verankert. Wir kennen dieses Gefühl. Das Wiederholen des Satzes "Ich liebe mich" ist etwas, das unser rationaler Verstand nicht zuerst analysieren muss, so wie dies bei anderen Affirmationen der Fall ist. Dieser Satz dringt direkt in das Unterbewusstsein ein, dort wo unsere Kern-Glaubenssätze über uns selbst verankert sind. Mit der Zeit neutralisiert dieses Mantra durch die stetige Wiederholung die negativen Überzeugungen über uns selbst und ersetzt diese durch Positive.

Das Schöne an dieser Übung ist, dass du nicht bewusst etwas Positives erschaffen musst. Du musst nichts erzwingen. Du musst keine Mühe für die Überwachung und Korrektur eines jeden einzelnen, negativen Gedankens aufwenden. Gib dir selbst all die Liebe, die du dir wünschst, anstatt zu versuchen, in unzähligen Therapiestunden über all die dir vorenthaltene Liebe, hinwegzukommen. Schenke dir diese Liebe selbst und wiederhole dieses Mantra in jedem einzelnen Moment, in dem dein Verstand nicht aktiv mit etwas beschäftigt ist. Am Anfang wirst du wahrscheinlich nicht glauben, dass du dich wirklich selbst liebst, aber das spielt keine Rolle. Übe einfach so lange weiter bis du spürst, dass die Botschaft dein Inneres erreicht hat.

Mache diese Übung zu einem Ritual, zu einer täglichen Praxis. Leider kann man keine Veränderungen nach nur ein paar Tagen des Übens erzielen. Man muss diese Übung zu einem festen Bestandteil des Lebens machen.

Versprich dir:

*"Von diesem Tag an verspreche ich, mich selbst zu lieben und mich als jemanden zu behandeln, den ich wirklich schätze. Jede Entscheidung, die ich von nun an treffe, wird auf dieser Grundlage basieren".*

Wir müssen aufhören, darauf zu warten, dass die Welt uns liebt. Wir müssen uns in erster Linie selbst lieben, respektieren und schätzen. Wiederhole also immer wieder: *"Ich liebe mich".*

Versuche auch nicht, einen Grund zu finden, um deine Liebe zu rechtfertigen. Schenke dir diese Liebe bedingungslos und ohne Vorbehalte. Du brauchst keinen Grund und du brauchst niemanden, der dir versichert, dass du dies verdienst. Entscheide dich dafür, dich selbst kompromisslos zu lieben.

Wiederhole während du zur Arbeit gehst: *"Ich liebe mich".* Während du am Geldautomaten wartest, *"Ich liebe mich".* Während du das Geschirr abspülst: *"Ich liebe mich".* Während du Auto fährst: *"Ich liebe mich".* Wiederhole dieses Mantra immer und immer wieder. Welch besserer Gedanke könnte dir jemals durch den Kopf gehen?

Mit jeder Wiederholung ist es, als ob du dir selbst ein kleines, aber wertvolles Geschenk machst. Gehe deinem Alltag nach und überschütte dein Unterbewusstsein mit Liebe. Die Art und Weise, wie du dich selbst siehst und erlebst, wird sich hierdurch mit der Zeit grundlegend positiv verändern. Alte Muster, Gedanken und Überzeugungen, die nicht mehr mit diesem neuen Selbstbild übereinstimmen, werden ersetzt werden. Schlussendlich wird diese Botschaft dann auch in deinem Verstand ankommen und du wirst dich einfach besser fühlen, ohne dass du dich bewusst dafür hast anstrengen müssen. An diesem Punkt wirst du auch eine Veränderung in der Art und Weise, wie sich andere Menschen dir gegenüber verhalten, bemerken. Es werden kleine Dinge passieren, die noch nie zuvor passiert sind. Deine Mitmenschen werden dich vielleicht spontan anlächeln und deine Interaktion mit der Welt wird sich zum Besseren wenden. Ein Großteil unserer Kommunikation geschieht nonverbal - die Art wie wir andere ansehen, unsere Körperhaltung, unsere Sprache. Menschen reagieren auf diese Signale. Wenn du eine schätzende und wohlwollende Haltung dir selbst gegenüber einnimmst, werden die Menschen um dich herum das spüren und beginnen, unbewusst anders auf dich zu reagieren. Liebe dich selbst und dein Leben wird dies reflektieren.

Philip McKernan sagte: *"Wir gönnen uns selbst so viel, wie wir denken, dass wir verdienen".* Ich denke, hierin liegt viel Wahrheit. So vieles von dem, was in unserem Leben vor sich geht, spiegelt die Art und Weise wider, wie wir tief im Inneren über uns selbst denken und fühlen. Wenn wir das Gefühl haben, dass wir etwas nicht verdienen, finden wir oft einen Weg, um unbewusst zu verhindern, dass wir dies bekommen. Wie oft hast du schon erlebt, wie Menschen ihr eigenes Glück sabotieren und dich gefragt, warum in aller Welt sie sich derart selbstzerstörerisch verhalten? Beispiele hierfür können destruktive Gewohnheiten wie Süchte, oder die Zerstörung einer perfekt funktionierenden Ehe für eine bedeutungslose Affäre sein.

Ein geringes Selbstwertgefühl kann sich auch als die Unfähigkeit zeigen, für das einzustehen, woran man glaubt. Als Unfähigkeit, "Nein" zu sagen oder darin, große Chancen an einem vorbeiziehen zu lassen. Das alles, weil tief im Inneren die Überzeugung herrscht, dass man es nicht verdient, glücklich zu sein.

Manche mögen sich nun fragen, *ob es nicht narzisstisch ist, sich selbst zu lieben.* Nein, das ist es nicht. Fall nicht in diese jahrhundertealte Falle. Es geht nicht darum, arrogant, eingebildet oder in irgendeiner Weise eitel zu sein. Es geht darum, sich selbst das zu geben, was man braucht, um andere besser lieben und für sie da sein zu können. Wie kannst du für andere da sein, wenn du nicht für dich selbst da bist? Kamal beschreibt dies treffend in seinem Buch, wo er Selbstliebe mit den vorgeführten Sicherheitsübungen im Flugzeug vergleicht. Wenn während eines Druckabfalls bei einem Flug die Sauerstoffmasken herunterfallen, müssen Eltern diese zunächst selbst aufsetzen, bevor sie ihren Kindern helfen können. Eltern nützen ihren Kindern nichts, wenn sie bewusstlos sind.

Ich weiß, dass einige Leser diese Übung als zu kitschig empfinden werden. Aber ich bin fest davon überzeugt, dass dieser Ansatz innerhalb der nächsten Jahre wissenschaftliche Anerkennung finden und man die Gründe erforschen wird, warum dieser Ansatz so effektiv ist. Möglicherweise liegt es an der Wechselwirkung bestimmter Hormone, oder vielleicht hat es etwas mit der Neuroplastizität des Gehirns zu tun. Vielleicht ist es auch etwas Transzendentales, wer weiß? Was hingegen sicher ist, ist, dass du absolut nichts zu verlieren hast, wenn du es versuchst. Im schlimmsten Fall wirst du nur etwas Zeit vergeudet haben. Wobei, gab es etwas Wichtiges, über das du nachdenken musstest, während du dir die Zähne geputzt oder den Müll rausgetragen hast? Wir wissen, dass Denken die Natur des Verstandes ist. Warum sollten wir dann unseren Verstand nicht bewusst mit bestärkenden und positiven Gedanken füllen?

Liebe dich von diesem heutigen Tag an selbst - aufrichtig und bedingungslos!

**Dies ist eine meditative Version derselben Übung, die du vor dem Einschlafen oder nach dem Aufwachen am Morgen machen kannst.**

*Beginne damit, einige Male tief in den Bauch zu atmen.*

*Bei der Bauchatmung wird sich dein Bauch, statt deiner Brust heben.*

*Stell dir vor, du atmest tief in deine Beine hinunter, dann halte deinen Atem für ein paar Sekunden, und atme langsam wieder aus.*

*Stelle dir während des Einatmens vor, dass du dich unter einem Wasserfall aus weißem Licht befindest. Das Wasser strahlt als helles Licht von oben auf dich herab. Spüre, wie es über deinen Kopf und über deine Arme und Beine strömt.*

*Mit jedem Einatmen sagst du: "Ich liebe mich".*

*Halte diesen Atemzug einige Sekunden und spüre während du wieder ausatmest, wie sich die Spannung in deinem Körper löst. Das Wasser spült die Spannung und den Stress mit jedem Ein- und Ausatmen von dir weg.*

*Zum Beispiel:*

*Einatmen: "Ich liebe mich".*

*Atem kurz anhalten.*

*Ausatmen: Fühle, wie die Spannung sich löst.*

*Zu Beginn wirst du möglicherweise einen starken Widerstand gegen diese Übung fühlen. Erwarte das. Nutze die DARE Schritte, um dich durch diesen Widerstand durchzuarbeiten, genauso wie du es mit der Angst machst.*

*Der Widerstand, den du während dieser Übung spürst, könnte ein körperliches Gefühl von Unbehagen oder eine Reihe negativer Gedanken sein, wie:*

*"Dich selbst lieben? Machst du Witze? Erinnerst du dich nicht an all deine Fehler?*

*Nein? Nun, lass mich dich nochmal an sie erinnern".*

*1. Entschärfe alle negativen Gedanken sofort mit einer selbstbewussten "Na, und?!" oder "Was auch immer" Antwort.*

*Zum Beispiel:*

*"Was auch immer. Ich weiß, dass ich nicht perfekt bin, aber ich kann mich trotzdem lieben".*

*Oder*

*"Na und? Mir gefällt, dass ich nicht perfekt bin. Es fühlt sich authentischer an".*

*2. Erlaube dann jedem körperlichen Widerstand, den du fühlst, einfach bei dir zu sein, während du die Übung weiterführst. Drücke ihn nicht weg. Versuche, dich mit diesem Unbehagen vertraut zu machen, während du die Übung fortsetzt.*

*3. Richte deine volle Aufmerksamkeit wieder auf die Übung und das Ein- und Ausatmen.*

*Einatmen: "Ich liebe mich".*

*Atem kurz halten.*

*Ausatmen: Fühle, wie die Spannung sich löst.*

*Wiederhole diese Übung für mind. 7 Minuten. Alles, was kürzer als das ist, wird nicht den gewünschten, stresslösenden Effekt haben. (Natürlich kannst du die Übung aber verlängern, wenn du dies möchtest).*

# HÖR AUF ZU FÜRCHTEN, DASS DIESER ZUSTAND FÜR IMMER ANHÄLT

Für viele Betroffene, die sich inmitten einer Angstphase befinden, ist eine der vorherrschenden Befürchtungen, dass diese Erfahrung für immer andauern und dieses imaginäre Gefängnis zu einer dauerhaften Realität werden wird. Sie projizieren negativ in die Zukunft und fürchten, dass sie nun für immer mit der Einschränkung und Vermeidung leben müssen, die die Angst erzeugt. Wenn du

"Die Hoffnung ist wie ein Vogel, der die Morgendämmerung erahnt und vorsichtig zu singen beginnt, während es noch dunkel ist".

–Unbekannt

dich in diesen depressiven Gedanken und Gefühlen wiederfindest, sag dir Folgendes:

*"Auch das wird vorbeigehen".*

Und das wird es.

Shervin Pishevar schrieb: *"Angst ist endlich, Hoffnung unendlich".* Du musst deinen Glauben bewahren, dass sich die Dinge ändern werden.

Oft geschieht dies genau dann, wenn du es am wenigsten erwartest. Der Mensch, der du träumst zu sein, der Mensch, der bereit ist, überall hin zu gehen und alles zu tun, was er möchte, ist immer da, versteckt unter all diesen ängstlichen Gefühlen. Er ist immer da, auch wenn du dir das momentan vielleicht nur schwer vorstellen kannst.

Diese ängstlichen Gefühle ziehen wie Stürme durch dein Leben. Doch jeder -auch dieser Sturm-, egal wie dunkel und turbulent, wird vorbeiziehen. Der Regen wird aufhören und der klare, blaue Himmel wird wieder strahlen.

Es ist wunderbar zu beobachten, wie sich der Himmel und die Wolken kurz vor Sonnenaufgang verdunkeln, als ob sie ein großes Ereignis ankündigen wollten. So ist es oft auch bei der Überwindung von Ängsten. Gerade dann, wenn du denkst, dass es am schlimmsten ist, gelingt dir der Durchbruch, auf den du gewartet hast. Wenn es dir im Moment schwerfällt, die Dinge klar zu sehen und Hoffnung zu fühlen, dann erinnere dich an die Morgendämmerung. Gib nicht auf!

Ich werde oft gefragt, ob ich manchmal noch Ängste erlebe. Das ist eine gute und wichtige Frage, denn wenn man unter Ängsten leidet, möchte man eine Vorstellung davon bekommen, wie eine vollständige Heilung aussieht, oder ob eine vollständige Heilung überhaupt möglich ist. Stress gehört zu unserem Leben und auch Angst wird immer ein Teil davon sein, so auch bei mir. Aber der Unterschied ist, dass ich mich nicht mehr in den Teufelskreis der Angst verstricke und meine Ängste sich nicht mehr zu einer "Störung" entwickeln. Als Beispiel möchte ich kurz abschweifen und dir eine Geschichte erzählen, die dies verdeutlicht:

Meine Frau ist aus Brasilien und wir hatten das Glück, ihr wunderschönes Heimatland mehrmals besuchen und auskundschaften zu dürfen. Auf einem unserer Ausflüge waren wir gemeinsam mit anderen Touristen mit einem kleinen Holzkanu auf dem Amazonas unterwegs. Unser Reiseleiter war ein vierzehnjähriger Junge.

Auf dieser Fahrt, umgeben von Fischen mit scharfen Zähnen und ohne die Möglichkeit, das Kanu irgendwo anhalten und verlassen zu können, überkam mich für einen Moment plötzlich folgende Angst:

*"Was ist, wenn ich aber aussteigen will? Was ist, wenn mit dem Kanu etwas passiert? Was ist, wenn ...? Was ist, wenn ...? Und was ist, wenn ...?"*

Ich bemerkte, wie die Angst mich wieder in ihren Bann ziehen will und begann sofort, die DARE Schritte anzuwenden. Innerhalb von Sekunden ließ meine Angst nach und ich fühlte mich wieder entspannt und begeistert, auf dieser Fahrt zu sein. Ich bewegte mich aus einem aufkommenden ängstlichen Zustand heraus und konzentrierte mich wieder auf den Moment. Mein früheres Ich wäre hier leicht in Panik geraten, aber bewaffnet mit DARE fühlte ich mich stark und in Kontrolle.

Später ist auf der Fahrt tatsächlich etwas passiert. Dank DARE hatte ich aber die richtige Einstellung, mit dieser Situation gut umgehen zu können. Unser junger Reiseleiter hatte uns zu weit flussabwärts geführt und nicht darauf geachtet, wie spät es war. Jeden Nachmittag fällt in dem Gebiet, wo wir uns befanden, sehr starker Regen und es ist keine gute Idee, zu dieser Zeit mit so vielen Menschen auf einem Kanu unterwegs zu sein. Zu allem Überfluss trug keiner von uns eine Rettungsweste. Gerade in dem Moment, als wir umkehrten, begann es stark zu regnen. Es war ein unheimlich starker Regen. Jeder Tropfen hatte die Größe einer Murmel! Ich konnte kaum meine Hand vor meinem Gesicht sehen. Unter uns schwamm eine Schar hungriger Piranha-Fische. Jeder beeilte sich, die Kameras in schützende Plastiktüten zu stecken und meine Frau wandte sich an unseren Reiseleiter und fragte, ob es sicher sei, bei solchem Regen draußen zu sein. Sein besorgtes, kleines Gesicht sagte alles: "Não!" (Nein!)

Es dauerte nur etwa eine Minute, bis das Kanu knapp fünf Zentimeter hoch unter Wasser stand. Wenn das Kanu sich in dieser Geschwindigkeit weiter gefüllt hätte, wären wir in kürzester Zeit gekentert. Die Vegetation auf beiden Ufern war zu dicht, um dort anzuhalten und uns blieb nur die Möglichkeit, so schnell wie möglich nach Hause zu kommen. Während all dem hatte ich zu keinem Zeitpunkt das Gefühl, dass mich die Angst überwältigten würde. Ganz im Gegenteil: Ich war trotz dieser realen Bedrohung ruhig und klar.

Am Ende war es eine große, leere Cola-Flasche, die uns gerettet hat. Ich selbst und ein japanischer Student ergriffen die Initiative, schnitten die Cola Flasche mit einem Taschenmesser in zwei Teile und nutzen diese, um das Wasser so schnell wir konnten aus dem Kanu auszuschöpfen. An diesem Nachmittag haben wir Wasser geschöpft wie zwei olympische Athleten. Dank dieser Teamarbeit konnten wir verhindern, dass das Wasser über unsere Knöchel stieg und schafften es schließlich sicher zurück zu unserer Unterkunft.

Unser Reiseleiter war ziemlich mitgenommen, aber auch erleichtert. Seinem besorgten Vater gegenüber, der am Steg auf ihn wartete, verharmloste er die ganze Geschichte. Der Rest von uns stieg aus, erleichtert am Leben zu sein und in dringender Not für einen starken Caipirinha.

Der Grund, warum ich diese Geschichte hier erwähne, ist nicht um damit zu prahlen, wie toll ich war, sondern um dir aufzuzeigen, dass wenn du deine Reaktion auf deine Angst veränderst, du fähig sein wirst, jede Situation besser zu bewältigen. Und MacGyver zu spielen war auch mal schön!

## RÜCKSCHLÄGE – UND WIE MAN MIT IHNEN UMGEHT

Wenn man bereits gute Fortschritte im Umgang mit seiner Angst gemacht hat, kommt es manchmal vor, dass sich eine neue Angst, ein neuer *"Was ist, wenn.."*. Gedanke einschleicht.

*"Was ist, wenn die Angst zurückkommt?"*

*"Was ist, wenn ich der Angst wieder in die Falle gehe?*

Diese Angst ist sehr verbreitet und es ist verständlich, an diesem Punkt an seiner neu gewonnenen Freiheit zu zweifeln. Dass man einen Rückschlag erlebt, ist ziemlich sicher. *Ich habe nur sehr wenige Menschen betreut, die auf ihrer Reise keine Rückschläge erlebt haben.* Es gibt ein altes, englisches Sprichwort, das besagt: *"Ein ruhiges Meer hat noch keinen erfahrenen Seemann hervorgebracht".* Rückschläge sind wie Prüfungen, die man durchlaufen muss, um sich die Freiheit zu verdienen.

Rückschläge treten häufig dann auf, wenn man einen bedeutenden Durchbruch erzielt hat, wie z. B. nach der Überwindung einer großen Herausforderung oder nach einem wichtigen Lebensereignis, wie einem Umzug oder einem Arbeitsplatzwechsel usw. Ein Rückschlag ist so gut wie garantiert, deshalb solltest du ihn erwarten und willkommen heißen! Wenn du wirklich verstehst, dass Rückschläge Teil des Heilungsprozesses sind, kannst du die Frustration, die mit dem Rückschlag einhergeht, leichter loslassen und dich damit schneller durch die Zeit des Rückschlags hindurch bewegen.

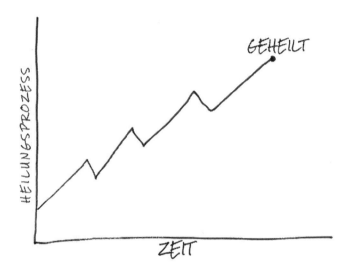

Das Verstörende an einem Rückschlag ist der anfängliche Schock, den man erlebt. Man hat so tolle Fortschritte gemacht und dann trifft einen die Angst ganz plötzlich wieder wie aus heiterem Himmel. In diesem Moment denkt man nicht nur, man wäre wieder ganz am Anfang, nein, man fürchtet auch, dass man tatsächlich *nie* frei von der Angst sein wird und dass alle Fortschritte, die man gemacht hat, nur eine Illusion waren.

Dr. Reid Wilson spricht in Bezug auf den Lernprozess davon, wie wichtig es ist "die Matte zu lieben". Dieser Ausdruck kommt aus dem Kampfsport und bedeutet, dass man damit rechnen muss, hin und wieder auf den Boden geworfen zu werden. Dies ist weniger schlimm, wenn man das Fallen erwartet und lernt, die Rückschläge als Teil des Wachstumsprozesses zu schätzen. Hinfallen macht uns stärker.

Der Schlüssel liegt darin, zu lernen, wie man auf Rückschläge reagiert. Eine falsche Reaktion kann die Dauer des Rückschlags verlängern.

Mit der richtigen Reaktion wirst du mit viel mehr Leichtigkeit durch diese Phasen hindurchgehen können. Die richtige Reaktion in diesem Fall ist, weiter DARE anzuwenden.

**Entschärfe** zunächst die aufkommenden, ängstlichen *"Was ist, wenn.."*. *Gedanken.*

*"Was ist, wenn all die Fortschritte, die ich gemacht habe, nur eine Illusion waren? Was ist, wenn ich diese Ängste nie los sein werde? Was, wenn ich meine Angst mit dem Versuch sie loszuwerden, nur verschlimmert habe?"*

Entschärfe jede dieser Fragen mit einer starken und abweisenden Antwort, wie z. B.:

*"Nun, wie auch immer. Dann werde ich mich heute eben ängstlich fühlen, so ist es dann wohl, was soll's".*

**Erlaube** dem Rückschlag dann einfach, da zu sein. Bekämpfe ihn nicht und drücke ihn nicht weg. Ganz im Gegenteil, heiße ihn willkommen und betrachte ihn als Teil deines weiteren Wachstums. Lass den Widerstand los, die Angst nicht fühlen zu wollen. Akzeptiere sie und lasse sie in genau der Weise präsent sein, wie sie ist. Erlaube dir, diesen Rückschlag zu erleben. Denke daran, es ist nicht für immer. Alles ändert sich und auch dieser Sturm wird vorübergehen.

Wenn du dann bereit bist, **beschäftige** dich mit etwas, das deine Aufmerksamkeit auf sich zieht. Dies wird deinen ängstlichen Verstand davon abhalten, ständig über den Rückschlag nachzudenken.

## ARBEITE MIT DEM BESCHÜTZENDEN ANTEIL IN DIR

Rückschläge treten oft dann auf, wenn wir uns unserer Angst stellen und der Teil in uns, der uns schützen möchte, aktiv wird. Dies ist der Teil, der lieber in seiner Komfortzone bleiben möchte, weil er glaubt, dass er nur dort sicher ist. Er versteht nicht, warum du dich einer Situation aussetzten solltest, die dir Angst macht.

Tief in unserem Inneren wissen wir alle, dass ein Leben ohne Hindernisse nicht möglich ist - und ebenso wenig glücklich macht. Doch der schützende Anteil in uns befürchtet, dass Hindernisse auch

Gefahren bergen könnten. Dieser Anteil möchte ängstliche Gedanken nicht entschärfen, die Angst nicht erlauben und sich nicht mit etwas anderem beschäftigen. *"Hey! Halt mal! Was machst du da? Bist du etwa verrückt? Du kannst doch nicht einfach so deine Sicherheitszone verlassen!"* Dieser Teil in uns möchte nicht konfrontieren, er möchte ausweichen und sich zurückziehen.

Nun, wir wissen, was dann passiert: Dieser Widerstand erzeugt dann einen inneren Konflikt und schürt Angstgefühle. In dieser Zeit kann es vorkommen, dass du dich sehr angespannt fühlst und ähnliche Angst- und Panikgefühle erlebst, wie zu deiner Anfangszeit. Vielleicht hast du dieselben Empfindungen wie damals, es können aber auch neue Empfindungen auftauchen, die du zuvor noch nie erlebt hast. Manchmal fühlt man sich auch für einige Zeit gut, bis sich plötzlich dieser schützende Anteil zeigt und Dinge sagt, wie:

*"Keine Panikattacken seit einer Woche -toll. Aber du weißt, was das bedeutet... Dafür wartet eine wirklich GROSSE um die Ecke auf dich!"*

Solche Gedanken können dein Selbstvertrauen untergraben. Ein Rückschlag kann dir das Gefühl geben, dass du überhaupt keine Fortschritte gemacht hast, wodurch du dich sehr verletzlich fühlen kannst. Die Angst kehrt zurück, dein Selbstvertrauen sinkt und du verfällst wieder in obsessive Gedanken darüber, wie du dich fühlst. Erinnere dich in solchen Momenten immer daran, dass Rückschläge Teil deines Heilungsweges sind. Sie gehören dazu. Sie mögen sich zwar wie ein großer Schritt zurück anfühlen, aber wenn du sie überwunden hast, wirst du wieder schnell Fortschritte auf vielen Ebenen machen.

Um deine Angst zu überwinden, musst du eine neue Beziehung zu dem beschützenden Anteil in dir aufbauen. Beweise diesem Anteil, dass du wirklich sicher bist und ermutige ihn, diese Schritte mit dir gemeinsam zu unternehmen. Wenn du das tust, fließt all deine Energie in die gleiche Richtung, wodurch sich der innere Konflikt löst.

Frustration über deinen Umstand ist eine weitere Sache, die dir Steine in den Weg legen kann. Du musst lernen, die Frustration, die du fühlst, loszulassen. Die Frustration, darüber, dass du dich schon wieder so fühlst und dass du noch nicht zu 100 % da bist, wo du sein möchtest. Lass dich durch Rückschläge nicht entmutigen - nimm sie als Chance wahr, weiter zu wachsen. Du kannst die Frustration überwinden, indem du wirklich akzeptierst, dass das, was du gerade erlebst, ein notwendiger Teil deines Heilungsprozesses ist und dass Rückschläge nur die Folge davon sind, dass du dich selbst schützen möchtest. Verurteile dich nicht und mache dir bewusst, dass deine Reise etwas ganz Persönliches ist. Sei nett zu dir selbst. Sei dein eigener bester Freund.

Die Heilung von Ängsten ist kein linearer Prozess, wie beispielsweise die Heilung eines Knochenbruchs. Einige Tage werden besser als andere sein. Sei also nicht entmutigt, wenn einem tollen Tag ein schlechter Tag folgt. Behalte dein Endziel im Auge und bleibe beharrlich dran. Dein Durchsetzungsvermögen wird dich an dein Ziel tragen. Erinnere dich daran, wie weit du schon gekommen bist, wann immer du an deiner Heilung zweifelst. Denke an all die Ängste, die du konfrontiert hast, all die Ängste, die du bereits überwunden hast.

Stärke dein Selbstvertrauen, indem du ein Erfolgstagebuch führst und alle Situationen notierst, in denen du deine Ängste überwunden hast. Dieses Tagebuch kann zu einer wertvollen Ressource werden, aus der du Kraft schöpfen kannst. Erfolge aufzuschreiben hilft nicht nur, sich an sie zu erinnern, sondern festigt sie auch und macht die Erinnerung plastischer. Wir alle neigen dazu, unsere Erfolge zu vergessen. Das Aufschreiben und Nachlesen deiner Erfolge sind wertvolle Hilfsmittel, mit denen du dich motivieren und dein Selbstvertrauen stärken kannst. Selbstvertrauen ist -genau wie Angst- ansteckend. Wenn es erst einmal wächst, wirst du schon bald feststellen, dass es sich auf alle Bereiche deines Lebens ausweitet und deine Lebensqualität, auch lange nach Zeiten der Angst, steigert.

## ERLAUBE DIR, TIEFPUNKTE ZU ERLEBEN

Es gibt Zeiten, in denen man von einem Rückschlag so stark getroffen wird, dass man das Gefühl hat, den Kampf gegen die Angst zu verlieren. Und auch das ist okay. Jeder Mensch erlebt Tage, an denen er einfach nur den Snooze-Knopf auf dem Wecker drücken und unter der Decke liegen bleiben möchte. Diese Tiefpunkte sind zu erwarten.

Bereite dich auf sie vor und versprich dir, dass wenn sie auftauchen, du trotzdem weiter machen und nach vorne schauen wirst.

Das letzte Wort zu diesem Kapitel soll niemand geringerer als Rocky Balboa haben:

"Weder du, ich, noch sonst jemand, kann so hart zuschlagen wie das Leben! Aber es geht nicht darum, wie hart jemand zuschlagen kann, es geht darum, wie viele Schläge man einstecken kann und trotzdem weitermacht... Wie viel man einstecken kann und trotzdem weitermacht.... Nur so gewinnt man!"

# HÖR AUF, DIESE ERFAHRUNG ALS FLUCH ZU SEHEN

"Die Wunde ist der Ort, durch den das Licht dich erreicht".

– Rumi

In Japan gibt es eine alte, traditionelle Kunst namens *Kintsugi*. Es ist die Kunst, zerbrochene Keramikschalen zu reparieren, anstatt sie zu entsorgen. Dabei werden die Risse in den Keramikschalen mit einem gold-besprenkelten Harz gefüllt, sodass die Schalen nach der Reparatur schöner und wertvoller als zuvor werden.

So ist es auch mit der Erfahrung der Angst. Wenn wir diese Erfahrung durchlebt und integriert haben, wird auch unser Leben schöner und wertvoller als zuvor.

Elisabeth Kübler-Ross schrieb: *"Die schönsten Menschen, die wir kennen, sind diejenigen, die Niederlagen erlebt haben, Leid, Schicksalsschläge, Verlust erfahren und es dennoch geschafft haben, immer wieder ihren Weg aus der Tiefe heraus zu finden. Diese Erfahrungen schenkten diesen Menschen eine besondere Wertschätzung, Empfindsamkeit und ein Verständnis vom Leben, das sie in Mitgefühl, Sanftheit und in tiefer Liebe auf andere Menschen zugehen lässt. Ein schöner Mensch wird nicht einfach so geboren. Ein Mensch wird schön durch die Kraft, sich über seine Tiefschläge zu erheben und daran zu reifen".*

Nachfolgend möchte ich dir erklären, wie deine Erfahrung mit der Angst dein Leben zum Besseren verändern kann und wie du lernen kannst, einen Sinn in dieser Erfahrung zu finden. Um an diesen Punkt zu gelangen, musst du deine Wahrnehmung und deine Sichtweise gegenüber deinen Ängsten verändern. Es gibt drei Dinge, welche dir helfen werden, dies zu erreichen. Diese sind:

*1. Vergebung*

*2. Sinn*

*3. Dankbarkeit*

## 1. VERGEBUNG

Die meisten Leute hassen ihre Angst und vielleicht tust du das auch. Du hast nicht darum gebeten, dass dir diese Last auferlegt wird und doch ist sie nun da und macht dir dein Leben zur Hölle. Wahrscheinlich hast du auch noch andere Dinge in deinem Leben, die du bewältigen musst und Ängste sind das Letzte, worum du dich im Moment zusätzlich noch sorgen möchtest. Sicher wunderst du dich:

*"Warum ich?"*

*"Was habe ich getan, um das zu verdienen?"*

*"Ich wünschte, diese Ängste würden einfach verschwinden und mich in Ruhe lassen".*

Angstzustände können eine solch demoralisierende Erfahrung sein, dass allein der Gedanke daran, sich jeden Tag solchen Herausforderungen stellen zu müssen, zu Gefühlen von Depression führen kann. Wir haben im letzten Kapitel besprochen, dass es auch normal ist, wütend auf sich selbst zu sein. Ich verstehe sehr gut, wie frustrierend diese Gefühle sind, auch ich habe sie erlebt.

Wenn du starken Groll gegenüber deiner Angst empfindest, dann besteht der erste Schritt darin, dir hierüber bewusst zu werden. Bewusstsein ist der erste Schritt zur Lösung jedes Problems. In diesem Bewusstsein möchte ich dich nun einladen, dir selbst dafür zu vergeben, dass du an Ängsten leidest und auch der Angst dafür zu vergeben, dass sie dein Leben so durcheinandergebracht hat. Der zweite Schritt von DARE, die Akzeptanz, beruht auf der Vergebung. Wenn du eine Sache wirklich akzeptierst, wirst du auch in der Lage sein, all den Ärger, die sie dir bereitet hat, verzeihen zu können.

Vergib deiner Angst dafür, dass sie in den unpassendsten Momenten auftaucht, dass sie dir nachts den Schlaf raubt und dich mitten in der Nacht erschreckt. Vergib ihr, dass sie dir nicht einen Moment des Friedens schenkt. Ich weiß, wie schwer es ist, einer Sache zu vergeben, die dich so sehr gequält hat. Aber wenn du vergibst, wirst du dich viel stärker fühlen und es wird dir möglich sein, diese Erfahrung in dein Leben zu integrieren.

Werde dir über all die Wut, die du gegenüber deiner Angst und möglicherweise auch gegenüber dir selbst empfindest, bewusst. Dann bleibe eine Zeit lang mit diesem Gefühl präsent. Erkenne es an und benenne es als das, was es ist. Versuche nicht, das Gefühl zu verändern, lasse es einfach präsent sein. Auf diese Weise wirst du mit diesem Gefühl vertraut. Dann frag dich, ob du bereit bist, dir selbst und der Angst zu vergeben. Wenn du das Gefühl hast, dass der größte Teil der Wut auf dich selbst gerichtet ist, dann stell dich vor einen Spiegel und sag dir selbst:

*"Ich verzeihe dir dafür, dass du Angst hast".*

Sprich diese Worte laut aus. Versuche, das gleiche Mitgefühl aufzubringen, wie du es gegenüber einem lieben Freund, der die gleiche Erfahrung durchmacht, empfinden würdest. Sprich auf die gleiche Weise mit dir selbst. Was würdest du zu deinem Freund oder deiner Freundin sagen? Wie würdest du ihnen helfen, ihre Verurteilung sich selbst gegenüber aufzugeben?

Leider ist das Verzeihen kein Schalter, den man umlegen kann und plötzlich ist alles anders. Es ist etwas, das man im Laufe der Zeit kultiviert und pflegt. Um motiviert zu bleiben, solltest du dich von Zeit zu Zeit daran erinnern, warum du vergeben möchtest. Hier möchte ich dir drei überzeugende Gründe nennen, warum das Vergeben so wichtig ist:

**-Vergebung ist ein Geschenk, das man sich selbst macht.** Louis Smedes sagte einmal: *"Vergeben bedeutet, einen Gefangenen freizulassen und zu entdecken, dass der Gefangene du selbst warst"*.

Wenn du Wut gegenüber deiner Angst empfindest, schränkt dies deine Fähigkeit ein, die Angst wirklich zu akzeptieren, was wiederum deine Fortschritte mit DARE behindert. Du wirst deine Angst viel schneller überwinden können, wenn du dir erlaubst zu vergeben. Vergebung ist ein Geschenk, das du dir in erster Linie selbst machst. In jedem Moment -egal wie kurz-, in dem du dich in Richtung Vergebung bewegst, heilst du deine Angst.

**-Vergebung kommt von deinem wahren Ich.** Vergebung ist ein Akt der Stärke und kommt von deinem geerdeten, starken Ich. Mahatma Gandhi sagte: *"Die Schwachen können nicht vergeben. Vergebung ist ein Attribut der Starken"*.

Wenn du verzeihst, bekräftigst du den weisen, starken Teil in dir und kannst mit mehr Selbstvertrauen und Gelassenheit durch das Leben gehen. Vergebung schenkt dir ein Gefühl des Friedens und der Ruhe. Dieser Frieden entsteht durch das Loslassen der Wut und der Verbitterung. Sag dir: *"Es ist Zeit, der Angst für alles zu vergeben. Es ist Zeit, mir selbst für alle meine Fehler zu verzeihen"*. All die Wut und die Verbitterung auf dich selbst und deine Angst sind dir nicht hilfreich. Sie rauben dir deine Energie und machen dich unglücklich. Der innere Frieden kehrt dann zurück, wenn du loslässt und erlaubst, dass sich die Angst so manifestieren darf, wie sie ist, ohne jeglichen Groll oder Widerstand zu empfinden. Wir vergeben, um zu heilen und um in unserem Leben nach vorne blicken zu können.

Das Verzeihen löst die Angst auf sehr sanfte Weise Schicht für Schicht auf. Wenn diese Schichten abfallen, wirst du beginnen, neue Möglichkeiten und Sichtweisen zu entdecken, die dir bisher verborgen geblieben sind.

Die zweite Übung besteht darin, einen Sinn zu finden.

## 2. EINEN SINN FINDEN

Manchmal geschehen Dinge aus einem bestimmten Grund. In seinem Buch *"Traveling Light"* schrieb Daniel O'Leary: *"Mit der Angst ist es genauso wie mit der Wut. Wenn wir die Energie der Angst zu unseren Gunsten einsetzen und nutzen, kommen wir auf unserem Heilungsweg viel schneller voran".* Könnte deine Erfahrung mit der Angst tatsächlich eine der wertvollsten Lektionen in deinem Leben sein? Könnte die Angst möglicherweise dein größter Lehrer sein?

Ich bin davon überzeugt, dass diese Erfahrung es dir ermöglichen wird, auf eine Art und Weise zu wachsen und dich zu entwickeln, die dir vorher vielleicht nicht möglich gewesen wäre. Wenn ein Mensch seine Ängste wirklich konfrontiert und überwindet, entwickelt er auf dem Weg dorthin eine innere Stärke, die anderen Menschen zu entwickeln nicht möglich ist. Wahre Stärke entsteht, wenn man einer Herausforderung begegnet und sich dieser stellt. Diese Art von Stärke baust du mit jedem Mal auf, wenn du DARE übst.

Der Philosoph Søren Kierkegaard sagte: *"Wer gelernt hat, auf die richtige Weise Angst zu haben, hat das Höchste gelernt".*

Du kannst wirklich einen Sinn in deinem Leiden finden, indem du deine Reaktion auf deine Angst bewusst wählst. Du bist nun kein Opfer mehr, du hast die Freiheit, deine Reaktion zu bestimmen und zu wählen, welche Haltung du gegenüber der Angst einnimmst - das ist ein großer Erfolg!

Verzweiflung ist Leiden ohne Sinn. Der einfachste Weg, einen Sinn in deiner Angst zu finden, ist, die Dinge aufzuschreiben, die du aus dieser Erfahrung gelernt hast und dann den Grund aufzuschreiben, warum du diese Ängste überwinden möchtest. Zum Beispiel:

*-Was bedeuten diese Panikattacken?*

Panikattacken bringen mir mehr über mich selbst bei. Dies ist ein Crashkurs in Selbstentwicklung.

-Grund zur Überwindung:

Ich möchte mich entwickeln und ein stärkerer Mensch werden.

*-Was bedeutet diese konstante Angst?*

Meine Angst zeigt mir, in welchen Bereichen ich mich zurückhalte und welche Herausforderungen ich vermeide.

-Grund zur Überwindung:

Ich möchte ein vielseitigeres, abenteuerlicheres Leben führen.

*-Warum bin ich der einzige Mensch, der sich so fühlt? Was hat das zu bedeuten?*

Durch die Angst lerne ich, mehr Mitgefühl anderen Menschen und auch mir selbst gegenüber zu empfinden.

-Grund zur Überwindung:

Ich möchte anderen Menschen, die dasselbe durchmachen, dabei helfen, mutig zu sein und ihre Ängste zu konfrontieren.

Dr. Frankl schrieb: *"Selbst in einer hoffnungslosen Situation kann ein Mensch mit der richtigen Einstellung einen Sinn in seinem Leiden erkennen und diesem nachgehen".* Wenn du in deiner Erfahrung einen Sinn findest, eröffnet sich dir ein neuer Horizont. Erinnere dich jedes Mal an diesen Sinn und an das größere Bild, wenn die Angst auftaucht.

Nur du selbst kannst die Bedeutung für deine persönliche Herausforderung finden. Sobald du diese Bedeutung gefunden hast, finde einen oder mehrere Gründe für die Bewältigung dieser Herausforderung. Dein unbezwingbarer Mut kann zu einer Inspiration für dich und die Menschen in deinem Leben werden. Erinnere dich an die besondere Reise, auf der du dich befindest. Denke daran, dass in dieser Erfahrung ein Geschenk liegt. Die Erinnerung daran wird dir helfen, schwierige Tage durchzustehen. Wenn du die Angst letztendlich überwunden hast, wirst du eine innere Stärke und Zuversicht entwickelt haben, die dir für den Rest deines Lebens bleibt.

Die dritte und letzte Übung dreht sich um *Dankbarkeit*.

## 3. DANKBARKEIT

Wenn du den Punkt erreichst, an dem du Dankbarkeit gegenüber deiner Angst empfindest, wirst du eine völlig neue Beziehung zu deiner Angst entwickelt haben. Diese neue Beziehung und veränderte Sichtweise ist der entscheidende Schritt in die Freiheit. Was für ein wunderbarer Punkt das ist. Du schaust dem Übeltäter in die Augen und sagst: *"Danke, dass du hier bist"*.

Dies erinnert mich an eine frühere Klientin. Sie sagte, dass sie nach vielen Jahren mit Angst- und Panikattacken nun endlich das verborgene Geschenk hinter der Angst erkennen konnte und dankbar dafür war. Sie entwickelte ein felsenfestes Selbstvertrauen, das sie vorher nicht kannte.

*"Ich sehe die Angst nun als einen Boten, ein wichtiges Werkzeug, um mich selbst besser kennenzulernen. Auf diese Weise mit meiner Angst zu arbeiten ist völlig neu für mich, da ich meine negativen Gefühle für fast mein gesamtes Erwachsenendasein unterdrückt habe. Meine Angst spüre ich in meiner Brust und in meinem Bauch und wenn sie auftaucht, sage ich einfach: "Hallo, willkommen". Dann, später am Tag, wenn ich etwas entspannen kann, komme ich zu den Gefühlen zurück und akzeptiere ihre Anwesenheit. Ich danke ihnen, dass sie da sind und dafür, was ich durch sie lerne".*

Genau wie Vergebung ist auch Dankbarkeit eine Kraft, die dich über das hinaushebt, was dich bisher bedrückt hat. Hier ist eine kurze Geschichte eines unbekannten Autors, welche diesen Punkt schön veranschaulicht:

*Ein Mann fand eines Tages den Kokon eines Schmetterlings. Er nahm ihn mit nach Hause, damit er zusehen konnte, wie der Schmetterling aus dem Kokon schlüpft. An dem Tag, an dem sich der Kokon ein wenig öffnete, setzte er sich hin und beobachtete mehrere Stunden lang, wie der Schmetterling damit kämpfte, seinen Körper durch die kleine Öffnung im Kokon zu drücken.*

*Doch dann dachte er, dass der Schmetterling keine Fortschritte mehr machte. Es sah aus, als ob er in seinem Kokon feststeckte. In seinem Mitgefühl beschloss der Mann, dem Schmetterling zu helfen. So nahm er eine Schere und öffnete damit den Rest des Kokons, aus welchem der Schmetterling dann mühelos raus schlüpfte. Doch was er sah, erschreckte ihn. Der Schmetterling hatte einen geschwollenen Körper und kleine, verschrumpelte Flügel. Der Mann beobachtete den Schmetterling weiter, in der Hoffnung, dass die Flügel sich vergrößern und ausweiten würden und dass der Körper des Schmetterlings kleiner werden würde. Beides geschah nicht! Tatsächlich verbrachte der kleine Schmetterling den Rest seines Lebens damit, mit einem geschwollenen Körper und verschrumpelten Flügeln herumzukrabbeln. Er war nie in der Lage zu fliegen.*

*Was der Mann in seinem Mitgefühl und seiner Eile nicht verstand, war, dass der einschränkende Kokon und der Kampf, durch die winzige Öffnung zu gelangen, für den Schmetterling wichtig waren, um die Flüssigkeit aus seinem Körper in seine Flügel zu treiben, sodass sie flugbereit sein würden, sobald er aus dem Kokon schlüpft. Das Fliegen und die Freiheit würden erst nach dem Ringen kommen. Indem er dem Schmetterling diese nötige Herausforderung nahm, nahm er ihm auch seine Gesundheit und seine Freiheit.*

Diese Geschichte veranschaulicht den Punkt, dass jedes Problem -egal wie schlimm es ist- ein verborgenes Geschenk enthält. Die Angst ist ein harscher Lehrer, aber jetzt, da du bereit bist, aus dieser Erfahrung zu lernen, kannst du auch das Potenzial des Wachstums darin erkennen.

Sieh die Angst daher nicht als einen Fluch, sondern als deinen Lehrer. Sie kann dir dabei helfen, zu wachsen und dich zu einem bewussteren, stärkeren und empathischeren Menschen zu entwickeln. Ich weiß, dass diese Tatsache schwer zu erkennen sein kann, wenn man sich gerade so "gebrochen" fühlt, aber mit der Zeit werden deine Wunden heilen und du wirst dich wieder "ganz" fühlen.

# GIB DEINE STÜTZEN AUF

Dies ist ein kurzes Kapitel, aber es enthält eine wichtige letzte Herausforderung für dich. Du musst diese Hürde nehmen, um deine Ängste vollständig überwinden zu können.

Wenn du seit längerer Zeit an Ängsten leidest, hast du dir wahrscheinlich im Laufe dieser Zeit eine oder mehrere Stützen zugelegt. Stützen können bestimmte Menschen sein, auf die du dich immer verlassen kannst oder Dinge, die dir helfen, dich in ängstlichen Situationen ruhig und sicher zu fühlen.

Einige typische Beispiele könnten sein:

- Immer eine sichere Person um sich haben.

- Niemals das Haus ohne Handy verlassen.

- Immer eine Beruhigungstablette in der Tasche haben.

- Eine kleine Flasche Alkohol mit sich herumtragen.

- Nachrichten senden oder jemanden anrufen, wenn man sich ängstlich fühlt.

- Immer wieder dieselben medizinischen Untersuchungen durchführen lassen.

Zusammenfassend sind Stützen die Dinge, von denen du denkst, dass du sie brauchst, um dich sicher zu fühlen. Es ist nachvollziehbar, dass Stützen sich mit der Zeit einbürgern, denn sie bieten ein Art Sicherheitsnetz. Vielleicht denkst du:

*"Nun, wenn es wirklich schlimm wird, kann ich mich immer auf X verlassen".*

Wenn du aber genauer hinsiehst, erkennst du, dass die Notwendigkeit einer Stütze ein Zeichen dafür ist, dass du noch nicht davon überzeugt bist, dass du wirklich sicher bist. Sie sind ein Hinweis darauf, dass du dich immer noch der Erfahrung der Angst widersetzt.

In den frühen Phasen des Heilungsprozesses können Stützen sehr hilfreich sein, da sie dich motivieren und dir helfen können, auf dein Ziel hinzuarbeiten. Wenn man sich ein Bein bricht, benötigt man Krücken, um mobil zu bleiben. Nach einer gewissen Zeit muss man die Krücken jedoch dann ablegen, um wieder fest auf den eigenen beiden Beinen stehen zu können.

Nachfolgend beschreibt einer meiner Klienten, Ian, wie er seine größte Stütze (seine Frau) aufgegeben hat.

*"Seitdem ich DARE anwende, habe ich tolle Fortschritte gemacht. Ich tue Dinge, die ich seit Jahren nicht mal mehr versucht habe. Angst- und Panikgefühle haben nicht mehr die gleichen Auswirkungen auf mich wie früher. Tatsächlich habe ich seit Monaten keine richtige Panikattacke mehr erlebt. Es liegt noch viel vor mir und ich habe noch nicht das Gefühl, dass ich ganz über dem Berg bin, aber ich fühle mich meist zuversichtlich auf meiner Reise.*

*Heute Nachmittag habe ich im Mitgliedsbereich einen Beitrag über "Stützen" gelesen. Das brachte mich zum Nachdenken und im Anschluss hatte ich ein gutes Gespräch mit meiner Frau. Ich erklärte ihr, dass die Unterstützung, die sie mir gibt, mich jetzt zurückhält. Ich dankte ihr dafür, dass sie immer für mich da war, dass sie die Dinge tat, die ich nicht tun konnte, dass sie bei mir war, wenn ich meine Komfortzone verlassen musste. Ich erklärte ihr, dass ich weiß, dass sie all diese Dinge tut, weil sie denkt, dass sie mir damit hilft und dass auch ich das bis jetzt gedacht habe. Von nun aber soll sie mir nie wieder erlauben, sie als "Stütze" zu benutzen*

*- egal was passiert. Ich liebe meine Frau von ganzem Herzen und ich habe keine Ahnung, wie ich die letzten sechs Jahre ohne sie überstanden hätte, aber jetzt es ist an der Zeit, dass ich meine "Stütze" ablege und diese Reise alleine fortsetze.*

*Natürlich hat mich dieses Gespräch mit ihr ängstlich gemacht. Ich hatte so viele "Was ist, wenn..". Gedanken. Was ist, wenn ich nicht bereit bin, einen schlechten Tag habe oder ich doch noch nicht so große Fortschritte gemacht habe, wie ich dachte?*

*Aber ich beantworte all diese ängstlichen Gedanken mit einem selbstbewussten und gleichgültigen "Na und?!". Ich erwarte, dass mein Angstniveau in den nächsten Wochen wieder steigen wird. Vielleicht kommen auch die Panikattacken wieder. Aber für mich ist dies der nächste Schritt, den ich gehen muss, um frei zu sein. Selbst wenn ich meine Meinung wieder ändern würde, wäre es jetzt zu spät, denn im Gespräch habe ich meiner Frau gesagt, <u>dass, egal was ich sagen würde, sie mir nicht mehr helfen darf</u>".*

Was Ian tat, war sehr beeindruckend und erforderte viel Mut. Ein Teil von ihm erkannte, dass sein Heilungsprozess ein Plateau erreicht hatte und dass er, um das nächste Level zu erreichen, diesen Schritt wagen und seine Stütze ablegen musste. Ich erwarte nicht, dass du deine Stützen mit der gleichen Begeisterung wie Ian ablegst, aber versuche zumindest, den Prozess in Bewegung zu setzen und dich dann Schritt für Schritt von deinen Stützen zu lösen.

So könntest du beispielsweise heute entscheiden, alleine eine Fahrt zu unternehmen, anstatt eine Begleitperson mitzunehmen. Vielleicht kannst du dein Handy oder deine Beruhigungstabletten zu Hause lassen, wenn du spazieren gehst. Oder du könntest dich entscheiden, alleine in der Nähe einkaufen zu gehen. Welche Art von Stütze du auch nutzt, beginne Wege zu planen, ohne sie zu üben. Versuche jeden Tag eine kleine Sache ohne deine Stütze zu tun. Es muss keine große Sache sein. Das Wichtigste ist, dass du dich immer wieder herausforderst und damit dein Selbstvertrauen aufbaust.

Ich weiß, dass dies in der Anfangsphase sehr schwierig sein kann, besonders wenn man sich seit vielen Jahren auf seine Stütze verlassen hat. Aber jetzt ist der Zeitpunkt gekommen, um den Mut dazu zu aufzubringen. Du bist nun gut gerüstet für diese Herausforderung, denn jetzt hast du DARE, womit du deine Stütze ersetzen kannst. Mit dem Einsatz von DARE wirst zu erkennen, dass du dich immer auf dich selbst verlassen kannst, wenn du dich ängstlich fühlst.

Es ist natürlich möglich, trotz weiter bestehenden Stützen einen gewissen Grad an Fortschritt zu erreichen, aber du wirst nie das Gefühl haben, dass du es wirklich bis ans Ende geschafft hast. Die Angst wird weiterhin im Hintergrund schlummern, dich immer wieder belästigen und dir sagen, dass du immer noch verletzlich bist, da du weiterhin deine Stütze brauchst, um dich sicher zu fühlen. Dieser Kampf wird dein Vertrauen auf lange Sicht untergraben, deshalb ist es so wichtig, diese letzte Herausforderung anzugehen.

Verpflichte dich, noch heute -am besten gleich-, diesen Schritt zu gehen. Erstelle dir einen Plan, wie du deine Stützen ablegen wirst, sodass dein Weg zur Heilung frei ist.

Vertraue dir und gehe jeden Tag mutig an.

# BESCHLEUNIGE DEINE HEILUNG

Wir nähern uns dem Ende unserer gemeinsamen Reise. Ich habe dir das meiner Meinung nach mächtigste Werkzeug zur Überwindung deiner Ängste vorgestellt - DARE. Dieses Werkzeug allein ist alles, was du brauchst, um dich von deinen Ängsten zu befreien und dein Leben wieder in vollen Zügen genießen zu können.

Aber wir sind noch nicht ganz am Ende der Reise... Abschließend möchte ich noch einige zusätzliche Tipps und Erkenntnisse mit dir teilen. Diese Tipps werden dir nicht nur helfen, deinen Heilungsprozess zu beschleunigen, sondern deine Angst auch nach deiner Heilung in Schach halten. Ich selbst befolge alle diese Ratschläge, wenn ich durch stressige Zeiten gehe.

Über das, was ich nachfolgend mit dir teile, werden ganze Bücher geschrieben. Um es dir aber so leicht wie möglich zu machen, habe ich alle wichtigen Informationen zusammengefasst und auf das Wesentliche reduziert. Versuche, möglichst viele der nachfolgenden Tipps zu implementieren. Sie werden dir auf deinem Heilungsweg wirklich helfen und deine Erfolge nachhaltig verankern.

## HEILE MIT DEINEM HERZEN

*In einem alt-englischen Sprichwort heißt es: "Die Angst klopfte an die Tür, die Liebe antwortete und niemand war da".*

Da du mit DARE jetzt besser vertraut bist, möchte ich etwas tiefer in diese Materie eintauchen und eine Erkenntnis mit dir teilen, die dir wirklich helfen kann, deine Heilung voranzutreiben. Ich habe über die Wichtigkeit gesprochen, deinen ängstlichen Verstand aus dem Weg zu räumen, um den Angstkreislauf zu durchbrechen. Aber was treibt eigentlich die Heilung an, wenn der ängstliche Verstand aus dem Weg geräumt ist? Wenn du dir die Kernqualitäten von DARE ansiehst, wirst du Dinge wie Akzeptanz, Toleranz, Mitgefühl, Humor und Güte finden. Diese sind die Eigenschaften, die die Angst heilen und tatsächlich sind diese die Eigenschaften des Herzens.

*Am Ende heilst du die Angst mit deinem Herzen, nicht mit deinem Kopf.* Es ist das Licht und die Wärme eines mitfühlenden Herzens, das den dichten Nebel der Angst auflöst. Dein Verstand kann die Angst bis zu einem gewissen Grad kontrollieren, aber er hat nicht die transformative Kraft, sie zu heilen. Diese Kraft kommt aus deinem Herzen. Wenn dein ängstlicher Verstand aus dem Weg geräumt wird, ist es dein Herz, dass es dir ermöglicht, wieder inneren Frieden zu fühlen. Die innere Stimme, die du hörst, kommt aus deinem Herzen. Mit dieser Stimme beruhigst du deinen ängstlichen Verstand. Es ist die Stimme deines wahren und authentischen Selbst. Bei der Akzeptanz und dem Erlauben geht es in Wirklichkeit darum, Raum für diese weise, mitfühlende Stimme zu schaffen.

Dein Herz sieht das Gesamtbild und macht es dir möglich, deinen Schmerz in einem neuen Licht zu sehen. Es versteht den Zweck und die Bedeutung dieses Kampfes und gibt dir den Mut, wieder mit dem Leben in Verbindung zu treten.

Wenn man ängstlich ist, ist man die ganze Zeit über in seinem Kopf gefangen - ein Gefängnis ohne Wände. Dein Herz hat die Fähigkeit, diese Gefängnistür aufzubrechen und dich zu befreien. Es tut dies durch mitfühlende Akzeptanz. *"Es ist okay"*, sagt dein Herz zu deinem ängstlichen Verstand. *"Ich schaffe das. Ich akzeptiere und erlaube dieses ängstliche Gefühl. Du musst dich nicht mehr so sehr bemühen, du kannst loslassen"*. Diese sanfte, mitfühlende Annahme der Angst beruhigt den Verstand und versichert ihm, dass die Dinge wirklich in Ordnung sind. Dein Verstand fühlt sich dann weniger unter Druck gesetzt, alles kontrollieren zu müssen.

Eine Tatsache, die nur wenigen Menschen bekannt ist, ist, dass das Herz 1983 als Hormondrüse klassifiziert wurde. Das Herz produziert wichtige Hormone, von denen einige für die Regulation der Stressreaktion verantwortlich sind. Eines dieser Hormone wird als "Atrialer Natriuretischer Faktor (ANF)" bezeichnet und eine seiner Aufgaben ist, die Freisetzung von Stresshormonen im Körper zu vermindern. Ein weiteres Hormon namens Oxytocins, allgemein auch als "Liebeshormon" bekannt, ist ebenfalls ein stresslösendes Hormon, welches vom Herzen freigesetzt wird. Wenn wir einen geliebten Menschen umarmen oder küssen, steigt unser Oxytocin-Spiegel an. Gefühle wie Empathie und Anteilnahme stimulieren die Freisetzung dieses Hormons und lösen eine Entspannungsreaktion aus. So auch, wenn du eine Haltung mitfühlender Akzeptanz gegenüber deiner Angst einnimmst. Wenn ich also über die heilenden Eigenschaften des Herzens spreche, meine ich dies sowohl im metaphorischen als auch im physischen Sinne.

## LIEBE HEILT ANGST

Dies ist eine Botschaft, die im Laufe der Jahrhunderte weitergegeben wurde. Leider ist das Konzept für die praktische Anwendung auf ein Problem, wie eine Angststörung, zu abstrakt. DARE hingegen ist eine praktische Umsetzung dieser Weisheit. Es ist ein therapeutischer Ansatz, dessen Kern auf aufrichtigem Mitgefühl basiert.

Das Max-Planck-Institut für Kognitions- und Neurowissenschaften ist ein führendes Forschungsinstitut und beschäftigt sich mit den neurowissenschaftlichen Effekten von Mitgefühl und Achtsamkeit. Zu diesem Thema hat das Institut in Deutschland eine große Studie durchgeführt, das ReSource Projekt. Die Ergebnisse dieses Projekts bestätigten, was bereits tausende anderer Studien gezeigt haben: Dass Meditation und Achtsamkeit signifikante, stressmindernde Effekte auf die Teilnehmer haben. Das Interessanteste an ihren Ergebnissen war jedoch, dass das Stressniveau der Teilnehmer, die mitgefühlbasierte Übungen absolvierten, viel niedriger war, als bei Teilnehmern, die nur achtsamkeitsbasierte Übungen absolvierten. Was ihre Studie somit zeigte, war, dass Mitgefühl das Stressniveau einer Person signifikant reduzieren kann.

Um den vollen stresslösenden Nutzen des Mitgefühls zu erfahren, müssen wir uns darin üben, mehr Mitgefühl uns selbst gegenüber zu kultivieren. Wie ich bereits erwähnt habe, neigen wir alle dazu, uns selbst viel zu sehr zu verurteilen. Mit dem Einsatz von DARE wirst du eine grundlegende Veränderung in der Art und Weise, wie du dich selbst und deine Angst siehst, bemerken. Die Entwicklung mitfühlender Akzeptanz dessen, wer du bist und was du erlebst, ist der entscheidende Schlüssel zur Reduzierung von Stress und zur Stärkung deines Selbstbildes sowie Selbstwertes.

Die moderne Psychologie beginnt erst jetzt, die transformative Kraft der Arbeit mit Mitgefühl in der therapeutischen Praxis zu erfassen. Wir sehen ein echtes Wachstum der Interessen an Therapien wie Achtsamkeitsbasierte Kognitive Therapie (MBCT) und Akzeptanz- und Commitmenttherapie (ACT), die in Wirklichkeit herzzentrierte Therapien sind. Wie bereits erwähnt, prognostiziere ich, dass diese herzzentrierten Therapieansätze in den kommenden Jahren an Popularität gewinnen werden, da sie die älteren Therapiemethoden in ihrer Effektivität übertreffen.

Dein Herz ist der wahre Heiler. Während du DARE praktizierst, arbeitest du nicht nur daran, deine Ängste zu überwinden, sondern auch daran, dein Selbstwertgefühl zu stärken, was wiederum deinen Heilungsprozess fördert!

## WASSER

Das Nächste, womit du deine Heilung beschleunigen kannst, ist Wasser. Wasser ist ein großartiger Durstlöscher, aber noch wichtiger zu erwähnen ist seine Wirkung auf die Reduzierung von Ängsten. Es gibt keinen schnelleren Weg, Gefühle generalisierter Angst zu reduzieren, als mit dem Trinken von frischem Wasser.

Alle unsere Organe benötigen genügend Wasser, um richtig funktionieren zu können. Wasser transportiert Hormone, chemische Botenstoffe und Nährstoffe zu den lebenswichtigen Organen. Wenn wir unseren Körper nicht mit genügend Flüssigkeit versorgen, kann er mit einer Vielzahl von Symptomen reagieren, unter anderem auch mit Angstgefühlen. Studien haben gezeigt, dass eine Dehydration von nur einem halben Liter Wasser (das entspricht zwei Tassen) den Cortisolspiegel erhöhen kann, was wiederum dazu führt, dass man sich noch ängstlicher und nervöser fühlt.

Wenn du unter wiederkehrenden Panikattacken leidest, aktiviert sich deine Stressreaktion öfter als üblich und das verursacht eine Ansammlung von Giftstoffen in deinem System, die ausgespült werden müssen. Deshalb ist es so wichtig, sich die ganze Zeit über gut mit Flüssigkeit zu versorgen.

Um einem Flüssigkeitsmangel vorzubeugen, ist es wichtig, täglich acht Gläser frisches Wasser zu trinken. *Diese sollten verteilt auf den Tag und nicht auf einmal getrunken werden,* andernfalls hat der Körper keine Chance, es richtig aufzunehmen und ein möglicher Überschuss würde einfach ausgeschieden werden. Trinke also verteilt über den ganzen Tag hinweg, um eine maximale Absorption zu erreichen. Vor dem Schlafengehen solltest du nicht zu viel trinken, da es deinen Schlaf stören könnte, wenn du mitten in der Nacht aufstehen müsst, um auf die Toilette zu gehen.

Der einfachste Weg, um sicherzustellen, dass man genügend trinkt, ist, es sich selbst leicht zu machen, indem man das Wasser an strategisch günstigen Orten platziert. Dies kann bedeuten, dass man im Auto, am Schreibtisch und an jedem anderen Ort, an dem man Zeit verbringt, frisches Wasser zur Verfügung hat. Wenn man es in Sichtweite hat, trinkt man es auch. Wenn es außer Sichtweite ist, vergisst man es schnell. Es ist wie mit jeder neuen Gewohnheit, man muss es sich leicht machen, sonst lässt man sie nach ein paar Tagen wieder fallen.

Wenn du dir bewusst machst, welchen großen Einfluss eine Dehydration auf deine Ängste und Nervosität haben kann, wirst du automatisch darauf achten, genügend zu trinken. Persönlich habe ich festgestellt, dass eine ausreichende Flüssigkeitszufuhr nicht nur ein subtiles Gefühl von Angst abwehrt, sondern auch unglaublich gut gegen Müdigkeit hilft.

Deine Wasseraufnahme auf täglich 8 Gläser zu erhöhen ist ein einfacher Schritt, den du in deinen Alltag integrieren kannst und der dir eine große Hilfe auf deinem Heilungsweg sein wird.

# ERNÄHRUNG

Um deinen Heilungsprozess bestmöglich zu unterstützen, solltest du folgende drei Dinge aus deiner Ernährung streichen. Bevor ich auf diese eingehe, möchte ich vorab erwähnen, dass eine niedrigglykämische Ernährungsweise für Menschen, die an Ängsten leiden, am idealsten ist. Diese ist eine Ernährungsform, welche dir hilft, deinen Blutzuckerspiegel den ganzen Tag über konstant zu halten. Dies ist deshalb so wichtig, da Angst- und Paniksymptome den Symptomen eines niedrigen Blutzuckerspiegels oft sehr ähnlich sein können. Wenn dein Blutzuckerspiegel zu stark schwankt, setzt dein Körper mehr Adrenalin frei, was dazu führen kann, dass du dich noch angespannter fühlst. Tatsächlich erleben viele Menschen ihre erste Panikattacke aufgrund eines plötzlichen Abfalls ihres Blutzuckerspiegels. Der Grund hierfür kann zum Beispiel übermäßiger Alkoholkonsum oder ein zu üppiges Essen in der Nacht zuvor sein. Lebensmittel mit einem niedrigen glykämischen Index werden langsamer verdaut und halten den Blutzucker (Glukose) den ganzen Tag über auf einem relativ konstanten Niveau. In den frühen Stadien deines Heilungsprozesses ist es jedoch nicht hilfreich, eine völlig neue Ernährungsform anzustreben. Konzentriere dich stattdessen darauf, die gängigsten Lebensmittel mit einem hohen glykämischen Index aus deiner Ernährung zu streichen. Dies allein wird einen großen Unterschied machen.

Die drei Dinge, die ich oben angesprochen habe, sind die folgenden:

## VERMEIDE KOFFEIN

Koffein ist ein starkes Stimulans, das dich sehr unruhig, nervös und ängstlich machen kann. Ich bin immer wieder erstaunt, wie viele Menschen, die im Grunde viel über Ängste wissen, den Zusammenhang zwischen der Menge an Kaffee, die sie trinken und der Sensibilisierung, die sie empfinden, nicht erkennen. Häufig vorkommende, körperliche Empfindungen, die durch Koffein verursacht werden, sind ein erhöhter Herzschlag, Reizbarkeit, Kopfschmerzen und Muskelzittern. Bei einer sensibilisierten Person kann dies ausreichen, um einen Angstzustand oder sogar eine Panikattacke auszulösen.

Kaffee wird in der ganzen Welt geliebt und auch ich genieße ihn. Aber Menschen, die an Ängsten leiden müssen diesen unbedingt vermeiden. Der Preis, den man für den Genuss zahlt, ist einfach zu hoch. Bedenke, dass Koffein neben Kaffee auch in Energy-Drinks (auf alle Fälle zu vermeiden), in schwarzem Tee, Schokolade und einer Reihe von Abnehmpillen (Fatburner) enthalten ist.

## ALKOHOL

Das nächste auf der Liste ist Alkohol. Wie auch Kaffee ist Alkohol in unserer Gesellschaft sehr beliebt, insbesondere bei gesellschaftlichen Anlässen. Es kann durchaus nett sein, ein paar Drinks zur Entspannung zu nehmen, aber der darauffolgende Kater lohnt sich einfach nicht - besonders dann nicht, wenn man an Ängsten oder Panikattacken leidet.

Ein Kater entsteht durch Dehydrierung und ein Elektrolyt-Ungleichgewicht. Ich bin sicher, dass viele die Angst kennen, die mit einem Kater einhergeht: Das gesteigerte Gefühl von Ängstlichkeit und Nervosität, welches durch die Dehydration auftritt. Der sicherste Weg für jemanden, der an Ängsten leidet, noch mehr Angst zu bekommen, ist übermäßig viel Alkohol zu trinken und darauf zu warten, dass am nächsten Tag der Kater einsetzt. Ich kenne einige Menschen, die ihre erste Panikattacke nach einer durchfeierten Nacht erlebt haben. Meist reicht ein Kater, gepaart mit ein wenig Stress aus, um eine voll ausgeprägte Panikattacke zu triggern.

Ich weiß, dass es schwierig ist, ganz auf Alkohol zu verzichten, aber verzichte wenigstens so lange darauf, bis du dich weitgehend erholt hast und dich nicht mehr so sensibilisiert fühlst.

## VERMEIDE ZU VIEL ZUCKER

Wir haben bereits besprochen, dass man starke Schwankungen des Blutzuckerspiegels vermeiden sollte, damit im Laufe des Tages weniger Adrenalin ausgeschüttet wird. Der beste Weg, dies zu tun, ist Lebensmittel mit einem hohen Zuckergehalt zu vermeiden. Dies bedeutet im Einzelnen, dass du Süßigkeiten, Kuchen, Schokolade, Erfrischungsgetränke und Eiscreme weglassen solltest - zumindest, bis du dich deutlich weniger ängstlich fühlst. Ich habe zu Beginn erwähnt, dass es nicht sinnvoll ist, deine Ernährung zu sehr umzustellen, da drastische Umstellungen oft nicht nachhaltig sind, aber bereits das Reduzieren von stark zuckerhaltigen Lebensmitteln wird einen positiven Einfluss auf dein Wohlbefinden haben.

## MINERALSTOFFE

Es gibt eine Menge an Informationen über Nahrungsergänzungsmittel, die bei Ängsten helfen sollen und leider sind die meisten von ihnen irreführend. Es gibt zwei Nahrungsergänzungsmittel, welche ich empfehle: **Magnesium und Kalzium.**

Fast die Hälfte der US-Bevölkerung nimmt nicht ausreichend Magnesium durch ihre Ernährung auf, da dort -wie auch im deutschsprachigen Raum- zu wenig grünes Blattgemüse und Vollkornprodukte verzehrt werden. Magnesium trägt nicht nur zur Entspannung bei, sondern ist auch essenziell für etwa 300 verschiedene biochemische Reaktionen in unserem Körper. Es entspannt das Nervensystem, was der Übersensibilisierung entgegenwirkt. Ferner unterstützt es einen guten Schlaf und trägt zur Erhaltung eines gesunden Herzens bei.

Dr. Mark Hynman geht sogar so weit zu sagen, dass, wenn man sich körperlich oder mental angespannt, gereizt oder verkrampft fühlt, dies ein Zeichen von Magnesiummangel ist. Eine kürzlich durchgeführte, wissenschaftliche Studie über Magnesium kam zu dem Schluss, *"dass es sehr bedauerlich sei, dass der Mangel an einem so preiswerten und gesundheitlich völlig unbedenklichen Mikronährstoff zu Krankheiten führt, die weltweit unschätzbar viel Leiden und Kosten verursachen"*.

Magnesium wird umgangssprachlich nicht umsonst oft als "Entspannungspille" bezeichnet, da es die Mengen an freigesetzten Stresshormonen (wie Adrenalin und Cortisol) reduziert und somit direkten Einfluss auf die Regulierung der Stressreaktion hat. Doch nicht jede Form von Magnesium ist geeignet. Um eine bestmögliche Absorption zu erreichen, sollte man Magnesium mit Kalzium kombinieren. Der Grund hierfür ist, dass Kalzium und Magnesium sich sehr ähneln. Auf der Periodenskala der Elemente liegen sie direkt nebeneinander und beide haben dieselbe zwei-plus Ladung. Wenn man unter einem Kalzium-Mangel leidet, steht dem Körper auch nicht genügend Magnesium zur Verfügung, da die Enzyme, die eigentlich das fehlende Kalzium benötigen würden, nun das Magnesium nutzen. Dies reduziert die Menge an Magnesium, die dem Körper zur Verfügung steht. Um dieses Problem zu vermeiden, ist es am besten, Kalzium und Magnesium gemeinsam einzunehmen.

Zu Beginn empfiehlt es sich, 250 mg Magnesium und 500 mg Kalzium täglich mit dem Abendessen einzunehmen. Nach einer Woche kann die Menge dann verdoppelt und die gleiche Dosis mit dem Frühstück eingenommen werden. Häufige Nebenwirkungen von Magnesium sind sowohl erhöhter Stuhldrang als auch ein gelockerter Stuhl. Dies ist sehr verbreitet und kein Grund zur Sorge. Sollte jedoch Durchfall auftreten, kann man die Einnahme von Magnesium für ein paar Tage einstellen und es dann langsam wieder einführen.

Es gibt verschiedene Formen von Magnesium und Kalzium. Am besten geeignet sind Magnesiumcitrat, -Hydroxylapatit oder -Glukonat. Vermeiden sollte man Magnesiumcarbonat, -Sulfat, -Aspartat oder -Oxid, da sie nicht die gewünschte Wirkung erzielen.

Bei Kalzium kann man zu Kalziumcarbonat oder -Citrat greifen. Dies sind die bekanntesten Formen. Neben diesen gibt es auch weitere, wie z. B. Kalziumgluconat oder Kalciumphosphat. Vermeide auch Präparate mit Austern-Kalzium. Diese enthalten eine Form Kalziumcarbonat und sind oft mit geringen Mengen Blei belastet.

Bei der Einnahme dieser Mineralstoffe ist folgendes zu beachten: Magnesium wird über die Nieren ausgeschieden. Daher sollten Menschen mit Herz- oder Nierenerkrankungen sowie ältere Menschen Magnesiumpräparate nur unter Aufsicht ihres Arztes einnehmen. Generell rate ich dazu, bei etwaigen Bedenken vor der Einnahme jeglicher Nahrungsergänzungsmittel, Rücksprache mit einem Arzt zu halten.

## SPORT

Das nächste, was dir bei der Reduzierung deiner Angstzustände enorm helfen kann, ist Sport. Du weißt sicher, wie gut Sport für deinen Körper ist. Aber wusstest du auch, wie wertvoll es für deine psychische Gesundheit ist?

Sport ist wie eine magische Pille. Die beim Sport ausgeschütteten Neurotransmitter Dopamin, Serotonin und Noradrenalin haben einen direkten Einfluss auf unsere Stimmung und unser Verhalten. Wenn du deine Stimmung heben willst, ist Sport das Beste, was du tun kannst - und noch dazu ist es kostenlos. Alles was du tun musst, ist, dich zu bewegen. Dr. Robert Butler sagte einmal, dass, *"wenn es ein Medikament geben würde, das alle positiven Vorteile von Sport bieten könnte, die ganze Welt es einnehmen würde"*.

In unzähligen Studien wurde nachgewiesen, wie positiv sich Bewegung auf Ängste und Depressionen auswirkt. Tatsächlich ist Bewegung das beste Antidepressiva, das uns zur Verfügung steht. Dr. John Ratey, ein klinischer Professor der Psychiatrie an der Harvard Medical School und einer der führenden Wissenschaftler auf dem Gebiet der Sportwissenschaften, schreibt in seinem Buch *"Spark"*, *dass Sport bei Depressionen ebenso effektiv ist, wie das am häufigsten verschriebene Antidepressivum, Zoloft*". Dabei bringt es noch viele weitere gesundheitliche Vorteile und keine der Nebenwirkungen mit sich, die durch die Einnahme eines Medikaments auftreten können! Noch erstaunlicher als die Tatsache, wie gut Sport für uns ist, ist welche negativen Auswirkungen es auf unsere mentale Gesundheit hat, wenn wir *keinen* Sport treiben.

Prof. Dr. Tal Ben Shahar zufolge ist körperliche Inaktivität mit der Einnahme eines Depressionsmittels vergleichbar, da inaktive Menschen sehr viel anfälliger für Ängste und Depressionen sind. Dies beruht auf der Tatsache, dass beim Sport ein Protein namens "Brain-derived Neurotrophic Factor" (BDNF) produziert wird. Laut Dr. Ratey fördert dieses Protein das Wachstum neuer Neuronen und schützt diese vor Stress und Zelltod. Niedrige Konzentrationen dieses Proteins wurden mit Depressionen und sogar Suizid in Verbindung gebracht. Du kannst dieses Wunderprotein im Überfluss und völlig umsonst haben. Alles, was du tun musst, ist dich zu bewegen!

Aber warum fällt Bewegung vielen Menschen so schwer? Das Problem ist die Motivation. Bewegung erfordert Einsatzbereitschaft und Leistung. Je weniger man trainiert, desto weniger hat man Lust dazu. Die gute Nachricht ist, dass, wenn man die anfängliche Hürde genommen hat, es viel einfacher wird, da einem immer mehr Energie und Motivation zur Verfügung stehen. Dann ist es umgekehrt - je mehr man trainiert, desto mehr Lust hat man dazu.

Der beste Weg, sich anfangs zum Training zu motivieren, ist, sich das Training angenehm zu gestalten. Das bedeutet, eine Sportart zu finden, die einem Spaß macht. Für viele ist dies eine Art von Teamsport oder zumindest ein Trainingspartner, mit dem man laufen oder ins Fitnessstudio gehen kann. Ein Trainingspartner ist auch deswegen so hilfreich, da die Hürde ein Training auszulassen, größer ist, als wenn man alleine geht. Ferner helfen soziale Interaktionen dabei, die Stimmung zu steigern.

Wieviel Sport ist notwendig? Forscher der University of Texas Southwest Medical Center stellten bei den Probanden eine Reduzierung der depressiven Symptome fest, wenn diese drei- bis fünfmal pro Woche über zwölf Wochen 30 Minuten trainiert hatten. Hochintensive Aktivitäten führten zu einer Verringerung depressiver Symptome um 47 %, während niedrigintensive Aktivitäten zu einer Verringerung um 30 % führten. Eine intensive Aktivität ist dadurch gekennzeichnet, dass die Herzfrequenz erhöht ist und man schwitzt. Beispiele können strammes Gehen, Wandern, Rudern, Radfahren, Laufen oder Gewichtheben sein. Sprich mit deinem Arzt, um sicherzustellen, welche Aktivität und wie viel Bewegung, mit welcher Intensität für dich persönlich richtig ist. Dein Arzt wird dabei auch eine etwaige Medikamenteneinnahme und andere gesundheitliche Faktoren berücksichtigen.

Ich bin sicher, dass wir in den kommenden Jahren zurückblicken und sehen werden, dass Sport eine der am wenigsten genutzten Methoden zur Erhaltung unserer psychischen Gesundheit war.

## LACHEN

Lachen ist eine der besten Möglichkeiten, um sich aus einem ängstlichen Zustand zu befreien. Das Problem ist, dass wir mit zunehmendem Alter leider immer weniger lachen, was wirklich schade ist, vor allem wenn man bedenkt, wie gut es für unsere Gesundheit ist.

Es gibt immer mehr Erkenntnisse darüber, wie viele positive Effekte das Lachen hat. Ärzte nennen Lachen auch "Inneres Joggen", da es so viele positive Veränderungen in unserem Körper hervorruft, wie zum Beispiel die Folgenden:

- Lachen hilft dabei, Stresshormone, wie beispielsweise Cortisol, zu senken.

- Lachen senkt den Blutdruck und verbessert die Durchblutung der Gefäße.

- Lachen erhöht die Toleranz gegenüber Schmerzen, indem es Endorphine freisetzt.

- Lachen erhöht die Aufnahme von Sauerstoff und stimuliert Herz, Lunge und Muskeln.

Robin Dunbar, ein Psychologe aus Oxford, führte mehrere Studien darüber durch, wie Lachen die Widerstandsfähigkeit gegenüber Schmerzen erhöhen kann. Er zeigte auf, dass das Lachen nur dann wirklich wirkungsvoll ist, wenn es sich auch körperlich zeigt. Das bedeutet, dass es nicht ausreicht, nur etwas Amüsantes zu Lesen. Das Lachen muss herzlich sein und sich physisch ausdrücken, um ausreichend Endorphine auszulösen und einen Wohlfühleffekt zu erzielen. Auch hier ist es am besten, dies in Gesellschaft zu tun. Das Interessante am Lachen ist, dass es, genau wie das Gähnen, ansteckend ist. Man muss nicht mal wissen, worüber man lacht, man muss einfach nur mitmachen.

Eine gute Möglichkeit zu lachen ist der Besuch einer Stand-Up-Comedy-Show. Es spielt keine große Rolle, ob du die Show an sich wirklich lustig findest, denn allein der Aufenthalt in einem Raum voll lachender Menschen kann ansteckend sein. Gehe einfach mit der ausdrücklichen Absicht dorthin, zu lachen. Du wirst feststellen, dass wenn alle anderen Menschen zu lachen beginnen, du automatisch mitlachen wirst. Ich kenne viele Menschen, die alleine mit Lachen eine große Verbesserung ihrer Ängste erreicht haben und auch ich bin ein Befürworter dieses Ansatzes. Betrachte solche Comedy-Abende als einen integralen Teil deiner Therapie, nicht nur als Unterhaltung.

Verabrede dich zu einem Date-Abend mit deinem Partner oder zu einem Treffen mit Freunden.

Wenn es dir nicht möglich ist, eine Comedy-Show zu besuchen, dann versuche Menschen um dich herum zu haben, von denen du weißt, dass sie dich zum Lachen bringen. Ihr könntet einen Spiele-Abend planen oder gemeinsam einen lustigen Film ansehen.

Vielleich denkst du, dass dieser Tipp zu simpel ist, um zu funktionieren. Aber ich möchte dich bitten, es wenigstens zu versuchen. Du wirst erstaunt sein, wie gut du dich am nächsten Tag fühlen wirst. Auch dies ist einer der einfachen, aber sehr effektiven Tipps, der dich wenig Mühe kostet und sogar Spaß macht. Lass dir die Möglichkeit, etwas so Kleines mit so großem Effekt zu tun, nicht entgehen.

## GEFÜHRTE ENTSPANNUNGSMEDITATION

Der letzte Tipp, den ich mit dir teilen möchte, ist die tägliche Praxis einer geführten Entspannungsmeditation. Es ist sehr wichtig, dies täglich zu praktizieren, besonders dann, wenn du dich morgens nach dem Aufwachen ängstlich fühlst.

Wenn du dies täglich übst, wirst du in der Lage sein, auf deine Entspannungsreaktion bewusst Einfluss zu nehmen. Eine Entspannungsreaktion zeichnet sich durch eine ruhige Atmung, einen niedrigeren Blutdruck und ein Gefühl von Ruhe und Wohlbefinden aus. Die Fähigkeit, diese Entspannungsreaktion mit Hilfe von Entspannungstechniken bewusst auszulösen, reduziert nicht nur Angstgefühle, sondern kann auch sehr hilfreich bei Verdauungsstörungen, Kopfschmerzen, Bluthochdruck und Schlaflosigkeit sein.

Aber anstatt nur darüber zu reden, möchte ich, dass du es selbst erlebst. Besuche dazu die Website www.dareresponse.de/welcome. Dort kannst du eine geführte Entspannungsmeditation herunterladen. Viele Betroffene berichten von einem enormen Rückgang ihrer Angstzustände, nachdem sie diese Meditation über einen Zeitraum von drei Wochen täglich genutzt haben.

Ich empfehle dir, das Audio mindestens einmal am Tag anzuhören, idealerweise morgens oder abends vor dem Schlafengehen. Das tägliche Hören dieses Audios ist ein unglaublich effektiver Weg, dein Wohlbefinden rundum zu steigern.

## ARBEITE DICH DURCH DEINE ÄNGSTE DURCH

Um wirklich schnelle Fortschritte zu erzielen, musst du deine Ängste immer weiter konfrontieren. Suche dir jeden Tag mindestens eine Sache aus, die du tun kannst, um deine Sicherheitszone zu verlassen. Mach dir am Abend zuvor Gedanken darüber, was du am nächsten Tag tun wirst, dann steh auf und gehe es an.

Dieses Buch zu lesen und dann das Gelernte nicht in die Tat umzusetzen ist leider sehr einfach. Also setze dieses Wissen nun in die Tat um! Ich weiß, dass du stark genug bist. Selbst wenn du dich momentan an einem Tiefpunkt befindest, gib nicht auf. Steh ein weiteres Mal auf, arbeite dich durch deine Ängste durch und mach immer weiter. Dies ist mit Abstand der schnellste Weg, dein Leben wieder in deine Hände zu nehmen und deine Freiheit zurückzugewinnen.

## ABGABE AN EINE HÖHERE MACHT

Viele gläubige Menschen, ungeachtet ihrer Religion, können viel Kraft und Hoffnung aus ihrem Glauben schöpfen. Alle Religionen und spirituellen Glaubensrichtungen betonen, wie wichtig es ist, seine Ängste und Sorgen Gott oder einer höheren Macht zu übergeben und darauf zu vertrauen, dass man umsorgt wird. Dieses Abgeben der Ängste kann den ängstlichen Verstand durchaus beruhigen und dabei helfen, sich nicht mehr so isoliert mit seinen Ängsten zu fühlen.

Der letzte Schritt von DARE (sich beschäftigen) ist eine großartige Gelegenheit, dies zu tun. Während du dich wieder dem Leben zuwendest, kannst du darum bitten, dass Gott (oder eine höhere Macht, an die du glaubst) sich um dich kümmert. Übergib deine Ängste in die Hände dieser Macht und vertraue darauf, dass dein Problem sich lösen wird. Durch den Glauben, dass etwas Größeres als du sich dieser Sache annimmt, musst du nun keine Zeit mehr damit verbringen, dir Sorgen zu machen und darüber nachzudenken, wie du dieses Problem lösen kannst. Du musst die Angst nun nicht mehr wegdrücken. Du kannst sie präsent sein lassen im vollen Vertrauen, dass sich jemand um dich kümmert.

## NUN BEGINNE!

Du kannst natürlich (wie viele andere) einfach nur DARE anwenden, um deine Ängste zu überwinden und alle weiteren Tipps aus diesem Kapitel ignorieren. Doch ich möchte dich dazu einladen, dir selbst so viel Unterstützung wie möglich zu schenken. Wenn es dir schwerfällt, alle diese Tipps zu implementieren, dann wähle diejenigen, die dir am meisten zusagen und beginne noch heute mit deren Umsetzung. Es ist besser, einen oder zwei Tipps gewissenhaft umzusetzen, anstatt alle von ihnen nur halbherzig anzugehen.

# SCHLUSSWORT

Niemand rettet uns, außer wir uns selbst. Niemand kann und niemand darf. Wir selbst müssen den Weg gehen.

– Buddha

Der ganze Sinn dieses Buches und DARE besteht darin, dass du deine Freiheit zurückgewinnst und dein Leben in vollen Zügen genießt, ohne den Schatten der Angst über dir zu fühlen. Ich weiß, was du dir am sehnlichsten wünschst: Zu leben, ohne jede Situation im Voraus durchdenken zu müssen. In der Lage zu sein, Orte zu besuchen, ohne Angst davor zu haben, was passieren könnte, wenn man dort ankommt. Zeit mit Freunden oder der Familie zu verbringen, ohne ständig mit den eigenen ängstlichen Gedanken beschäftigt zu sein.

Leben ist Bewegung. DARE ist der Weg, dich wieder mit dem Leben zu verbinden. Nicht zufällig geht es im letzten Schritt von DARE darum, sich wieder mit dem Leben zu "beschäftigen". Dieser Schritt schließt den Kreis und bringt dich wieder in das Leben zurück, welches die Angst dir gestohlen hat.

Du siehst nun, wie die Beschäftigung mit dem Leben das Gegenteil von dem ist, was die Angst mit dir macht. Die Angst trennt dich vom

Leben ab. DARE bringt dich wieder in das Leben zurück. Mit jedem Mal, wo du DARE anwendest, unterstützt du deinen Heilungsprozess und kommst der Überwindung deiner Ängste ein Stück näher. Selbst wenn du es nicht perfekt machst und deine Ängste nicht sofort verschwinden, kannst du nicht scheitern. Allein die Tatsache, dass du DARE umsetzt, ist ein Erfolg und ein Schritt in die richtige Richtung. Zweifle nicht an dir selbst oder dem Prozess. Vertraue einfach darauf, dass es funktioniert und dass du dich schon bald sehr viel besser fühlen wirst. Bleib weiter dran und vergiss nicht: Du bist die Heilung. Niemand sonst kann es für dich tun.

Erinnerst du dich an den Beginn des Buches, als ich dich darum gebeten habe, dir vorzustellen, wie dein Leben aussehen könnte, wenn Ängste kein Problem mehr für dich wären? Nun, du hast jetzt all die *nötigen Werkzeuge,* um das zu erreichen, was du dir vorgestellt hast. Ich hoffe, dass du nach dem Lesen dieses Buches wieder hoffnungsvoller in die Zukunft blickst und dass du die Träume, die du vielleicht auf Eis gelegt hast, nun wieder aufleben und dich von ihnen begeistern lässt.

Wenn du dich diesem Ansatz verschreibst und DARE kontinuierlich praktizierst, wirst du dich schon sehr bald wieder viel wohler in deiner Haut fühlen. Situationen, die dich vorher verängstigt haben, wirst du viel selbstbewusster angehen und tief in dir das Vertrauen finden, dass du, egal was passiert, tapfer mit allem umgehen kannst.

Denke immer daran, *Heilung bedeutet nicht, keine ängstlichen Empfindungen mehr zu haben.* Heilung bedeutet, dein Leben genießen zu können, unabhängig davon, ob ängstliche Empfindungen präsent sind oder nicht. Dadurch, dass du den Empfindungen keine Beachtung mehr schenkst und ihnen nicht erlaubst, dir im Wege zu stehen, werden sie mit der Zeit von allein verschwinden.

Der einzige Weg aus der Angst, ist der Weg durch sie hindurch. Natürlich wird es dabei Rückschläge geben. Aber solange du dich daran erinnerst und verstehst, dass Rückschläge ein wichtiger Teil deines Heilungsprozesses sind, werden sie dich nicht behindern.

Am Anfang hat niemand das Gefühl, schnell genug Fortschritte zu machen, aber vertraue mir: Wenn du dranbleibst, wirst du in der genau für dich richtigen Zeit vorwärtskommen. Durch absolute, widerstandslose Akzeptanz all deiner Empfindungen, wirst du dich von deinen Ängsten befreien können.

Schon sehr bald wirst du an einem Morgen aufwachen und das Gefühl haben, dass bereits eine Schicht der Angst abgefallen ist. Dann, ein paar Wochen später, fällt eine weitere Schicht ab-, dann eine weitere-, und noch eine weitere. Irgendwann wirst du wieder zu deinem früheren Selbst zurückkehren. Aber du wirst nicht dieselbe Person sein. Du wirst eine neue, stärkere und selbstbewusstere Person sein, die sich aus der Überwindung deiner Ängste entwickelt hat.

Zeit ist unsere wertvollste Ressource. Verschwende deine Lebenszeit nicht damit, mit Angstzuständen zu leben. Das Leben wartet auf dich - gehe raus und schließe dich ihm an! Traue dich. Du warst zu lange weg.

Barry McDonagh

# VERBREITE DIE BOTSCHAFT

Wenn dir dieses Buch geholfen hat, möchte ich dich bitten, *uns dabei zu helfen, diese Botschaft zu verbreiten*. Versende einen Tweet oder poste etwas in den sozialen Medien. **Wir brauchen ein Heer von Menschen, die helfen, das Bewusstsein dafür zu verbreiten, dass es einen Weg gibt, Ängste zu heilen.** Deine Botschaft könnte helfen, jemanden zu erreichen, der gerade in Stille leidet.

Gemeinsam können wir ein Licht entfachen und Betroffene wissen lassen, dass es wirklich eine Lösung für ihr Problem gibt. Gemeinsam können wir die gegenwärtige Kultur des Angstmanagements hin zu einer Lösung des Problems verändern.

Ich würde mich auch freuen, wenn du eine ehrliche Rezension bei Amazon hinterlassen würdest. Sie kann so kurz oder so lang sein, wie du möchtest. Schreibe, was auch immer auf dich und deine Erfahrungen mit diesem Buch zutrifft. Deine Rezension wird anderen Menschen, die genau wie du, an Ängsten leiden, helfen.

Vielleicht hast du auch Kontakt zur Medienwelt (Journalisten/ Blogger/Autoren), die daran interessiert sein könnten, dieses Buch zu lesen oder ein Interview mit uns zu führen. In diesem Fall wäre ich sehr dankbar, wenn deine Kontakte sich per E-Mail bei aida@dareresponse.de melden würden.

Deine Kontakte könnten das Leben vieler Menschen verändern, die ohne dich dieses Buch vielleicht nie gefunden hätten.

Ich danke dir.

# PERSÖNLICHE UNTERSTÜTZUNG

Manchmal wünscht man sich bei diesem Prozess fachliche Unterstützung. Wenn du auf deinem Weg persönlich unterstützt werden möchtest, hast du die Möglichkeit, eine Sitzung über unsere Website bei Aida Beco zu buchen. Ein persönliches Gespräch ist der beste Weg, um gezielte Unterstützung und Begleitung von einer Fachperson zu erhalten, die genau versteht, was du durchmachst. Die dort gewonnenen Einsichten und Hilfestellungen können dir dabei helfen, deine Ziele schneller und mit mehr Leichtigkeit zu erreichen.

Aida ist Heilpraktikerin für Psychotherapie und arbeitet in ihrer auf Angst- und Panikattacken spezialisierten Privatpraxis im Süden Deutschlands. Neben dem ist Aida die Übersetzerin dieses Buches, die Stimme des deutschen Audiobuches und Botschafterin von DARE Germany. Mit viel Leidenschaft, Empathie als auch dem nötigen "push" hilft sie Angstbetroffenen dabei, ihre Ängste nicht nur zu überwinden, sondern diese auch in persönliche Stärken umzuwandeln und wieder ein selbstbestimmtes Leben zu führen.

Um mehr über Aida Beco und ihr Angebot zu erfahren, besuche www.aidabeco.de.

# BLEIB IN KONTAKT

Bitte lass uns wissen, wie es dir mit DARE ergeht. Wir würden wirklich gerne von dir hören.

Schicke uns dazu eine E-Mail an aida@dareresponse.de

# ANHANG

**EMPIRISCHE NACHWEISE ZUM BUCH,** geschrieben von
**Dr. Joan Swart, PsyD**

Der DARE Response Ansatz ist an eine Gruppe moderner
kognitiver Therapieansätze angelehnt, die allgemein als die "dritte
Welle der Therapien" bezeichnet werden. Diese wurden aus den
Grundprinzipien der kognitiven Theorie abgeleitet, unterscheiden
sich aber in wichtigen Aspekten.

Die Väter der kognitiven Theorie Dr. Aaron Beck (1964a; 1964b)
und Albert Ellis (1957; 1962) sowie diejenigen, die ihnen folgten,
erkannten in den 1960er Jahren, wie wichtig Gedanken für unser
Wohlbefinden und Verhalten sind. Negative Gedanken kommen
oft automatisch auf und führen zu unangenehmen Gefühlen und
Emotionen. Wir neigen dazu, diese entweder zu kompensieren oder
derart mit ihnen umzugehen, indem wir auf irrationale und nicht
hilfreiche Weise handeln. Wenn wir instinktive Gedanken von Furcht
oder Bedrohung erleben, reagieren unsere Emotionen und unser
Körper mit Angst und Panik. Diese Gefühle sollen uns zum Handeln
bewegen, um die vermeintliche Bedrohung entweder zu vermeiden
oder sie zu bekämpfen.

Das Problem ist jedoch, dass unsere Wahrnehmungen oft irreführend und unbegründet sind. Beck (1964b) beschrieb ein derartig verzerrtes Denken als "typische chronische Fehlwahrnehmungen, verzerrte Einstellungen, falsche Annahmen und unrealistische Ziele und Erwartungen" (S. 563). Ähnlich argumentierte Ellis (1957) und sagte, dass *"das, was wir Emotionen nennen, nichts anderes als eine bestimmte Art - eine voreingenommene Art - des Denkens ist und dass Menschen lernen können, ihre Gefühle zu kontrollieren, indem sie ihre Gedanken kontrollieren"* (S. 344). Auf diesem einfachen Verständnis darüber, wie Gedanken, Gefühle und Verhalten zusammenhängen, entwickelte sich die "Kognitive Verhaltenstherapie", kurz "KVT".

Wenn eine Person auf ein bedeutendes Ereignis trifft, wird dieses instinktiv interpretiert und entsprechend den eigenen Werten oder Überzeugungen mit einer Bedeutung versehen. Kernüberzeugungen und Schemata - komplexe Glaubensmuster - entwickeln sich im Laufe des Lebens, basierend auf der Summe unserer bisherigen Lebenserfahrungen. Diese Muster geben uns Orientierung darüber, wie wir uns selbst, andere und die Welt im Allgemeinen sehen und ob wir dazu neigen, Hoffnung, Vertrauen, Empathie, Selbstvertrauen, Sicherheitsgefühle usw. zu empfinden oder nicht.

Beschrieben als "fundamental, unflexibel, absolut und verallgemeinert" (Rathod, Kingdon, Pinninti, Turkington, & Phiri, 2015, S. 17), sind Kernüberzeugungen im Wesentlichen die Linse, durch die wir unsere Welt und das was mit uns passiert, interpretieren. Negative Kernüberzeugungen führen bei Aktivierung zu negativen Gedanken, die oft nicht hilfreich sind, da sie unangenehme Gefühle und dysfunktionales Verhalten verursachen (siehe Abbildung 1).

Basierend auf diesen Prämissen der kognitiven Theorie ist das Hauptziel des KVT-Ansatzes, Emotionen und Verhaltensweisen zu verändern, indem automatisierte negative Gedanken identifiziert und hinterfragt werden ("Disputing"). Der Prozess basiert auf den Konzepten der Erfahrungsvermeidung und der kognitiven Fusion.

*Erfahrungsvermeidung* ist unsere unmittelbare Tendenz, negative Erfahrungen zu vermeiden. Unser Körper und unser Verstand tun instinktiv alles, um negative Gefühle zu vermeiden u.a. das Erleben von Panikattacken, Wutausbrüchen und den Rückzug in uns selbst. Tatsächlich argumentieren Experten, dass die Erfahrungsvermeidung der Kern all unserer psychischen Probleme und unserer Unfähigkeit, Freude zu erleben, ist (Hayes, Wilson, Gifford, Follette, & Strosahl, 1996). Es wird gesagt, dass praktisch jedes psychische Problem mit dem Versuch beginnt [und aufrechterhalten wird], negative Gedanken und Gefühle wie Langeweile, Einsamkeit, Angst, Depressionen etc. zu vermeiden oder loszuwerden (Harris, 2006, S. 4). Daher nutzen kognitive Therapien Konzepte der kognitiven Entschärfung, Neubewertung, Umstrukturierung und Emotionsregulierung, um Denkprozesse positiv zu verändern.

Abbildung 1: *Kognitive Verhaltensfolge*

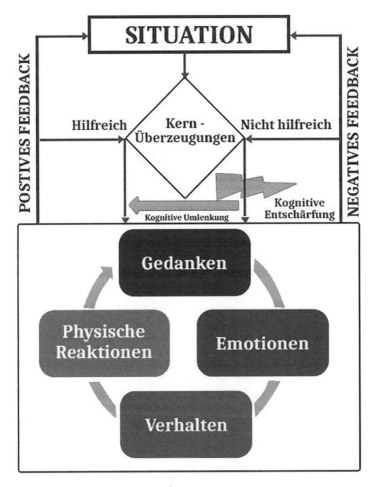

*Emotionsregulation* bezieht sich auf die Fähigkeit einer Person, Gefühlszustände in einer bestimmten Situation zu initiieren, zu hemmen oder zu modulieren. Die Kognitionswissenschaften zeigen, dass eine Verlagerung der Aufmerksamkeit oder Gedanken auf hilfreichere Alternativen weitaus effektiver darin ist, die Selbstregulation, den mentalen Zustand und das funktionale Verhalten zu verbessern, da ein Unterdrücken oder Vermeiden negativer Gefühle zu noch größerer Belastung führen kann. (Goldin & Gross, 2010).

*Die kognitive Neubewertung* ist eine besondere adaptive Art der Emotionsregulation, die nachweislich den Zusammenhang zwischen Stress und Angstsymptomen moderiert (Ascher & Schotte, 1999). Anstatt seine Ängste zu bekämpfen - was typischerweise die Symptomatik verstärkt - ermöglicht das Einnehmen einer neuen Sichtweise und eine Abkehr des Vermeidungsverhaltens, dass sich die Person von ihren Ängsten distanzieren und die Situation neu bewerten kann (Michelson & Ascher, 1984). Dies wird auch als "paradoxe Intention" bezeichnet. Vereinfacht ausgedrückt praktiziert eine Person bewusst eine ängstliche Gewohnheit oder ängstliches Denken, was ihr dabei hilft, die Irrationalität ihrer Reaktion hierauf zu verstehen. Dies hilft, ein aktivierendes Ereignis neu zu interpretieren und die Ausprägung der negativen Reaktion zu mildern oder negative Gedanken auf funktionellere Alternativen umzuleiten. Letzteres wird allgemein als kognitive Neuorientierung bezeichnet.

Kognitive Fusion geschieht dann, wenn wir unbewusst Gedanken an Erfahrungen knüpfen, vor allem, wenn wir uns in diese Gedanken verstricken und sie uns aufwühlen oder gar überwältigen. Kognitive Fusion kann in vielerlei Hinsicht von Vorteil sein, wie z.B. Bindung an Liebe, Identifikation mit positiven Vorbildern und Erinnerungen an angenehme Ereignisse. Wenn Gedanken jedoch regelmäßig negativ sind, können wir keine neuen, positiven Erfahrungen machen und verlieren uns stattdessen in exzessivem Grübeln und schädlichem Verhalten. *Kognitive* Entschärfung ist der umgekehrte Prozess, bei dem unangenehme Gedanken sachlich und objektiv betrachtet werden, wodurch sie ihre Wirkung auf unser Selbstbild und die Erfahrungsvermeidung verlieren.

Auf diese Weise helfen uns traditionelle KVT-Ansätze, negative Gedanken über unangenehme Erfahrungen zu entschärfen. Während dies durchaus ein positives Ziel ist, werden unsere Gedanken und Überzeugungen jedoch als unrealistisch und irrational abgetan. Viele finden, dass ein solcher Ansatz das Gegenteil des gewünschten Effekts bewirkt. Anstatt fehlerhaft zu sein, basieren unsere negativen Gedanken oft auf einer ehrlichen Einschätzung dessen, wie wir unsere Realität interpretieren und sie enthalten als solches "Ein Körnchen Wahrheit" (Swart, Winters &. Apsche, 2014, S. 7). Daher sind diese unter unseren besonderen Umständen begründet, wenn auch nicht immer hilfreich oder die beste Vorgehensweise.

**Viele Forscher und Therapeuten fanden heraus, dass ein beträchtlicher Teil ihrer Patienten auf die kognitive Verhaltenstherapie nicht ansprach, was sie auf die Tatsache zurückführten, dass die KVT der Neubewertung und Akzeptanz nicht genügend Bedeutung beimaß (David & Szentagotai, 2006).** Dies liegt daran, dass in der KVT dysfunktionale Gedanken, Gefühle und Verhaltensweisen als "schlecht" betrachtet werden und versucht wird, den Inhalt zu verändern oder ihre Existenz ganz zu leugnen. Infolgedessen fiel es einigen Patienten schwer, positiv und motiviert zu bleiben, weshalb viele die Therapie letztendlich aufgaben.

In Anerkennung dieser Defizite des traditionellen KVT-Ansatzes haben Experten ausgewählte Kernelemente hinzugefügt und angepasst, um die Effektivität des kognitiv-basierten Veränderungsprozesses zu verbessern. Hauptsächlich wurde die "Disputation" durch **Akzeptanz und Validierung ersetzt**. Linehan (1993) beschrieb die Validierung im psychologischen Kontext als eine Anforderung nach dem Suchen, Erkennen und Reflektieren darüber, ob die Reaktion einer Person als Antwort auf ein Ereignis gerechtfertigt ist. Laut Linehan (1993) ist Akzeptanz ein aktiver Prozess des toleranten Anerkennens dessen, wie und wer man im Hier und Jetzt ist, unter Anerkennung der Notwendigkeit von Veränderung und Wachstum. Darüber hinaus ist Akzeptanz und Validierung mit der Fähigkeit verbunden, Mitgefühl für sich selbst und andere zu empfinden und auszudrücken -eine Eigenschaft, die dem Auftreten von Depression und Angst entgegenwirkt (Werner et al., 2012).

Das KVT-Protokoll wurde um das Konzept der Achtsamkeit erweitert, um den Fokus auf den gegenwärtigen Moment zu erhöhen. Zwei weitverbreitete Definitionen von Achtsamkeit sind:

"[Achtsamkeit ist] Eine Art nicht-elaboratives, urteilsfreies, gegenwärtiges Bewusstsein, in dem jedes Denken, Fühlen oder Empfinden, das im Aufmerksamkeitsfeld aufkommt, anerkannt und so akzeptiert wird, wie es ist" (Bishop, et al., 2004, S. 282).

"Achtsamkeit ist eine bestimmte Form der Aufmerksamkeit, die sich absichtsvoll und wertfrei auf den gegenwärtigen Moment bezieht" (Kabat-Zinn, 1994, S. 4).

Diese fokussierte Aufmerksamkeit beschäftigt den Verstand, was uns von ständiger Sorge und der Selbstidentifikation mit unangenehmen Gedanken und Gefühlen abhält. Durch die Akzeptanz und Validierung entfällt die Notwendigkeit der Vermeidung. Sie helfen uns auch zu verstehen, dass unangenehme Erfahrungen ein normaler Teil des Lebens sind und unseren Wert nicht definieren. Ebenso sind sie nicht von Dauer, da unsere Gedanken und Gefühle ständig kommen und wieder gehen.

Die wichtigsten Säulen des neuen Ansatzes im Umgang mit negativen Gedanken sind: "Urteilsfreiheit, Geduld, Anfängergeist, Vertrauen, Akzeptanz, Dinge so sehen, wie sie in der Gegenwart sind und Loslassen. Sie sind alle miteinander verbunden". (De Silva, 1979, S. 129). Diese Elemente sind alle Bestandteil der neuen Therapien, einer heterogenen Gruppe von Behandlungen, welche die Akzeptanz- und Commitment Therapie (ACT), Dialektisch-Behaviorale Therapie (DBT), Achtsamkeitsbasierte-Kognitive Therapie (MBCT), Modus Deaktivierungstherapie (MDT) und Schematherapie umfasst. Der in diesem Buch vermittele Ansatz, DARE, entspricht den Prinzipien der ACT, DBT und MDT.

Die *Mode Deactivation Therapy* (MDT) wurde ursprünglich zur Behandlung von Jugendlichen mit schweren Verhaltens- und Persönlichkeitsstörungen entwickelt. Achtsamkeit, Validierung und kognitive Umlenkung sind die zentralen Elemente, um positive Veränderungen in einem systematischen und zielgerichteten Prozess zu bewirken. MDT berücksichtigt die Erforschung der Ursprünge maladaptiver Denkprozesse aus früheren Erfahrungen und hat auch eine psychoanalytische oder vergangenheitsorientierte Komponente, die standardmäßig in der KVT nicht vorkommt.

Die *Dialektisch-Behaviorale Therapie* (DBT) ist eine kognitive Verhaltenstherapie, die ursprünglich zur Behandlung chronisch suizidaler und Borderline-Persönlichkeitsstörungen entwickelt wurde. Die DBT kombiniert Strategien der Verhaltenstherapie, Achtsamkeitspraktiken und Aktivitäten zur Verbesserung dialektischer Denkmuster - die Fähigkeit, gegensätzliche Ansichten zu synthetisieren - als Ersatz für starres, dichotomes Denken (Dimeff & Linehan, 2001). Validierung und Akzeptanz sind Kernelemente in der DBT.

Die *Akzeptanz- und Commitment Therapie* (ACT) ist eine psychologische Intervention, die ebenfalls "Akzeptanz- und Achtsamkeitsstrategien sowie Commitment und Verhaltensänderungsstrategien zur Erhöhung der psychologischen Flexibilität einsetzt". (Curren, 2009, S. 210). Dieser Ansatz konzentriert sich auf Werte, Vergebung, Mitgefühl, das Leben im gegenwärtigen Moment und den Zugang zu einem transzendenten Selbstgefühl anstelle des primären Ziels, Symptome zu reduzieren (Harris, 2006). Psychologische Flexibilität ist definiert als die Fähigkeit einer Person, sich (1) an wechselnde situative Anforderungen anzupassen, (2) mentale Ressourcen neu zu strukturieren, (3) die Perspektive zu verändern und (4) konkurrierende Wünsche, Bedürfnisse und Lebensbereiche auszugleichen (Kashdan & Rottenberg, 2010).

Eine Vielzahl von Forschungsstudien, einschließlich Meta-Analysen, kamen zu dem Schluss, dass dieser neue Ansatz bei einem breiten Spektrum psychologischer Probleme, tatsächlich effektiver oder zumindest genauso effektiv wie die traditionelle, kognitive Verhaltenstherapie ist. Eine Meta-Analyse ist eine statistische Methode der Zusammenfassung von Ergebnissen aus verschiedenen Studien, um Schlussfolgerungen zu stärken und Muster hervorzuheben. Für ausgewählte "dritte Welle-Therapien" wurden folgende Ergebnisse gefunden:

Eine Meta-Analysestudie von Ruiz (2012), die insgesamt 954 Teilnehmer umfasste, ergab, dass die ACT in 11 der 16 eingeschlossenen

Studien effektiv war und die KVT bis zu einem gewissen Grad übertraf. Die ACT führte insbesondere zu besseren Ergebnissen bei der Lebensqualität nach der Behandlung und reduzierte gleichzeitig die Symptome von Depressionen und Angstzuständen.

Bei der Analyse einer Gesamtzahl von 699 Jugendlichen mit Verhaltens- und anderen Störungen, einschließlich Depressionen und Ängsten, stellten Swart und Apsche (2014) fest, dass die MDT besser als die KVT und andere gängige Behandlungsprotokolle abschnitt. Im Durchschnitt wurden problematische Verhaltenssymptome um mehr als 30 % reduziert.

Es wurde festgestellt, dass mit der DBT die durchschnittliche Rate der Suizidversuche bei depressiven Patienten um die Hälfte sank und die Wahrscheinlichkeit, dass Patienten die Behandlung abbrechen, dreimal geringer als bei unspezifischen Gemeinschafts- und ambulanten Behandlungen war. (Linehan et al., 2006). DBT-Patienten verbesserten sich im Vergleich zu Teilnehmern auf Wartelistenkontrollen bei Variablen wie Depressionen, Angstzuständen, zwischenmenschlichen Funktionen, sozialer Anpassung, globaler Psychopathologie und Selbstverletzungen signifikant mehr (Bohus et al., 2004).

Insgesamt gibt es noch nicht genügend sorgfältig kontrollierte Studien um zu dem Schluss zu kommen, dass die "Therapien der dritten Welle" bei einer Reihe von Problemen, einschließlich Angstzuständen, eindeutig wirksamer sind als andere aktive Behandlungen, aber bisher scheinen die Daten vielversprechend zu sein. Dies deutet darauf hin, dass die auf Achtsamkeit und Akzeptanz basierenden Ansätze tragfähig sind, möglicherweise mit längerfristigen und stabileren Behandlungsergebnissen, wobei sich die Veränderungen in einer deutlich personenzentrierten Weise auswirken (Forman, Herbert, Moitra, Yeomans, & Geller, 2007). Die Konzeptionslehre der "Therapien der dritten Welle" - wie Gedanken mit Situationen, Überzeugungen und Emotionen interagieren - beruht auf Bewusstsein und Akzeptanz, mit dem Ziel, sich von negativen Gedanken zu distanzieren. Fachlich wird dies auch als kognitive Entschärfung und Umlenkung bezeichnet.

In diesem Buch, DARE, werden die Schritte "Akzeptanz, kognitive Entschärfung, Neubewertung und Umlenkung" als *Entschärfen, Erlauben, Sich begeistert fühlen/Mehr verlangen und Beschäftigen* definiert. Bei dem Schritt **"Entschärfen"** geht es um das Bewusstsein für den Auslöser und die instinktive Reaktion auf Angst. Ein solches Bewusstsein hemmt Sorgen und *"Was ist, wenn .."*. *Gedanken,* die eine als bedrohlich empfundene Situation schnell verschlimmern können, indem sie verzweifelte Emotionen, körperliche Empfindungen und destruktives Verhalten auslösen. Externes Feedback, das sich aus einem solchen Verhalten ergibt, ist in der Regel negativ, was die Situation, einschließlich der zwischenmenschlichen Interaktionen, weiter verschärft. Bei DARE wird den Betroffenen beigebracht, ihre Erfahrungen als natürlich und vergänglich zu akzeptieren, was die intensiven Gedanken und Gefühle entschärft. **Der kognitiven Erregung wird nicht widerstanden, sondern sie wird einfach akzeptiert. Sie darf sein und vergeht letztendlich wieder.** Dieser Schritt ist vergleichbar mit den Methoden der *Achtsamkeit* und *Bewusstheit* der "Dritte-Wellen-Therapien".

Der zweite Schritt ist das **Erlauben**. Die Angst präsent sein zu lassen, sie nicht zu vermeiden, sondern sich mit ihr fortzubewegen. Dadurch entfällt der starke Impuls, alles Erdenkliche zu unternehmen, um die unangenehmen Erfahrungen zu vermeiden. Im Grunde genommen geht es darum, unsere Gedanken von unseren gewöhnlichen Wahrnehmungen und den Bedeutungen, die wir Vorkommnissen zuschreiben, zu distanzieren. **Indem wir unsere Gedanken von unseren Erfahrungen lösen, schwächt sich ihr Einfluss auf unsere Selbstidentität, wodurch wir in die Lage versetzt werden, unsere Emotionen besser zu regulieren.** Dieser zweite Schritt von DARE bezieht sich auf das Konzept der *kognitiven Entschärfung.*

Beim dritten Schritt von DARE, dem **"Sich begeistern lassen/Mehr verlangen"** geht es um die Bewältigung von schweren Angst- und Panikattacken. Angst ist nichts anderes als eine Welle von Energie, die an sich nicht schädlich ist, es sei denn, sie wird als solche interpretiert und in eine immer stärker werdende, negative Energie umgewandelt. DARE schlägt hierzu vor, die Energie zu akzeptieren und zu nutzen - genau wie das psychologische Konzept der paradoxen Intention.

Durch die Veränderung unserer Wahrnehmung und Interpretation des Reizes werden unsere Perspektiven hilfreicher und positiver. Sobald wir in der Lage sind, unsere Angstgefühle als etwas Positives wie z. B. Begeisterung oder Aufregung neu zu bewerten, wird die Situation eher zu einer Chance als zu einer Bedrohung und die Funktionsfähigkeit- und Leistungsfähigkeit verbessert sich in der Regel (Brooks, 2014). Daher folgt der dritte Schritt von DARE den psychologischen Prinzipien *der paradoxen Intention* und der *kognitiven Neubewertung.*

Beim vierten Schritt, **"Beschäftigen"** geht es darum, den Verstand in eine gezielte Aktivität einzubinden. Dadurch wird verhindert, dass das Default Mode Network (DMN) aktiviert wird. Das DMN ist ein Netzwerk von Hirnregionen, die dann aktiv sind, wenn das Gehirn sich im Wachzustand befindet und nicht auf die Außenwelt fokussiert ist. Eine Zunahme der DMN-Aktivität ist mit exzessivem Grübeln verbunden, was zu einer Zunahme von Depressionen und Angstzuständen führt (Nolen-Hoeksema, 2000). **Die Beschäftigung mit nicht auf sich selbst bezogenen, zielgerichteten Tätigkeiten reduziert die DMN-Aktivität, was den Verstand vom Grübeln weglenkt.** Der vierte Schritt von DARE ist somit analog zur *kognitiven Umlenkung.*

Tabelle 1: Umwandlungsmechanismus

| SCHRITT | TÄTIGKEIT | TOOL | ZIEL |
|---------|-----------|------|------|
| 1 | *Entschärfen* | Achtsame Wahrnehmung | Wahrnehmung automatisierter Gedanken |
| 2 | *Erlauben* | Akzeptanz, kognitive Entschärfung | Erlauben und Zulassen unangenehmer Erfahrungen durch kognitive Entschärfung |
| 3 | *Darauf zulaufen/ Mehr verlangen* | Kognitive Umstrukturierung/ Neubewertung; Paradoxe Intervention | Neuinterpretation der Bedeutung des Stimulus |
| 4 | *Sich beschäftigen* | Bewusste Aufmerksamkeitssteuerung; kognitive Umlenkung | Reduzierung der DMN Aktivität (Ruhezustandsnetzwerk) und Fokussierung der Aufmerksamkeit und Gedanken auf zielorientierte Tätigkeiten |

Es gibt noch weitere Gemeinsamkeiten zwischen DARE und den grundlegenden Ansätzen der "Therapien der dritten Welle" als die primären Schritte und Ziele, die in Abbildung 1 zusammengefasst sind. Beide basieren auf der grundlegenden kognitiven Theorie und den Prinzipien der Achtsamkeit, Akzeptanz und Validierung, mit dem Ziel, die Relevanz negativer Gedanken zu verringern. Dadurch wird die negative "Gedanken-Gefühle-Verhaltens-Ketten-Reaktion" unterbrochen, was dazu führt, dass destruktives Denken beseitigt oder umgelenkt wird.

Dies beweist, dass DARE sowohl prozedural als auch methodisch fundiert ist, da es auf den allgemein anerkannten und bewährten Prinzipien der kognitiven Wissenschaft basiert. Die Verfahren und Schritte sind klar definiert und stimmen mit evidenzbasierten Psychotherapieansätzen überein. Die Methodik ist in die bekannten Prinzipien der Psychotherapieverfahren der dritten Welle eingebettet: Achtsamkeit, kognitive Entschärfung, Neubewertung und Umlenkung (siehe Abbildung 2) und in einer zugänglichen und anwenderfreundlichen Weise beschrieben, die die Erfahrung der Betroffenen sowohl anerkennt als auch normalisiert.

Abbildung 2: Kognitives Modell der Therapien der dritten Welle

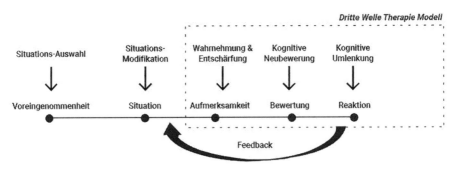

Der DARE Ansatz ist im Vergleich zum kognitiven Basismodell der "Therapieverfahren der dritten Welle" (das auf dem Emotionsregulationsmodell des Stanford Professors James Gross basiert und in Abbildung 1 (Gross & Barrett, 2012) veranschaulicht ist) gleichermaßen systematisch und strukturiert und nutzt klar definierte Ziele zur Motivation und Anleitung der Anwender.

# LITERATURHINWEISE

Ascher, L. M., & Schotte, D. E. (1999). Paradoxical intention and recursive anxiety. *Journal of Behavior Therapy and Experimental Psychiatry, 30*(2), 71-79. DOI: 10.1016/S0005-7916(99)00009-9

Beck, A. T. (1964a). Thinking and depression: Idiosyncratic content and cognitive distortions. *Archives of General Psychiatry, 9*(4), 324-333. DOI: 10.1001/archpsyc.1964.01720160014002

Beck, A. T. (1964b). Thinking and depression: Theory and practice. *Archives of General Psychiatry, 10*(6), 561-571. DOI: 10.1001/archpsyc.1964.01720240015003

Bishop, S. R., Lau, M., Shapiro, S., Carlson, L., Anderson, N. D., Carmody, J. ...Devins, G. (2004). Mindfulness: A proposed operational definition. *Clinical Psychology: Science and Practice, 11*(3), 230-241. DOI: 10.1093/clipsy/bph077

Bohus, M., Haaf, B., Simms, T., Limberger, M. F., Schmal, C., Unckel, C. ...Linehan, M. M. (2004). Effectiveness of inpatient dialectical behavioral therapy for borderline personality disorder: A controlled trial. *Behavior Research and Therapy, 42*(5), 487-499. DOI: 10.1016/S0005-7967(03)00174-8

Brooks, A. W. (2014). Get excited: Reappraising pre-performance anxiety as excitement. *Journal of Experimental Psychology: General, 143*(3), 1144-1158. DOI: 10.1016/S0005-7916(99)00009-9

Curren, L. (2009). Trauma competency: A clinician's guide. Eau Claire, WI: PESI.

David, D., & Szentagotai, A. (2006). Cognitions in cognitive-behavioral psychotherapies; toward an integrated model. *Clinical Psychology Review, 26*(3), 284-298. DOI: 10.1016/j.cpr.2005.09.003

De Silva, P. (1979). *An introduction to Buddhist psychology.* New York, NY: Barnes & Noble Books.

Dimeff, L., & Linehan, M. M. (2001). Dialectical behavior therapy in a nutshell. *The California Psychologist, 34,* 10-13.

Ellis, A. (1957). Outcome of employing three techniques of psychotherapy. *Journal of Clinical Psychology, 13,* 344–350.

Ellis, A. (1962). *Reason and emotion in psychotherapy.* Secaucus, NJ: Citadel.

Forman, E. M., Herbert, J. D., Moitra, E., Yeomans, P. D., & Geller, P. A. (2007). A randomized controlled effectiveness trial of Acceptance and Commitment Therapy and Cognitive Therapy for anxiety and depression. *Behavior Modification, 31*(6), 772-799. DOI: 10.1177/0145445507302202

Goldin, P. R., & Gross, J. J. (2010). Effects of Mindfulness-Based Stress Reduction (MBSR) on emotion regulation in social anxiety disorder. *Emotion, 10*(1), 83-91. DOI: 10.1037/a0018441

Gross, J. J., & Barrett, L. F. (2011). Emotion generation and emotion regulation: One or two depends on your point of view. *Emotion Review, 3*(1), 8-16. DOI: 10.1177/1754073910380974

Harris, R. (2006). Embracing your demons: An overview of Acceptance and Commitment Therapy. *Psychotherapy in Australia, 12*(4), 2-8.

Hayes, S. C., Wilson, K. G., Gifford, E. V., Follette, V. M., & Strosahl, K. (1996). Experiential avoidance and behavioral disorders: A functional dimensional approach to diagnosis and treatment. *Journal of Consulting and Clinical Psychology, 64*(6), 1152-1168.

Kabat-Zinn, J. (1994). *Wherever you go there you are.* New York, NY: Hyperion.

Kashdan, T. B., & Rottenberg, J. (2010). Psychological flexibility as a fundamental aspect of health. *Clinical Psychology Review, 30*(7), 865-878. DOI: 10.1016/j.cpr.2010.03.001

Linehan, M. M. (1993). *Cognitive behavioral therapy of borderline personality disorder.* New York, NY: Guilford Press.

Linehan, M. M., Comtois, K. A., Murray, A. M., Brown, M. Z., Gallop, R. J., Heard, H. L.,...Lindenboim, N. (2006). Two-year randomized controlled trial and follow-up of Dialectical Behavior Therapy versus therapy by experts for suicidal behaviors and Borderline Personality Disorder. *Archives of General Psychiatry, 63*(7), 757-766. DOI: 10.1001/archpsyc.63.7.757

Michelson, L., & Ascher, L. M. (1984). Paradoxical intention in the treatment of agoraphobia and other anxiety disorders. *Journal of Behavior Therapy and Experimental Psychiatry, 15*(3), 215-220.

Nolen-Hoeksema, S. (2000). The role of rumination in depressive disorders and mixed anxiety/depressive symptoms. *Journal of Abnormal Psychiatry, 109*(3), 504-511. DOI: 101037/10021-843X.109.3.504

Rathod, S., Kingdon, D., Pinninti, N., Turkington, D., & Phiri, P. (2015). *Cultural adaptation of CBT for serious mental illness: A guide for training and practice.* Malden, MA: John Wiley & Sons.

Ruiz, F. J. (2012). Acceptance and Commitment Therapy versus traditional Cognitive Behavioral Therapy: A systematic review and meta-analysis of current empirical evidence. *International Journal of Psychology & Psychological Therapy, 12*(2), 333-357.

Swart, J., Winters, D., & Apsche, J. A. (2014). Mindfulness-based Mode Deactivation Therapy for adolescents with behavioral problems and complex comorbidity: Concepts in a nutshell and cost-benefit analysis. *Journal of Psychology & Clinical Psychiatry, 1*(5), 1-12. DOI: 10.15406/jpcpy.2014.01.00031

Swart, J., & Apsche, J. A. (2014). Mode deactivation therapy meta-analysis: Reanalysis and interpretation. *The International Journal of Behavioral Consultation and Therapy, 9*(2), 16-21.

Werner, K. H., Jazaieri, H., Goldin, P. R., Ziv, M., Heimberg, R. G., & Gross, J. J. (2012). *Self-compassion and social anxiety disorder. Anxiety, Stress, & Coping, 25*(5), 543-558. DOI: 10.1080/10615806.2011.608842

Made in United States
Orlando, FL
11 July 2022

19644916R00139